Rosa-Maria Dallapiazza, Eduard von Jan

Beate Blüggel, Anja Schümann

TANGRAM 2B
Deutsch als Fremdsprache

Kursbuch und Arbeitsbuch

Max Hueber Verlag

5.   4.   3.   Die letzten Ziffern
2009   08   07   06   05   bezeichnen Zahl und Jahr des Druckes.
Alle Drucke dieser Auflage können, da unverändert,
nebeneinander benutzt werden.
2. Auflage 2002
© 2000 Max Hueber Verlag, 85737 Ismaning, Deutschland
Zeichnungen: ofczarek!
Verlagsredaktion: Silke Hilpert, Werner Bönzli
Lithographie: Agentur Langbein Wullenkord
Druck und Bindung: Schoder Druck, Gersthofen
Printed in Germany
ISBN 3–19–001616–X

Vorwort

 Beim Sprachenlernen stehen die Menschen im Mittelpunkt: die, die sich gemeinsam im Kurs die neue Sprache aneignen wollen, aber auch die, um deren Sprache es geht – in diesem Fall also um die Menschen zwischen Alpen und Nordsee, deren Muttersprache Deutsch ist. Nicht nur, wie sie sich ausdrücken, auch welchen gesellschaftlichen Normen sie folgen, welche Institutionen in ihr Leben eingreifen, was ihnen wichtig ist, worüber sie sich freuen oder ärgern – all das interessiert die Lernenden, weil die neue Sprache eben nur vor diesem Hintergrund Sinn macht.

Wir, die Autoren und der Verlag, hoffen, dass es uns mit dem Lehrwerk Tangram gelungen ist, den Lernenden diese Menschen in einer Form nahezubringen, die das Lernen zu einem ebenso angenehmen wie erfolgreichen Erlebnis macht – und dass wir darüber hinaus die Kursleiterinnen und Kursleiter bei der Vermittlung der deutschen Sprache so weitgehend unterstützen, wie dies durch das Medium eines Lehrwerks eben möglich ist. Über Reaktionen aus der Unterrichtspraxis würden wir uns sehr freuen.

Inhalt

Inhalt

Anhang

Piktogramme

Text auf Kassette und CD mit Haltepunkt
Die Transkriptionen der Texte zum Kursbuch befinden sich im Lehrerbuch, die Transkriptionen der Texte zum Arbeitsbuch in den Einlegern der Kassetten und CDs.

Schreiben

Wörterbuch

Hinweis aufs Arbeitsbuch

Hinweis aufs Kursbuch

§ 2   Hinweis auf Grammatikanhang

Regel

Wiederholung der Grammatik aus Tangram 1

Wünsche und Träume

Off to new shores!

A

A 1

Auf zu neuen Ufern!

Sprechen Sie über das Foto.

A 2

Erfinden Sie eine kleine Geschichte dazu.

Name	Alter	Land	Familienstand	Beruf	Was macht sie da?
Auf wen wartet sie?		Wohin möchte sie?		Warum?	Was denkt sie?

ARBEITSBUCH
A1-A4

Customs

Andere Länder, andere Sitten
[Sprichwort]
(Proverb)

Fremd ist der Fremde nur in der Fremde.
[Karl Valentin]
stranger

„Alles in allem gibt es nur zwei Arten von Menschen auf der Welt
– solche, die zu Hause bleiben und solche, die es nicht tun."
[Rudyard Kipling]

Wer sind diese Leute? Warum sind sie im Ausland?
Betrachten Sie die Fotos und raten Sie.

1
Name: Maria Malina
Land: Polen
Alter: 19
Familienstand:
Beruf (zur Zeit):
Berufswunsch:
Hobbys:
Warum Ausland?:
sonstiges:

Maria Malina (19)

Kyung-Ya Ahn (41)

Claude Vilgrain (34)

Klaus (42) und Sabine Schiller (44)

 3/ 1-4
Hören Sie und machen Sie Notizen. Ergänzen Sie die Steckbriefe.

Arbeiten Sie zu viert und berichten Sie über eine Person.

Arbeiten Sie zu zweit. Machen Sie eine Liste mit Fragen
und interviewen Sie sich gegenseitig.

Name ◆ Herkunft ◆ Familie ◆ Interessen ◆ Hobbys ◆ Beruf ◆ Berufswünsche ◆
Auslandserfahrungen ◆ Sprachkenntnisse ◆ …

Stellen Sie jetzt Ihre Interviewpartnerin oder Ihren Interviewpartner vor.

B

(Zweite) Heimat Deutschland?

B 1

Was bedeutet für Sie Heimat? Markieren und ergänzen Sie.

Heimat ist für mich ...

☐ mein Land.	☐ da, wo ich geboren wurde und aufgewachsen bin.
☐ meine Stadt/mein Dorf.	☐ da, wo mich alle kennen.
☐ meine Familie.	☐ da, wo mein Mann/meine Frau ist.
☐ meine Sprache.	☐ da, wo ich mich wohl und geborgen fühle.
☐ mein Glaube.	☐ da, wo ich gerade lebe.
☐ mein ...	☐ da, wo ich eine gute Arbeit finde.
	☐ ...

(handwritten: grown-up)

☐ der Geruch von ...
☐ der Geschmack von ...
☐ das Geräusch von ...
☐ ein Gefühl von ...
☐ die Erinnerung an ...
☐ ...

ARBEITSBUCH **B1-B2**

B 2

**Betrachten Sie die Fotos und lesen Sie die Bildunterschriften.
Welche zwei Personen interessieren Sie am meisten? Warum?**

Manuela, 22, Abiturientin, in Deutschland geboren, Eltern Portugiesen

„Deutschland ist meine Heimat."

Dr. Fariborz Baghei, 57, Gynäkologe, Iraner

„Ich bin und bleibe Iraner, egal wie lange ich in Deutschland lebe."

Tiziana, 20, Reiseverkehrs-kauffrau, Italienerin, lebt seit 16 Jahren in München

„Bei Fußball-Übertragungen brülle ich für Italien."

Seval Yildirim, 29, Medienberaterin in Berlin, Türkin

„Man muss die Heimat verlassen, um zu erkennen, woher man kommt."

Zafer, 22, Hotelfachmann, in München geboren, Eltern Türken

„Früher habe ich mich als Münchner gefühlt, heute eher als Gast."

Jossi Fuss, 22, Jura-Student in London

„Heimat ist ein altmodischer Begriff, einfach nicht mehr zeit-gemäß."

B 3

**Suchen Sie „Ihre" beiden Personen auf der folgenden Seite,
lesen Sie die Texte und machen Sie Notizen.**

	Erfahrungen in Deutschland	Heimat	Nationalität	doppelte Staatsangehörigkeit
2 Dr. Baghei				

(Zweite) Heimat Deutschland?

1 Manuela, 22, Abiturientin, in Deutschland geboren, Eltern Portugiesen

„Deutschland ist meine Heimat."

Also: Wenn ich gefragt werde, woher ich komme, sage ich: aus Deutschland. Dann folgt hundertprozentig: „Aber ursprünglich?" Das kann ich nicht mehr hören. Das nervt mich total. Deutschland ist meine Heimat. Portugal kenne ich nicht so gut. Mein Vater hat mich mal für vier Jahre zu meiner Oma nach Portugal geschickt, damit ich die Sprache und Kultur mitkriege. Ich hatte vier Jahre lang Heimweh nach Deutschland und Sehnsucht nach meinen Freunden. Die deutschen Bücher, die ich mitgenommen hatte, habe ich zehnmal gelesen, um meine Sprache nicht zu verlieren. Was mich ärgert, sind negative Bemerkungen über „die Ausländer" – so ein Quatsch: „Die Ausländer" gibt es doch gar nicht. Aber viele Leute plappern so was einfach nach, ohne groß darüber nachzudenken. Trotzdem: Ich möchte den deutschen Pass haben. Allerdings fände ich es besser, wenn ich beide Staatsangehörigkeiten haben könnte.

2 Dr. Fariborz Baghei, 57, Gynäkologe, Iraner

„Ich bin und bleibe Iraner, egal wie lange ich in Deutschland lebe."

Ich lebe seit 1960 in Deutschland, ohne schlechte Erfahrungen gemacht zu haben. Deutschland ist meine zweite Heimat. Die Frankfurter sind sehr nett, gastfreundlich und multikulturell – das findet man in keiner anderen deutschen Stadt. Eigentlich war ich nur nach Deutschland gekommen, um hier Medizin zu studieren. Aber dann habe ich meine Frau kennen gelernt – sie ist Deutsche – und bin hier geblieben. Ich habe eine Praxis aufgemacht – die ist genau so international wie Frankfurt: 30 Prozent meiner Patientinnen sind Nicht-Inländer – den Begriff Ausländer mag ich nicht. Ich habe keinen deutschen Pass – wozu auch? Ich bin und bleibe Iraner, egal wie lange ich in Deutschland lebe. Etwas anderes ist es mit meinem Sohn. Er ist zweisprachig aufgewachsen, kennt beide Kulturen. Für ihn wünsche ich mir die doppelte Staatsangehörigkeit, damit er ohne bürokratische Probleme in

beiden Ländern leben und arbeiten kann. In Deutschland muss man sich noch immer für eine Staatsangehörigkeit entscheiden. Das finde ich schade.

3 Tiziana, 20, Reiseverkehrskauffrau, Italienerin, lebt seit 16 Jahren in München

„Bei Fußball-Übertragungen brülle ich für Italien."

Wo meine Heimat ist? Unsere Großfamilie ist hier – das vermittelt so was wie Heimat, und ich fühle mich hier wohl. Aber ich habe mich nicht total angepasst: Ich bin stolz, Italienerin zu sein, und erzähle das ungefragt allen Leuten. Die reagieren immer begeistert: Ah, Italien! Spaghetti! Die Lebensart! „Itaker" hat noch nie jemand gesagt. Ich fahre mindestens einmal im Jahr nach Italien, damit der Kontakt zu den Freunden nicht verloren geht. Manchmal fahre ich auch nur für drei, vier Tage, um ein bisschen einkaufen zu gehen. Ich möchte meinen italienischen Pass behalten. Bei Fußball-Übertragungen brülle ich für Italien. Und bei Autorennen halte ich zu Michael Schumacher. Aber nur, weil er Ferrari fährt!

4 Seval Yildirim, 29, Medienberaterin in Berlin, Türkin

„Man muss die Heimat verlassen, um zu erkennen, woher man kommt."

Heimat, das riecht für mich nach Zimt, Pfeffer und Ingwer. Wenn ich von Heimat träume, spüre ich den Geschmack salziger Meeresluft auf meiner Zunge. Ich habe lange am Meer in Izmir und Istanbul gelebt. Als ich vier Jahre alt war, zogen wir nach Bremen, von dort gingen wir nach Köln, wo ich die Mittelschule besucht habe. Aber meine Eltern wollten zurück in die Türkei. Sie haben mich mitgenommen, damit ich in Istanbul mein Abitur mache. Meine Geschwister sind in Deutschland geblieben. Nach dem Abitur habe ich einen Studienplatz in Berlin bekommen. Es ist sehr angenehm, in Berlin zu leben: In einer Großstadt trifft man viele Menschen, die ihre Heimat aufgegeben haben, und ich fühle mich in dieser Internationalität sehr geborgen. Komischerweise bin ich erst in Berlin für meine Herkunft sensibilisiert worden, weil hier viele meiner Freunde Türken sind, und ich habe heute ein anderes Verständnis für meine Kultur. Man muss

wohl erst die Heimat verlassen, um zu erkennen, woher man kommt. Den deutschen Pass habe ich beantragt, damit das Reisen in Europa für mich leichter wird.

5 Zafer, 22, Hotelfachmann, in München geboren, Eltern Türken

„Früher habe ich mich als Münchner gefühlt, heute eher als Gast."

Ich bin in München geboren. Meine Eltern kommen aus der Türkei, ich habe noch die türkische Staatsangehörigkeit. Als Schüler habe ich von Ausländerfeindlichkeit nichts gemerkt. Erst als ich einen Job suchte, gab es Probleme. Von Türken wird eben erwartet, dass sie sich ans Fließband stellen – es ist sehr schwierig einen qualifizierten Job zu kriegen. Ein Hotel im Allgäu sagte mir mit der Begründung ab: „Hier müssen Sie auch in Tracht servieren. Können Sie sich einen Türken in Tracht vorstellen?" Früher habe ich mich als Münchner gefühlt, heute eher als Gast, trotzdem habe ich die Hoffnung auf einen guten Job noch nicht aufgegeben. Oft denke ich, ich werde hier nur geduldet, weil ich arbeite. Ich möchte die deutsche Staatsangehörigkeit beantragen, damit mir solche Erfahrungen in Zukunft vielleicht erspart bleiben.

6 Jossi Fuss, 22, Jura-Student in London

„Heimat ist ein altmodischer Begriff, einfach nicht mehr zeitgemäß."

Ich bin deutscher Jude oder, wenn Sie wollen, jüdischer Deutscher. Das ist ein ständiger Identitätskonflikt. Vielleicht habe ich deswegen kein Zugehörigkeitsgefühl zu einer speziellen Gruppe. In jedem Land gibt es Menschen, die mich nicht akzeptieren, aber auch solche, mit denen ich mich nicht identifizieren kann. Meine Freunde leben in Berlin, meine Eltern in Tel Aviv, und meinen Studienplatz habe ich in London. Heimat ist ein altmodischer Begriff, einfach nicht mehr zeitgemäß. Jetzt, wo alle vom Global Village reden. Wenn mich jemand fragt, sage ich immer: „Ich bin Europäer", um mich nicht festzulegen. In meinem Leben wird es immer temporäre Aufenthaltsorte geben, egal ob für ein Jahr, für zehn oder für zwanzig Jahre. Die Welt ist so groß.

Wer ist wo zu Hause? Warum? Vergleichen und diskutieren Sie.

B 4

Vergleichen Sie und ergänzen Sie die Regeln.

Hauptsatz, Aussage 1	Nebensatz (Finalsatz) Aussage 2	
	→ Ziel/Absicht	Verb(en)
Mein Vater hat mich … nach Portugal geschickt,	**damit** ich die Sprache und Kultur	**mitkriege.**
Die deutschen Bücher … habe ich zehnmal gelesen,	**um** meine Sprache nicht **zu**	**verlieren.**

damit ◆ Finalsätze ◆ um … zu + Infinitiv

1 Sätze mit „damit" und Sätze mit „um … zu + Infinitiv" heißen _____ . So kann man ein Ziel oder eine Absicht ausdrücken.

2 Gibt es im Hauptsatz und im Nebensatz unterschiedliche Subjekte, beginnt der Nebensatz mit _____ .

3 In Sätzen mit _____ steht kein Subjekt. Das Subjekt im Hauptsatz gilt auch für den Nebensatz.

Suchen Sie in den Texten von B3 weitere Sätze mit „damit", „um … zu" und „ohne … zu ".

> „um … zu + Infinitiv" (= Ziel, Absicht)
> Eigentlich war ich nur nach Deutschland gekommen, **um** hier Medizin **zu** studieren.
> Ich sage immer: „Ich bin Europäer.", **um** mich nicht festzulegen.
>
> „ohne … zu + Infinitiv" (= verneinte Parallel-Handlung)
> Viele Leute plappern so was einfach nach, **ohne** groß darüber nachzu-denken.
> Ich lebe seit 1960 in Deutschland, **ohne** schlechte Erfahrungen gemacht **zu** haben.

B 5

„Leben im Ausland" und „doppelte Staatsangehörigkeit": Was meinen Sie?
Sortieren Sie die Argumente.

ARBEITSBUCH
B3-B7

eine andere Kultur kennen lernen ◆ sich (nicht) anpassen können/müssen ◆ bessere/schlechtere Berufschancen ◆ die Identität (nicht) verlieren ◆ ein besseres Leben für die Familie ◆ eine Sprache lernen ◆ leichter reisen können ◆ mehr Chancen für die Kinder ◆ mehr Distanz zur eigenen Kultur ◆ (nicht) die gleichen Rechte haben ◆ (nicht) in beiden Ländern leben und arbeiten können/dürfen ◆ (nicht) mit der Familie zusammen leben können ◆ sich in … (nicht so) fremd fühlen ◆ sich (nicht) für ein Land entscheiden können/müssen ◆ wählen können/dürfen/müssen ◆ …

Leben im Ausland und doppelte Staatsangehörigkeit

+	−
eine andere Kultur kennen lernen bessere Berufschancen	sich anpassen müssen …

Diskutieren Sie zu dritt oder vier.

Ich würde gern in einem anderen Land (in …) leben, …
Ich hätte gern die „doppelte Staatsangehörigkeit", …
Die „doppelte Staatsangehörigkeit" ist wichtig für …, …

Ich möchte nicht gern im Ausland leben, …
Ich bin für / gegen die „doppelte Staatsangehörigkeit", …

> um … zu
> damit
> weil

ARBEITSBUCH
B8

C 1

„Das" oder „dass"? Lesen Sie den Text. Welche Regel passt zu „das" oder „dass"?

Das Haus der Kindheit
(nach Marie Luise Kaschnitz)

Es fing damit an, dass (1) ein Unbekannter auf der Straße vor mir stehen blieb und mich fragte, wo das (2) Haus der Kindheit sei. Was soll das (3) sein, fragte ich überrascht, ein Museum? Wahrscheinlich nicht, sagte der Mann. Warum suchen Sie dieses Haus? fragte ich. Ich habe dort zu tun, sagte der Mann, ich werde alt. Er zog höflich den Hut und entfernte sich. Ich ging weiter und bog aus Zerstreutheit in eine falsche Gasse ein. Als ich ein paar hundert Schritte gemacht hatte, sah ich das (4) Haus. Natürlich bin ich gleich zurückgelaufen, um dem Fremden Bescheid zu geben, aber ich habe ihn nicht mehr gefunden. Das (5) ist nicht weiter erstaunlich, wenn man bedenkt, dass (6) unsere Stadt sehr groß und besonders in der Mittagszeit voll von Menschen ist. Übrigens sind nach dem Krieg viele öffentliche Gebäude neu errichtet worden. Ich nehme an, dass (7) das (8) so genannte Haus der Kindheit zu diesen Errungenschaften der Nachkriegszeit gehört. So viel ich in der Eile gesehen habe, ist es ein großes, graues Gebäude ohne besonderen Schmuck, ausgenommen eine Art von Jugendstilornament, das (9) über dem Portal angebracht ist. …

Marie Luise Kaschnitz, geb. 1901 in Karlsruhe, gestorben 1974 in Rom. Sie lebte in Königsberg, Marburg, Frankfurt und Rom, schrieb Gedichte, Romane, Erzählungen, Autobiografisches und zahlreiche Hörspiele.
1955 erhielt sie den Georg-Büchner-Preis.

„das" und „dass"

In Texten hat „das" verschiedene Funktionen:
- als bestimmter Artikel steht es beim Nomen *2,_____* ,
- als Pronomen oder D-Wort steht es allein *3,_____* ,
- als Relativpronomen leitet es Relativsätze ein _____ .

Die Konjunktion „dass" leitet Nebensätze ein:
- nach Verben wie *glauben, wissen, meinen* _____ ,
- nach Ankündigungen wie *Es fing damit an* oder *Die Sache ist die,* _____ .

C 2

Lesen Sie weiter und ergänzen Sie „dass" oder „das".

Die Sache ist die, _____ (10) mich schon _____ (11) Wort Kindheit einigermaßen nervös macht. Wo im Gedächtnis der meisten Leute eine Reihe von hübschen, freundlichen Bildern auftaucht, ist bei mir einfach ein schwarzes Loch, in _____ (12) ich nur ungern schaue. Ich nehme an, _____ (13) dieses Vergessen eine bestimmte Ursache hat. Ich bin darum froh, _____ (14) ich _____ (15) so genannte Haus der Kindheit nicht aufgesucht habe. …

Der Eintritt in _____ (16) Museum ist, wie auf einer kleinen Tafel neben der Eingangstür geschrieben steht, frei. Aber _____ (17) heißt natürlich nur, _____ (18) man nicht mit Geld bezahlen muss, und _____ (19) bedeutet so gut wie nichts. Ich könnte mir gut vorstellen, _____ (20) man in dem Haus der Kindheit seiner Freiheit beraubt wird. …

Für alle öffentlichen Einrichtungen gebraucht man jetzt Abkürzungen, die aus den Anfangsbuchstaben der einzelnen Wörter bestehen. _____ (21) Wort H.D.K. (Hadeka) zum Beispiel hat etwas Frisches, Draufgängerisches, _____ (22) mich erheitert und mutig stimmt. …

Ich habe heute zum ersten Mal einen Blick in _____ (23) Innere der sonderbaren Museumsanlage geworfen. Es war alles ganz leicht. Ein Tor in der Mauer, _____ (24) ich bereits bei meinem ersten Gang durch die Straße bemerkt hatte, stand heute offen …

C 3

Wie sieht es im „Haus der Kindheit" aus? Wen trifft man dort? Was kann man dort erleben? Diskutieren oder schreiben Sie.

ARBEITSBUCH
C1-C3

D

D 1

Ich habe einen Traum

Wovon träumen diese Leute? Raten Sie mal.

Hans Olaf Henkel
Präsident des
Bundesverbandes
der Deutschen
Industrie (BDI)

– 1 –

Jennifer Larmore
Mezzosopranistin

– 2 –

Corinna May
blinde Sängerin

– 3 –

eine Welt ohne Geld ◆ ein wirklicher Freund ◆ eine neue Liebe ◆ Unsterblichkeit ◆ Gin Tonic trinken, wann immer man Lust dazu hat ◆ reich und berühmt in die Heimat zurückkehren ◆ Saxofon spielen können wie Charlie Parker ◆ wieder ein Kind sein ◆ ein Sonnenuntergang in der Karibik ◆ ein Gewinn im Lotto ◆ …

Lesen Sie <u>einen</u> Text und vergleichen Sie mit Ihren Vermutungen.

Hans Olaf Henkel

Jennifer Larmore

Corinna May

Kürzlich kaufte ich mir einen Film über Charlie Parker. Dieser Film nahm mich gefangen. Ich saß davor wie angeklebt. Charlie Parker war Jazz-Saxofonist. Ich finde, er war der genialste und vielleicht einflussreichste schwarze Musiker dieses Jahrhunderts. Er war mein Idol, als ich 16 war, deshalb kaufte ich alle seine Platten. Und noch heute ist er der Auslöser meines Traumes: Ich lege eine Platte auf, schließe die Augen, höre seine Musik, stelle mir vor, wie er auf der Bühne steht und stelle mir die Frage aller Fragen: Wie wäre es, wenn ich ein begnadeter Musiker wäre? Wenn ich zu Charlie auf die Bühne käme, neben ihm stände und mit ihm spielte und improvisierte?

In meinem Traum ist da auch dieses Geräusch: ein Klopfen an der Tür. Er ist es selbst. Er drückt mir ein Saxofon in die Hand und sagt: Spiel es, hol alles aus ihm raus. Ich umarme mein Idol und erzähle es ihm: Ich kann kein Instrument spielen, ich kann nicht malen, ich habe nicht einmal eine schöne Handschrift. Charlie Parker würde mich ansehen und antworten: Mann, alles eine Frage der Übung, der Ausdauer, des Ehrgeizes, der Disziplin. Darauf ich: Du hast Recht, aber es hat nicht gereicht dafür. Und dann würden wir zusammen auf ein Konzert gehen, zu Lester Young, zu Coleman Hawkins und Ray Brown. Charlie Parker und die anderen haben den Blues, den ich gern hätte. Und sie lassen ihn raus, was ich auch gern täte. Denn irgendwie habe ich ihn auch. Ich spüre es. Ach, hätte ich doch als Kind gelernt, Saxofon zu spielen! Oder könnte ich wenigstens Klavier spielen, so wie meine große Schwester! Aber ich bin ein Kriegskind. Das Pfeifen der Bomben wäre lauter gewesen als die Klänge schwarzer und weißer Tasten. Also ist es ein Traum geblieben – mein Traum: ein Instrument so zu spielen, wie ich es mir ausmale – mit Gefühl, mit Sex-Appeal, mit Kraft und mit Schmerz.

Ich bin 41. Ich bin Mezzosopranistin. Ich sage das in der Reihenfolge, weil ich glaube, die einzige Mezzosopranistin zu sein, die über ihr Alter spricht. Mir macht es nichts aus, älter zu werden. Im Gegenteil, ich freue mich darauf. Denn wenn ich alt sein werde, nicht mehr auf der Bühne stehen kann, vielleicht noch ein paar Schüler unterrichte, werde ich mir einen Traum erfüllen und Gin Tonic trinken, wann immer ich Lust darauf habe. Ich liebe Gin Tonic. Ich trinke ihn fast nie. Einmal, zweimal im Jahr vielleicht. Alkohol ist schlecht für die Stimmbänder, er trocknet sie aus. Alkohol wird in der Regel da getrunken, wo ich mich so wenig wie möglich aufhalten sollte: auf Partys. Denn dort wird geraucht. Schon das Einatmen von Rauch trocknet die Stimmbänder aus. Das sind Momente, in denen ich Violinisten beneide – nach dem Konzert können sie ihr Instrument einfach in die Ecke stellen. Ich trage meines 24 Stunden am Tag bei mir. Manchmal, wenn ich abends im Hotel sitze, große Lust auf einen Drink habe, wünsche ich mir, ich könnte meine Stimmbänder herausnehmen. Wenn das ginge, dann würde ich nett mit ihnen reden, sie loben, ihnen danken, dass sie so wunderbare Stimmbänder sind. Dann würde ich mir ein, zwei Gin Tonics genehmigen und die Stimmbänder am nächsten Morgen wieder einsetzen. Sie hätten keinen Schaden genommen und wären genau so gut wie am Abend zuvor. Und ich würde wunderschön singen, als ob ich nie etwas getrunken hätte.

Ich liebe meine Stimmbänder. Was wäre ohne sie aus mir geworden? Ohne sie hätte ich mir jedenfalls meinen größten Traum nicht erfüllen können: Musik zu machen. Ich habe ein fantastisches Leben: Ich verzichte auf wenig und bekomme unglaublich viel. Und in 20 Jahren werden es obendrein noch ein paar Drinks sein.

Träume. Natürlich habe ich Träume. Ich träume sie überall. Ich träume so, wie ich lebe: mit allen Sinnen. Nur das Sehen fällt weg. Ich bin auch in meinen Träumen blind.

Als kleines Mädchen habe ich zusammen mit meiner Schwester Sängerin gespielt. Wir stellten uns vor, wie das wäre, wenn wir auf einer Bühne ständen und ein Mikrofon in der Hand hielten. Im Juli 1993 war es dann wirklich so weit: Meine Schwester hat mich zu einem Talentwettbewerb nach Bremen begleitet. Und das Gefühl, auf der Bühne zu stehen, die Begeisterung der Leute zu spüren – das war wirklich wunderschön. Es gab viel Auf und Ab in meiner Karriere, und beinahe wäre ich wieder in meinen früheren Beruf zurückgegangen. Trotzdem bin ich sehr glücklich, dass ich mir den Traum Sängerin zu werden erfüllt habe.

Träume. Ich denke, man träumt ein Leben lang. Wenn man keine Träume mehr hat, ist man leer. Als ich klein war, hatte ich diesen Traum sehen zu können. Er ist sicher immer noch im Hinterkopf. Doch heute weiß ich, dass meine Augenkrankheit nicht operierbar ist. Und dennoch: sehen können – ich weiß nicht, wie das wäre, ob ich es wollte, ob ich mich operieren ließe … Wahnsinn wäre es, alles zu sehen, was ich mir mit meinen Sinnen vorgestellt habe – bestimmt wäre das zu viel, eine Reizüberflutung. Wahrscheinlich dürfte ich die Augen zuerst immer nur kurz öffnen und müsste sie dann gleich wieder schließen. Um dunkel zu haben. Und ich würde die Freundin nicht erkennen, wenn sie nicht redet – schlimm. Ich müsste sehen lernen, die Schrift lernen, das Schreiben lernen, alles, alles lernen. Was ich unbedingt sehen wollte, wenn ich sehen könnte? Einen Sonnenuntergang. Und einen Regenbogen. Den Sonnenuntergang kann mir kein Mensch erklären. Man erzählt mir von Farben, und wie schön er sein kann, wie verschieden. Ich würde dann in die Karibik fahren, am Meer sitzen und wüsste endlich, was es heißt, wenn eine rote Kugel im Meer versinkt. Das fände ich toll.

Arbeiten Sie in Gruppen und berichten Sie.

D 3 **Lesen Sie die Beispiele, unterstreichen Sie die Verben und ergänzen Sie die Regeln.**

Hans Olaf Henkel

Konjunktiv II: Fantasien, Träume, Wünsche (irreal)	Wirklichkeit (real)	
Wie <u>wäre</u> es, wenn ich ein begnadeter Musiker wäre?	*Gegenwart*	Er <u>ist</u> **kein** begnadeter Musiker.
Wenn ich zu Charlie Parker auf die Bühne käme, neben ihm stände, mit ihm spielte und improvisierte?	*Gegenwart*	Er sitzt **zu Hause**, hört Musik von Charlie Parker und träumt.
Charlie Parker würde mich ansehen und antworten: Mann, alles eine Frage der Übung.	*Gegenwart*	Er träumt weiter …
Ach, hätte ich doch als Kind gelernt, Saxofon zu spielen!	*Vergangenheit*	Er hat als Kind **nicht** gelernt, Saxofon zu spielen.
Oder könnte ich wenigstens Klavier spielen!	*Gegenwart*	Er kann **nicht** Klavier spielen.

„haben" oder „sein" ◆ Fantasien, Träume, Wünsche ◆ Partizip Perfekt ◆ Präteritum

1 Den Konjunktiv II benutzt man, wenn man über _____ spricht.*

2 Den Konjunktiv II der Gegenwart bildet man ähnlich wie das _____ , oder man benutzt
  die Ersatzform „würde + Infinitiv".

3 Den Konjunktiv II der Vergangenheit bildet man mit dem Konjunktiv II von _____
  und dem _____ .

  * Den Konjunktiv II bei höflichen Vorschlägen und Bitten kennen Sie schon: *Ich hätte gern …, Würden Sie bitte …,*
    Könnten Sie bitte …, Wir könnten …, Wir sollten …, Ich würde lieber …

Lesen Sie jetzt Ihren Text noch einmal und ergänzen Sie die Tabelle und die Regeln.

Konjunktiv II	Präteritum	Konjunktiv II	Präteritum
ich, sie/er/es/man			fand
dürfte	durfte		ging
	konnte	*käme*	kam
	musste		ließ
sollte	sollte		stand
wollte	wollte		wusste
	hatte		spielte
	war		improvisierte
	wurde		hielt

Lerntipp:

Die „Originalformen" des Konjunktivs II verwendet man
– immer bei *haben* und *sein*,
– immer bei den Modalverben,
Diese Formen sollten Sie lernen und benutzen!

– oft bei einigen unregelmäßigen Verben,
  z. B. *wüsste, fände, ginge, hieße, ließe,*
– selten bei allen anderen Verben,
  z. B. *hielte, spielte, täte.*
Diese Formen sollten Sie nur erkennen.
Benutzen Sie in diesen Fällen die Ersatzform *würde + Infinitiv*.

Konjunktiv II – Formen

ähnlich ◆ gleich ◆ immer (2x) ◆ oft

1 **Regelmäßige Verben:** Die Formen von Konjunktiv II und Präteritum sind _____ .
  Deshalb benutzt man fast _____ die Ersatzform „würde + Infinitiv".

2 **Unregelmäßige Verben:** Die Formen von Konjunktiv II und Präteritum sind _____ , aber:
  Es gibt _____ Umlaute und _____ die Endung „-e" bei der 1. und 3. Person Singular.

ARBEITSBUCH
D1-D3

D 4

Ergänzen Sie die Konjunktiv-Formen.

Iris Berben

Mein einziger wirklicher Traum ist die Unsterblichkeit. Ich möchte überhaupt nicht sterben. Wie wunderbar das _____ (1) (sein), wenn ich immer weiter _____ (2) (schauen können): Was in den nächsten 50 Jahren passiert – und dann wieder und wieder … Es _____ (3) (sein) fantastisch. Ich will ewig leben und ewig genießen. Für mich _____ (4) (sein) es der größte Verlust, wenn ich das Leben nicht mehr _____ _____ (5) (wahrnehmen können), wenn ich keine Freude mehr an Dingen _____ (6) (haben), weil mein Körper oder mein Geist das nicht mehr _____ _____ (7) (zulassen). Das Schöne an der Unsterblichkeit _____ (8) (sein), dass man nicht krank _____ (9) (werden). Ich habe Angst vor der Abhängigkeit, in die man bei Krankheit gerät.

Ich sehe sehr viel und sehr schnell. Schnelligkeit ist mein Begleiter. Unsterblich sein _____ (10) (heißen), nicht langsamer zu werden. Und ich _____ _____ (11) (tanzen können), jeden Tag, die ganze Unsterblichkeit lang. Ich _____ meine Unsterblichkeit gerne in der großen Familie _____ (12) (verbringen), bei Menschen, mit denen man Lust auf Gespräche, Fragen und Streit hat. Wenn ich nur eine Person in meinen Traum _____ _____ (13) (mitnehmen dürfen), _____ (14) (sein) es meine Mutter. Sie ist 77, und ich will nicht, dass sie stirbt. Ich nehme sie einfach mit auf die große Reise, die nie endet …

Wären Sie gerne unsterblich? Warum (nicht)? Schreiben Sie.

D 5

Formulieren Sie Fragen und machen Sie ein Partnerinterview.

Was würden Sie machen/sagen, wenn …?

Was hättest du gemacht/gesagt, wenn …?

Was wäre, wenn …?

> viel Geld haben/finden/gewinnen ◆ kein Geld zum Leben brauchen ◆ nicht arbeiten müssen ◆
> … Jahr(e) Urlaub haben ◆ sich einen anderen Beruf aussuchen können ◆ noch einmal heiraten können ◆
> den Autoschlüssel / Wohnungsschlüssel/… verlieren ◆ in den falschen Zug einsteigen ◆
> in einer fremden Stadt ohne Adresse und Stadtplan ankommen ◆ Erfinderin/Erfinder sein ◆
> Präsidentin/Präsident des Landes sein ◆ einen Tag lang eine Frau sein / ein Mann sein ◆
> im … Jahrhundert leben ◆ in … geboren sein ◆ in … leben ◆ vor den Vereinten Nationen eine
> Rede halten dürfen ◆ die Hauptrolle in einem Kinofilm spielen ◆ der Papst/… kommt zu Besuch ◆
> es gibt keine Grenzen/Autos/… ◆ die Menschen haben keine Augen/Ohren/… ◆ …

Was würden Sie machen, wenn Sie viel Geld hätten?
Eine Reise in die Karibik.
Ich würde mir ein schönes, altes Haus kaufen.
Was hättest du gemacht, wenn du in den falschen Zug eingestiegen wärst?
…

Arbeiten Sie zu viert und berichten Sie.

D 6

Was wünschen Sie sich? Ergänzen Sie die Sätze.

> Ich wäre gern wie … ◆ Ich würde gern … ◆ Ach, könnte ich doch nur … ◆ Ich hätte gern … ◆
> Hätte ich doch nie … ◆ Wäre ich doch nie … ◆ Ach, würde ich doch nicht so viel … ◆
> Hätte ich doch nicht so oft … ◆ Hätte ich dir doch nur … ◆ Ich fände es toll, wenn … ◆
> Es wäre schön, wenn … ◆ …

ARBEITSBUCH
D4

Der Ton macht die Musik

E

Lesen Sie und unterstreichen Sie alle Konjunktiv-Formen.

Manchmal wünschte ich …
(von Reinhard Mey*)

*Manchmal wünschte ich, meine Gedanken wären ein Buch
und du könntest darin lesen,
was ich glaub, was ich denk, was ich zu tun versuch,
was richtig und was falsch gewesen.
Du könntest darin blättern und dich sehen.
Es erzählt dir Zeile für Zeile
Gedanken, die ich mit dir teile, ohne dass Worte deren Sinn
verdrehen.*

*Manchmal wünschte ich, meine Gedanken wären ein Buch,
aber nun hab ich unterdessen,
während ich noch die richtigen Worte dafür such,
meinen Gedanken schon vergessen.*

*Manchmal wünschte ich, meine Zeit wäre wie Eis
und würde nicht von selbst verfließen,
nur wenn ich ein Stück davon bräuchte, gäbe ich's preis
und ließe es tauen und zerfließen,
ich nähme ein Stück und taute es zur Zeit
und vielleicht fände ich meine alten
Versprechen, die ich nicht gehalten
noch einzulösen die Gelegenheit.*

*Manchmal wünschte ich, meine Zeit wäre wie Eis
dann hätt' ich so viel Zeit gewonnen,
doch während ich darüber nachdenk, ist ganz leis
ein Stück von unserer Zeit zerronnen.*

*Manchmal wünschte ich, meine Liebe wäre ein Haus
mit hellen Fenstern, hohen Türen
und du sähest Dach und Giebel ragen hoch hinaus,
könntest sie sehen und berühren,
dann hättest du den Schlüssel für das Tor
zu allen Zimmern allen Schränken
und deine Freiheit einzuschränken
legtest nur du die Riegel selber vor.*

*Manchmal wünschte ich, meine Liebe wäre ein Haus
mit Giebeln, die zum Himmel ragen,
mal ich dir meine Liebe schon vergebens aus,
will ich sie dir wenigstens sagen.*

*Reinhard Mey, geb. 21.12.1942 in Berlin, Liedermacher

ARBEITSBUCH E1-E4

 3/5 **Jetzt hören und lesen Sie.**

(in Buch/Zeitschrift) blättern: eine Seite nach der andern kurz anschauen

(den Sinn) verdrehen: (ins Gegenteil) verändern

verfließen/zerfließen/tauen: nicht mehr fest sein, flüssig werden (z. B. Eis)

preisgeben: hergeben, aufgeben

zerrinnen (Zeit): zerfließen, vorbeigehen

Freiheit einschränken: Grenzen setzen

den Riegel vorlegen: abschließen, Grenzen setzen

(jemand etwas) ausmalen: genau beschreiben

F

Cartoon

ARBEITSBUCH F1-F2

Kurz & bündig

Finalsätze

	mit „um ... zu + Infinitiv" oder „damit"
Ich war nur nach Deutschland gekommen,	**um** hier Medizin **zu studieren**.
Für meinen Sohn wünsche ich mir die doppelte Staatsangehörigkeit,	**damit** er ohne bürokratische Probleme in beiden Ländern leben und arbeiten kann.
Ich fahre mindestens einmal im Jahr nach Italien,	**damit** der Kontakt zu den Freunden nicht verloren geht.
Manchmal fahre ich nur für drei, vier Tage,	**um** ein bisschen einkaufen **zu gehen**.
Ich möchte die deutsche Staatsangehörigkeit beantragen,	**damit** mir solche Erfahrungen in Zukunft erspart bleiben.
Ich sage immer: „Ich bin Europäer.",	**um** mich nicht **festzulegen**.
Meine Eltern haben mich mitgenommen,	**damit** ich in Istanbul mein Abitur mache.
Man muss wohl erst die Heimat verlassen,	**um zu erkennen**, woher man kommt.
Den deutschen Pass habe ich beantragt,	**damit** das Reisen in Europa für mich leichter wird.

Konjunktiv II

Jennifer Larmore

Manchmal, wenn ich abends im Hotel sitze, große Lust auf einen Drink habe, wünsche ich mir, ich **könnte** meine Stimmbänder **herausnehmen**. *Wenn das* **ginge**, dann **würde** ich nett mit ihnen **reden**, sie loben, ihnen danken, dass sie so wunderbare Stimmbänder sind. Dann **würde** ich mir ein, zwei Gin Tonics **genehmigen** und die Stimmbänder am nächsten Morgen wieder **einsetzen**. Sie **hätten** keinen Schaden **genommen** und **wären** genau so gut wie am Abend zuvor. Und ich **würde** wunderschön **singen**, *als ob* ich nie etwas **getrunken hätte**.

Was **würden** Sie **machen**, *wenn* Sie viel Geld **hätten**?	Eine Reise in die Karibik.
Oder Bundeskanzler von Deutschland **wären**?	Ich würde die doppelte Staatsangehörigkeit einführen.
Was **würden** Sie **tun**, *wenn* es keine Autos mehr **gäbe**?	Zu Fuß gehen.
Was **hättest** du **gemacht**, wenn du dir einen anderen Beruf **hättest aussuchen können**?	Politiker.
Was **wären** Sie geworden, wenn Sie sich einen anderen Beruf **hätten aussuchen können**?	Journalistin.

Nützliche Ausdrücke

Heimat ist für mich **da, wo** ich geboren wurde und aufgewachsen bin.
Bei Autorennen halte ich zu Michael Schumacher. **Aber nur, weil** er Ferrari fährt!
Komischerweise bin ich erst in Berlin für meine Herkunft sensibilisiert worden.
Das kann ich nicht mehr hören. Das nervt mich total.
Die Sache ist die, dass mich schon das Wort Kindheit nervös macht.
Das ist **alles eine Frage der Übung**, der Ausdauer, des Ehrgeizes, der Disziplin.
Hauptsache, man ist offen für das Neue, das Ungewohnte, für das Fremde.
Erfahrungen im Ausland sind ja heute **ein Muss**.
Von da an hatte ich diesen **Floh im Ohr**.

Berufe

A

A 1

Ein Job geht um die Welt

Sprechen Sie über die Frauen.

Wo leben und arbeiten diese Frauen?

Was sind sie wohl von Beruf?

Macht ihnen ihr Beruf Spaß?

Kennen sie sich gut?

Wie halten sie miteinander Kontakt?

Was machen sie wohl in ihrer Freizeit?

Arbeiten wir um zu leben,
oder leben wir um zu arbeiten?

Lesen Sie den Artikel und machen Sie Notizen.

Name	Land	Kunden	Arbeitsbedingungen	Freizeit/Urlaub
Fernanda Bueno	Brasilien (São Paulo)	ausländ. Pharma-Unternehmen	kleines Büro (2 Kollegen) 8.30 bis ?, $ 4000, viele Reisen	Freundschaften mit ausländ. Kollegen, schwimmen gehen

Fernanda Bueno (29), São Paulo

Meine zwei Mitarbeiter und ich arbeiten sehr international. Wir koordinieren hier die PR-Arbeit für mehrere ausländische Pharma-Unternehmen, so dass ich viel reisen muss. Vor kurzem war ich auf einem Kongress in New York, nächste Woche fliege ich zu einem Meeting nach London. Außerdem telefoniere ich ständig mit den Büros in Argentinien, Chicago, San Francisco und mit unserem Headquarter in New York. Dadurch sind schon echte Freundschaften mit Kollegen im Ausland entstanden. Ich verdiene 4000 US-Dollar im Monat. Manchmal ist der Job so anstrengend, dass meine Gesundheit leidet. Ich rauche zu viel und schlafe zu wenig. Deshalb achte ich bewusst auf Pausen in meinem Tagesablauf. Zum Relaxen fahre ich mittags gerne in ein Restaurant, aber oft reicht die Zeit nur für ein Sandwich. Und fast jeden Tag gehe ich nach Feierabend eine Runde schwimmen.

Tokio, Dienstag, 18.45 Uhr. Miyuki Ogushi (25) hat wieder einmal so viel Arbeit, dass sie jetzt noch an ihrem Schreibtisch sitzt. Sie ist PR-Beraterin bei PRAP, der japanischen Agentur von Ketchum Public Relations Worldwide. Miyuki schreibt einen Brief an einen internationalen Kunden, in dem sie die neue PR-Strategie erklärt. Im Infopool Ketchum Global Network gibt es Informationen über das Unternehmen. Alle Ketchum-Mitarbeiter (und das sind über 1 500 weltweit) haben Zugriff auf diese Daten, so dass Miyuki sich die gewünschten Informationen per Mausklick besorgen kann. Zur selben Zeit im 9 370 Kilometer entfernten Ketchum-Büro in München, 11.46 Uhr. Petra Sammer (32) klinkt sich ins firmeneigene Intranet, um eine Anfrage Richtung São Paulo zu mailen. Dort ist es jetzt 6.46 Uhr früh, Fernanda Bueno steht noch zu Hause unter der Dusche. In ihrem elektronischen Postkasten blinkt die E-Mail von Kollegin Sammer. Distanz zwischen hier und dort: 9850 Kilometer. Fernanda wird antworten,

Miyuki Ogushi (25), Tokio

Sehr viel Freizeit habe ich nicht. Ich arbeite meist bis acht Uhr abends und muss dann noch gut zwei Stunden mit dem Zug nach Hause fahren, so dass nur noch Zeit fürs Abendessen bleibt. Wir arbeiten hier in zwei Großraumbüros mit 50 und 80 Leuten. Nur der Chef und sein Stellvertreter haben eigene Büros. Das Arbeitsklima ist aber okay. Mit einigen Kollegen verstehe ich mich so gut, dass wir uns auch privat treffen. Wir fahren dann am Wochenende gemeinsam ans Meer oder zu den heißen Quellen in die Berge. In der Agentur bin ich für die Öffentlichkeitsarbeit einer New Yorker Modefirma und einer internationalen Hotelkette zuständig. Mein Gehalt ist nicht schlecht: 1400 US-Dollar im Monat. Mit dem Job bin ich sehr zufrieden. Ich würde nur gern irgendwann mal eine Zeit lang ins Ausland gehen, um PR-Arbeit in anderen Kulturen kennen zu lernen.

sobald sie im Büro ist. Man kennt sich von internationalen Meetings. Jedes Mitglied der Ketchum-Familie spricht neben der Muttersprache mindestens fließend Englisch, so dass sich alle miteinander verständigen können. Keine Frage, hier sind Global Player am Werk, hier ist man auf weltweite Zusammenarbeit programmiert. Um 8.30 Uhr sitzt Fernanda Bueno vor dem PC. Hinter ihr blubbert die Kaffeemaschine – brasilianische Bohne. Fernanda mailt gerade Richtung München: „Dear Petra, thanks for your message. Of course I can give you the information you asked for ..." Der Arbeitstag beginnt.

Petra Sammer (32), München

Ich genieße es, früh morgens mit dem Fahrrad durch die Münchner City zur Arbeit zu fahren. Meistens bin ich schon um sieben Uhr im Büro, da kann ich schön ungestört arbeiten. Dann checke ich erst meine E-Mails und Faxe oder telefoniere mit Kollegen in Sydney oder Tokio. Zurzeit arbeite ich an einem Gesamtkonzept für Burger King, meinen Hauptkunden. Wir sind hier knapp fünfzig Leute, alle in einem großen Raum, aber die Schreibtische und Schränke sind so gestellt, dass jeweils zwei Mitarbeiter so eine Art kleines Büro haben. Ich verdiene gut, über 35 000 Euro pro Jahr, aber: Es ist immer so viel zu tun, dass ich selten vor 19 Uhr hier rauskomme – meist mit einem Stapel Zeitschriften und Fachliteratur für zu Hause bepackt. Einige Male im Jahr fahre ich zu internationalen Ketchum-Meetings oder Workshops nach New York, Florida oder London. Im Ausland, auch im Urlaub, besuche ich immer das Ketchum-Büro vor Ort. Mit einigen Kollegen habe ich mich angefreundet, und wir mailen uns regelmäßig. Meine Ferien verbringe ich dieses Jahr bei meiner Ketchum-Freundin Alicia in Hongkong.

Vergleichen Sie die Arbeitsbedingungen. Wo würden Sie am liebsten arbeiten? Warum?

Arbeitszeit ◆ Aufgaben / Kunden ◆ Gehalt ◆ Land / Ort ◆ Räume ◆ Zahl der Mitarbeiter ◆ ...

A 3

Lesen Sie den Text noch einmal und ergänzen Sie die Sätze.

Hauptsatz			Nebensatz (Konsekutivsatz)
Typ 1	Aussage 1		**so dass** + Aussage 2
	(Grund)		→ *Folge, Ergebnis*
Alle Ketchum-Mitarbeiter haben Zugriff auf diese Daten,			**so dass** Miyuki sich die gewünschten Informationen per Mausklick besorgen kann.
Jedes Mitglied der Ketchum-Familie spricht fließend Englisch,			_____ .
Typ 2	Aussage 1	**so** ...	**dass** + Aussage 2
	(betonter Grund)		→ *Folge, Ergebnis*
Bueno: Manchmal ist der Job		**so** anstrengend,	_____ .
Ogushi: Mit einigen Kollegen verstehe ich mich _____ ,			_____ .

Ergänzen Sie die Regeln und suchen Sie weitere Sätze mit „so dass" und „so ... , dass" in A2.

	dass ◆ Folge ◆ Grund ◆ Nebensätze ◆ rechts vom ◆ so
1	Sätze mit „so dass" sind _____ . Sie stehen immer _____ Hauptsatz.
2	Der Hauptsatz nennt den _____ , der „so dass"-Satz betont die _____ .
3	Wenn ein Wort im Hauptsatz mit _____ betont wird, beginnt der Nebensatz nur mit _____ .

A 4

Verbinden Sie die Sätze und schreiben Sie über die moderne Arbeitswelt.

1 Die moderne Technik erleichtert die Kommunikation. Viele Firmen arbeiten heute international.
2 Stellenangebote werden im Internet ausgeschrieben. Jeder kann sich für Jobs auf der ganzen Welt bewerben.
3 Gute Bewerber haben Auslandserfahrung und sind flexibel. Sie können ohne Probleme überall eingesetzt werden.
4 In großen Firmen arbeiten oft internationale Teams zusammen. Fremdsprachenkenntnisse werden immer wichtiger.
5 Immer mehr Arbeitsplätze sind mit Computern ausgestattet. Jeder braucht heute PC-Kenntnisse.
6 Millionen Menschen haben heute einen E-Mail-Anschluss. Sie können in Sekundenschnelle von überall erreicht werden.
7 Geschäftsleute haben immer ihr Handy dabei. Man kann sie jederzeit telefonisch erreichen.
8 Heute kann jeder mit jedem jederzeit Kontakt aufnehmen. Grenzen und Entfernungen spielen keine große Rolle mehr.

1 Die moderne Technik erleichtert die Kommunikation, so dass viele Firmen heute international arbeiten.
2 Viele Stellenangebote werden im Internet ausgeschrieben: Jeder kann sich also ...

> Auch mit „**deshalb**" und „**also**" betont man die Folge. Vergleichen Sie:
> *Geschäftsleute haben immer ihr Handy dabei, ...* (Hauptsatz 1)
> *... **so dass** man sie jederzeit telefonisch erreichen kann.* (so dass + Nebensatz)
> *... **deshalb** kann man sie jederzeit telefonisch erreichen.* (deshalb + Hauptsatz 2)
> *... man kann sie **also** jederzeit telefonisch erreichen.* (also im Hauptsatz 2)

A 5

Wie arbeiten Sie? Wie würden Sie gern arbeiten? Berichten Sie.

ARBEITSBUCH
A2–A5

alleine/selbstständig/im Team/im Großraumbüro/in einem Geschäft/ ... arbeiten ◆ ganztags/halbtags/stundenweise arbeiten ◆ viel telefonieren/am PC arbeiten/stehen/sitzen/reisen/ ... (müssen) ◆ (immer) flexibel/freundlich/kreativ/... sein (müssen) ◆ viel/wenig Kontakt mit Kollegen/Kunden/Freunden/ ... haben ◆ viel/wenig zu tun haben ◆ Stress/Freizeit/Zeit für die Familie haben ◆ einen weiten/kurzen Weg zur Arbeit haben ◆ früh/spät aufstehen/nach Hause kommen ◆ manchmal/oft müde sein/erschöpft sein/...schmerzen haben ◆ (k)ein festes Gehalt haben/(nicht) gut verdienen ◆ eine (sehr) interessante/langweilige/ ... Arbeit haben ◆ zufrieden/unzufrieden mit der Arbeit sein ◆ ...

Beruf oder Berufung?

Was macht man in diesen Berufen? Welche Vor- und Nachteile haben sie?

Lesen Sie die Texte und ergänzen Sie die Tabelle.

Reiseleiter/in

In der Welt herumreisen und dafür auch noch Geld bekommen – für viele nach wie vor ein Traumberuf. Die Realität kann allerdings ganz anders sein. Schlechtes Wetter, falsches Hotel, gestohlenes Geld: Bei allem, was schief geht, ist der Reiseleiter Zielscheibe des Ärgers der Gäste. Viel Arbeit ist es sowieso: das Erledigen der Einreiseformalitäten, der Umtausch von Geld, das Organisieren von Ausflügen oder Eintrittskarten, ständig Auskünfte über Land, Leute und die besten Kneipen geben – und das alles rund um die Uhr. Im Laufe der Zeit verliert dabei auch das interessanteste Land seinen Reiz. Ein Reiseleiter braucht gute Gesundheit, Menschenkenntnis, Geduld, Unternehmungslust, Organisations- und Improvisationstalent, Durchsetzungsvermögen und natürlich solide Kenntnisse der Sprache des Reiselandes. Der Beruf des Reiseleiters ist kein anerkannter Ausbildungsberuf. Man kann seinen Einsatzort nicht immer selbst bestimmen, und das Privatleben mit Partner und Freunden kommt wegen der vielen Reisen häufig zu kurz. Gefragt sind deshalb meist junge Leute, und die Stellen sind zeitlich begrenzt. Aber in diesem Beruf lernt man die Welt und die Menschen kennen und bekommt Entscheidungshilfen für eine langfristige Berufsperspektive in der Tourismus-Branche. Ein Reiseleiter kann auch als Animateur im Musik- oder Sportbereich arbeiten oder als Organisator bei einem kommunalen Fremdenverkehrsamt.

Polizist/in

Für die einen sind sie „Freunde und Helfer", für die anderen Vertreter der Staatsmacht – ob beim Dienst im Streifenwagen oder auf der Straßenkreuzung, ob im Büro oder am Tatort. Polizisten sollen für die Sicherheit der Bürger sorgen, bei Unfällen helfen und Kriminalfälle lösen – vom Fahrraddiebstahl bis zum Mord. In Leitungspositionen planen und koordinieren sie die Einsätze von Schutzpolizei und Kripo oder leiten eine Dienststelle. Noch sind nur etwa fünf Prozent der Beschäftigten bei der Polizei Frauen, aber bei den Neueinstellungen bekommen sie bereits jeden zweiten Platz. Als Mitglied der Polizei sollte man Teamgeist haben, auch in Stress-Situationen die Übersicht behalten, logisch denken können, ein gutes Gedächtnis haben und unbestechlich sein. Polizisten haben einen abwechslungsreichen Beruf und als Beamte innerhalb des Staatsdienstes einen sicheren Arbeitsplatz, aber sie müssen oft im Schichtdienst arbeiten, und manche Einsätze sind gefährlich. Die Dauer der Ausbildung ist verschieden: anderthalb bis vier Jahre – je nach Bundesland, Schulabschluss und angestrebter Laufbahn (einfacher, mittlerer, gehobener und höherer Dienst). Außerhalb des Staatsdienstes können Polizisten als Detektive oder für private Sicherheitsdienste arbeiten (z. B. für Geldtransportfirmen und Bodyguard-Agenturen).

Kfz-Mechaniker/in (Kraftfahrzeugmechaniker/in)

Kraftfahrzeuge aller Art müssen instand gehalten und repariert werden: Die Suche nach Fehlern, die Reparatur von Schäden und der Austausch von Teilen – das sind die Aufgaben des Kfz-Mechanikers. Unterhalb des Blechs, bei Motor, Vergaser und Auspuff beginnt seine Welt. Er kennt das Auto in allen Einzelteilen und steckt oft bis zu den Ellenbogen im Öl. Aber ein Wandel des Berufsbildes ist erkennbar: War seine Arbeit früher überwiegend handwerklich-praktisch, so gehören heute auch der Umgang mit modernen elektronischen Prüfgeräten, die Arbeit am Computer und der Kontakt mit Kunden und Lieferanten dazu. Kfz-Mechaniker sollten handwerkliches Geschick und Spaß am Basteln mitbringen. Wichtig sind aber auch Gründlichkeit und Zuverlässigkeit, denn bei Reparaturen sind sie für die Verkehrssicherheit des Autos verantwortlich. Die technische Entwicklung stellt den Kfz-Mechaniker vor immer neue Aufgaben und verlangt von ihm Flexibilität und Lernfähigkeit. Schon während der Lehrzeit sind seine Fähigkeiten und Kenntnisse im Freundeskreis oft sehr gefragt. Kfz-Mechaniker können auch in der Autoproduktion arbeiten oder sich auf bestimmte Fahrzeuge wie Landmaschinen oder Zweiräder spezialisieren.

	Tätigkeit Aufgaben	Voraussetzungen Anforderungen	Vorteile des Berufs	Nachteile des Berufs	Mögliche Arbeitsorte
Reiseleiter/in					

Vergleichen Sie die Ergebnisse mit Ihren Vermutungen.

B 3

Lesen Sie noch einmal die Texte und ergänzen Sie die Lücken und die Regeln.

Der Genitiv

der Beruf	des Reiseleiters	innerhalb	des Staatsdienstes
Bezugswort	← Genitiv	Präposition +	Genitiv

---

f	m	n	Pl
im Laufe de_ Zeit	Zielscheibe de_ Ärger_	Kenntnisse der Sprache	Zielscheibe des Ärgers de_ Gäste
Kenntnisse de_ Sprache	der Beruf de_ Reiseleiter_	de_ Reiseland__	das Erledigen de_ Einreisefor-
Vertreter de_ Staatsmacht	innerhalb de_ Staatsdienst__	unterhalb de_ Blech_	malitäten
während de_ Lehrzeit	außerhalb de_ Staatsdienst__	ein Wandel de_ Berufsbild__	wegen de_ vielen Reisen

Ersatzform: „von" + DAT

der Umtausch ___ Geld   das Organisieren ___ Ausflügen oder Eintrittskarten   die Einsätze ___ Schutz-

polizei und Kripo   die Reparatur ___ Schäden   der Austausch ___ Teilen

---

1 Der Genitiv beschreibt sein _____ genauer.

Der Genitiv steht auch nach den Präpositionen _____

_____ .

2 Das Genus-Signal für den Genitiv: f und Pl _____ ,

m und n _____ .

Bei _____ und_____ haben die Nomen im Genitiv

Singular die Endung „–(e)s".

> Der Genitiv kommt in der Schriftsprache häufiger vor als in der gesprochenen Sprache.
> Einige Ausdrücke mit Genitiv benutzt man auch in der gesprochenen Sprache häufig:
> *im Laufe der Zeit / des Tages / der Woche / des Monats*
> *am Anfang / in der Mitte / am Ende des Jahres / seiner Ausbildung / des Buchs*
> *ein Teil / zehn Prozent / ein Drittel / die Hälfte der Haushalte / der Deutschen / des Geldes*
> *die schönste Zeit des Jahres / meines Lebens*
> *der dickste Mann der Welt / Europas*

B 4

Ergänzen Sie die Genitive.

Beruf: Vertriebs-Chefin

Kann man mit Hauptschulabschluss eine Chefkarriere machen? Man kann, wenn man den Willen und das Talent von Gabriele Oster hat. Die 36-Jährige hat zu Beginn _____ *(ihr Berufsleben)* in einer Parfümerie den Beruf _____ *(die Verkäuferin)* erlernt und ist heute Vertriebsleiterin _____ *(die Firma)* Impex Electronic in Koblenz mit rund 150 Mitarbeitern. Was ist Gabrieles Geheimnis? „Ich bin Schritt für Schritt mit dem Unternehmen gewachsen", sagt sie. Nach der Ausbildung in der Parfümerie hat sie bei Impex Electronic den Beruf _____ *(die Kauffrau)* für den Groß- und Außenhandel erlernt. Nach einigen Fortbildungen wurde sie Chefsekretärin und bekam fünf Jahre später die Stelle _____ *(die Personalleiterin)*. Gleichzeitig übernahm sie Aufgaben im Bereich _____ *(das Marketing)*, was mit zahlreichen Auslandsreisen verbunden war. Diesen Job machte sie so gut, dass sie vor zwei Jahren die Verantwortung für den gesamten Bereich _____ *(der Vertrieb)* bekam. Ein weiterer Höhepunkt _____ *(ihre Karriere)*: Sie wurde Mitglied _____ _____ *(der Prüfungsausschuss, die Industrie- und Handelskammer)* und prüft heute selbst junge Außenhandelskaufleute am Ende _____ _____ *(die Ausbildung)*. Man kann also auch mit Hauptschulabschluss eine Chefkarriere machen!

> **Genitiv bei Namen**
> Gabrieles Talent
> Gabriele Osters Talent
> das Talent von Gabriele Oster

ARBEITSBUCH
B3-B6

B 5

Beschreiben Sie einen Beruf.

Der Beruf der/des … ist …
Zu den Aufgaben der/des … gehört das … der/des …
… wegen / trotz / während / innerhalb / außerhalb der/des …
Zehn Prozent / die Hälfte / zwei Drittel der/des … arbeiten …

Arbeiten bis zum Umfallen?

Welche Berufe haben diese Menschen? Ordnen Sie zu.

1

3

5

7

2

4

6

8

Bauzeichnerin ◆ Bürokauffrau ◆ Gärtner ◆ Lehrer ◆ Metzger ◆
Sicherheitskraft ◆ Tankwart ◆ Verkäuferin

Lesen Sie den Text und gliedern Sie ihn. Wo beginnt ein neuer Abschnitt?

Der Trend zum Nebenjob

■ Endlich 16.30 Uhr. Feierabend. Wenn sich die Kollegen auf Familie, Hobbys oder aufs Faulenzen freuen, geht für Bauzeichnerin Stefanie Richter (27) der Stress erst richtig los: rein ins Auto, Tochter Marlies (5) vom Ganztagskindergarten abholen und zur Oma bringen. Sie braucht genau 90 Minuten, jeder Schritt ist bis auf die Sekunde durchgeplant. Um Punkt 18 Uhr beginnt die zweite Hälfte ihres Arbeitstages: In einer Konditorei verkauft sie an vier Abenden bis 20 Uhr Torten. Danach
5 kümmert sie sich um Rechnungen und Bestellungen. Stefanie Richter ist eine von 3,2 Millionen, die laut Studie des deutschen Instituts für Wirtschaftsforschung einen Zweitjob haben – jeder zehnte Erwerbstätige in Deutschland arbeitet nebenbei, offiziell angemeldet oder schwarz. „Deutschlands Doppeljobber lassen sich in drei Gruppen einteilen", sagt Professor Johannes Schwarze, Wirtschafts-Spezialist an der Uni Bayreuth. „Die meisten machen es, um über die Runden zu kommen – sie brauchen den Zusatzverdienst zum Lebensunterhalt. Andere wollen sich Extra-Wünsche erfüllen, zum Beispiel ein Traumauto oder
10 ein teures Hobby. Und dann gibt es die Menschen, die einen Ausgleich zum Hauptberuf suchen." Sie alle brauchen nicht lange nach einem Zweitjob zu suchen: Immer mehr Arbeitgeber versuchen, durch Aushilfen feste Stellen einzusparen. Immer öfter sind es auch hoch qualifizierte Kräfte, die Nebenjobs suchen. Die Nettolöhne in Deutschland sind im vergangenen Jahr um 1,7 % gesunken. Urlaubs- und Weihnachtsgeld werden in vielen Betrieben gekürzt, Lohnerhöhungen gibt es trotz Preissteigerung nicht. Es ist für viele schwierig, den Lebensstandard zu halten. Doch die „Doppeljobber" müssen aufpassen,
15 dass ihr Hauptberuf nicht leidet: Wer zu viel arbeitet und in seinem eigentlichen Beruf nicht mehr genug Leistung erbringt oder gar vor Müdigkeit einschläft, bekommt natürlich Ärger. Dann können aus „Doppeljobbern" schnell wieder ganz normale Arbeitnehmer werden, die mit einem Einkommen auskommen müssen.

Immer mehr Menschen sind „Doppeljobber". Welche Gruppen werden im Text genannt?

1 _____

2 _____

3 _____

C 2 3/ 6-9

Sie hören nun die vier „Doppeljobber". Was arbeiten sie? Zu welcher Gruppe gehören sie?

2nd Job

	Hauptberuf	*Nebenberuf*	*Gruppe*
1 Jürgen Kocher			
2 Stefanie Richter			
3 Silke Behrens			
4 Jochen Freund			

gross
brutto = ohne Abzüge *deductions*
netto = Steuern und Versicherungen
sind schon abgezogen *deducted*

C 3

Welche Bedeutung hat „brauchen" in diesen Sätzen? Markieren Sie Typ A oder B.

 „brauchen" als Verb und Modalverb

A *Die meisten „Doppeljobber" **brauchen** den Zusatzverdienst zum Lebensunterhalt.*
→ Verb „brauchen" ≈ *haben müssen, haben wollen*

B *Sie **brauchen nicht** lange nach einem Zweitjob **zu** suchen.*
→ Modalverb „brauchen" + *nicht/nur/kein-* + „Infinitiv mit zu"* ≈ *nicht müssen*

In der Umgangssprache wird das Modalverb „brauchen" oft nur mit dem Infinitiv verwendet – ohne „zu": Du brauchst dir keine Sorgen machen. Darum gibt es den Spruch: Wer brauchen ohne zu gebraucht, braucht brauchen gar nicht zu gebrauchen!

1 Jürgen Kocher hat einfach bei seiner Tankstelle gefragt, ob die nicht eine Aushilfe brauchen. **A**
  Jetzt braucht er sich um die Finanzierung (*the funding*) seiner Weltreise keine Sorgen mehr zu machen. **B**

2 Stefanie Richter braucht gar nicht erst zu versuchen, mit ihrem Gehalt über die Runden zu kommen. **B**
  Als Alleinerziehende braucht sie das zusätzliche Geld zum Leben. **A**

3 Silke Behrens fehlte einfach was, sie brauchte einen Ausgleich. **A**
  Als Sicherheitskraft (*safety officer*) kann sie jetzt in jedes Konzert gehen: Sie braucht nur ihren Ausweis vorzuzeigen (*to show*). **B**

4 Jochen Freund braucht keine lange Vorbereitung für seine Volkshochschulkurse. **A**
  Das Unterrichten macht ihm Spaß, und das Extra-Geld kann er auch gut brauchen. **A**

ARBEITSBUCH C1-C4

C 4

Machen Sie ein Interview.

Was brauchen Sie in Ihrem Job, was brauchen Sie nicht? *Computing skills*

ein Handy ◆ einen Führerschein ◆ einen eigenen Schreibtisch ◆ Computerkenntnisse
Menschenkenntnis ◆ Sprachkenntnisse ◆ gute Nerven ◆ Organisationstalent ◆ gute Kontakte mit ◆ ...

Wie müssen Sie sein und wie brauchen Sie nicht zu sein? *fleißig = hard working.*

energisch ◆ flexibel ◆ fleißig ◆ freundlich ◆ geduldig ◆ kontaktfreudig ◆ kreativ ◆
ordentlich ◆ pünktlich ◆ sorgfältig ◆ zuverlässig ◆ ...

geduldig = patient.

Was müssen Sie tun und was brauchen Sie nicht zu tun? *Kontaktfreudig = gregarious.*

früh aufstehen ◆ eine Uniform tragen ◆ den Chef um Erlaubnis fragen ◆ Berichte schreiben ◆
telefonieren ◆ Kunden betreuen ◆ selbst Entscheidungen treffen ◆ reisen ◆ ...

ARBEITSBUCH C5

thomas d. „frisör"

Freunde
Nun, da wir den Weg ein Stück
zusammen gegangen,
erinner ich mich daran zurück,
wie alles angefangen hat.
Doch anstatt zu bereuen   *regret*
oder mich darüber zu freu'n was war,
Seh ich mich als Star von beiden Seiten.

Während sich die Experten streiten, ist mir klar:
Alle seh'n die Person im Rampenlicht,   *limelight*
doch meine Schattenseiten seht ihr nicht.
    dark side

Dann wünsche ich mir, kein Künstler zu sein,
der auf der Bühne leidet,
sondern ein ganz normaler Mensch,
der Haare schneidet.
    swear
Ich schwöre, ich wär so gerne wieder Frisör ...

Und früher, als ich noch
in meinem Frisörsalon saß,
hab ich mir oft erhofft, ein Star zu sein,
denn ich vergaß: *need*
Um wahr zu sein, bedarf es keiner wilden Menge
und keiner Groupies im Gedränge.   *crowd*
Damals floh ich aus der Enge   *flee*
meines Salons und meines Lebens.

Doch weit und breit   *far & wide*
sucht man das Glück vergebens,
rennt man ihm hinterher.
Waschen, legen, Haare fegen   *sweep up*
gibt es jetzt nicht mehr.
    die Stelle = the place / job

Ich bin weit nach vorn gegangen,
mein Salon war mir zu klein.
Jetzt steh ich auf der Bühne,
sing davon, Frisör zu sein.
Ihr seht nicht in mich hinein.
Und auch ich
seh den Damen nur
auf die Frisur.

Ich schwöre, ich wär so gerne wieder Frisör ...

Millionen mögen mich beneiden,   *envy*
doch ich will Haare schneiden.
Millionen hab ich zum Lachen gebracht,
doch ich hab viel zu wenig Dauerwellen gemacht.   *perm*
Millionen mögen meine Kinder erben,   *inherit*
doch ich würde lieber wieder Haare färben.

Doch so oft ich auch am Feiern war,
und gingen auch alle ab,
so ist und war mir immer klar,
dass ich keinen Feierabend hab.
Denn ich schließ mein' Popstarladen nicht ab
und geh heim,
um dann wieder Thomas Dürr zu sein.

Ich schwöre, ich wär so gerne wieder Frisör ...

ARBEITSBUCH
D1-D5

E

Bewerbungen

E 1

Es gibt viele Möglichkeiten, eine Stelle zu suchen. Welche ist Ihrer Meinung nach die beste?

Job advertisement
☐ Stellenanzeigen lesen

☐ selbst eine Stellenanzeige aufgeben

☐ Freunde und Bekannte fragen

☐ zum Arbeitsamt gehen   *Job Centre*

Speculative application
☐ eine „Blindbewerbung" schreiben

☐ interessante Firmen in den „Gelben Seiten" suchen

☐ im Internet suchen

☐ etwas ganz anderes, zum Beispiel ...

application papers
Was gehört in jede Bewerbungsmappe? Markieren Sie.

☐ Individuelles Anschreiben   *letter of application*

☐ Geburtsurkunde   *birth certificate*

☐ Tabellarischer Lebenslauf mit Lichtbild und Unterlagen zu sonstigen Qualifikationen   *Tabular c.v.* *photo* *other*

☐ Vollständige Zeugniskopien (Abschluss- und Arbeitszeugnisse)   *copies of testimonials*

☐ Kopie des Führerscheins   *driving licence*

☐ Ärztliche Bescheinigung über den Gesundheitszustand   *doctor's medical certificates*

☐ Eventuell zusätzlich angeforderte Unterlagen wie Referenzen   *if applicable, additional requested*

☐ Foto der Familie mit Haustieren

Für den **ersten Eindruck** gibt es keine
zweite Chance.

E 2

Diese Personen suchen eine Stelle. Welche Anzeige passt?

1 Michaela Müller ist 20 Jahre alt. Sie hat ihre Ausbil- *training* dung zur Verkäuferin in einem Textilgeschäft hinter sich. Jetzt sucht sie eine Stelle.

2 Andreas Eckert ist als Jurist *lawyer* in einer großen Kanzlei *Chamber* *employed* angestellt. Er arbeitet mehr als zehn Stunden pro Tag und hat keine Zeit für die Stellensuche. *Job-hunt* Trotzdem möchte er über Stellenanzeigen informiert werden, die für ihn interessant sind.

3 Anke Martin ist Krankenschwester. Sie hat vor sechs Jahren geheiratet und zwei Kinder bekommen. Jetzt möchte sie gern wieder ein paar Stunden arbeiten, am liebsten am Wochenende. Dann kann ihr Mann auf die Kinder aufpassen.

4 Heiko Mons hat sein Studium der Informatik *Computer science* gerade abgeschlossen. Er hat noch keine Arbeitserfahrung, *work-experience* sucht jetzt aber eine interessante Stelle.

5 Sabine Hille ist ausgebildete *trained* Sekretärin mit Berufs- *professional experience* erfahrung. Sie kann mit dem PC-Programm MS-Office umgehen. Leider ist sie seit einem halben Jahr arbeitslos und sucht jetzt eine Stelle.

6 Thomas Dürr ist Friseur. Er hat früher in diesem Beruf gearbeitet, dann hat er mit einer Band Musik gemacht. Jetzt möchte er wieder als Friseur arbeiten.

> Vollzeit = 38,5 Stunden pro Woche
> Teilzeit = nur einen Teil der vollen Arbeitszeit
> halbtags = die Hälfte der vollen Arbeitszeit

Stellenangebote

a)
Wir suchen Kopfarbeiter für modisch starke Köpfe.

2x in Fulda
HAAR GALERIE
Rabanusstr. 33, Fulda
Tel. (0661) 76091, Fax 9709909
Peterstor 14, Fulda
Tel. (0661) 10001

b)
Wir suchen für Fulda
VERKÄUFER/IN TEILZEIT-VERKÄUFER/IN

Sie haben eine abgeschlossene Berufsausbildung, verbunden mit Erfahrung im Verkauf! *(manual)* Sicheres Auftreten und Umgang mit Kunden in der Herren-Modewelt sind Ihre Stärke!

INTERESSIERT?

Bewerbungen mit den üblichen Unterlagen senden Sie an den Verlag unter Chiffre-Nr. Z 109698.

f)
Wir sind ein sehr erfolgreiches expandierendes Software-Dienstleistungsunternehmen und suchen für interessante Entwicklungsaufgaben im süddeutschen Raum

Ingenieure/Informatiker *fields*

mit Erfahrung in einem der folgenden Themenbereiche:

- Entwicklung von **Mikrocontroller-Software** in C und **Assembler** (80C16x, 68HCxx, 68xxx oder auch **Power PC**) für elektronische Steuergeräte im Kraftfahrzeug
- *Application development* Anwendungsentwicklung in C sowie C++ unter **Windows 95/NT** oder **UNIX** *student about to graduate*

Bewerbungen von Absolventen sind willkommen.

ist GmbH · Eschenstraße 22 · 82024 Taufkirchen bei München
E-mail: ist-tkn@t-online.de · www.ist-tkn.de

g) *predominantly*
Suche Kranken-schwester oder Altenpflegerin *care-assistant* im ambulanten Bereich, vorwiegend *(out-patient care work)* zum Wochenende, als Aushilfe oder Teilzeit.
Telefon (06648) 61310

h)
Job gefunden!
Durch eine Kleinanzeige in Ihrer Tageszeitung.

d)
Junger Mann oder Schüler *garden/grounds maintenance* für Grundstückspflege in Alsfeld gesucht, bei guter Bezahlung. ☎ 069/638088 *payment*

i)
SUCHE *experienced waiter* erfahrene Bedienung zur Erweiterung *expansion* unseres Teams.
Schloss-Restaurant Sickendorf
Telefon (06641) 917822

j)
Stellensuche
Wir werten die Stellenangebote in über 160 Tages- und Wochenzeitungen sowie Fachpublikationen, Amts- und Ministerialblättern systematisch aus. Gründlich und nach Ihren genauen Angaben. Die für Sie gefundenen Stellenanzeigen senden wir Ihnen jede Woche zu.
Die Schere – Presseausschnittdienst
Groner Straße 37, 37073 Göttingen
Tel. 0551/4 55 53, Fax 0551/48 42 02

c)
Wir stellen ein ab sofort oder später *clerical assistant*
Sekretärin/Bürogehilfin
mit PC-Kenntnissen. Bei Interesse richten Sie Ihre *informative* *application* aussagefähigen Bewerbungsunterlagen *surveyor's studio* an ARCHITEKTUR- & BAUATELIER 24,
Architekt Dipl.-Ing. (TH) Jochen Hohmann, Forststr. 24, 36093 Künzell, Telefon (0661) 9395-0

Stellengesuche *← Jobs Wanted*

k)
Sekretärin/Sachbearbeiterin *← specialist*
18 Jahre Berufserfahrung, in *not under notice* ungekündigter Stellung, MS-Office, möchte **Sie** unterstützen. Flexibilität und Belastbarkeit, *granted* *just as taken* besonders in „heißen Zeiten" sind ebenso selbstverständlich wie absolute Loyalität. Haben Sie eine neue Herausforderung (gerne 25 Stunden/Woche) für mich (37 Jahre), dann melden Sie sich bitte unter Chiffre A 109750 bei dem Verlag.

e)
Job gefunden! *small ads.*
Durch eine Kleinanzeige in Ihrer Tageszeitung. *daily newspaper*

Lesen Sie den Lebenslauf. Ergänzen Sie die Überschriften.

Interessen ◆ Berufserfahrung ◆ ~~Persönliche Daten~~ ◆ Studienvorbereitung *preparation for study* ◆
Weitere Qualifikationen ◆ Studium ◆ Schulbildung

Mohammed Laaguidi
Hadubrandstr. 8
44339 Dortmund
Tel.: 0173/2 10 05 24

Lebenslauf

Persönliche Daten
Mohammed Laaguidi
geboren am 7. 1. 1965 in Rabat, Marokko
verheiratet, zwei Kinder, nicht ortsgebunden *Tied to a particular place.*

9/1971 – 7/1976	Grundschule Fes *Primary School*	
9/1976 – 6/1984	Gymnasium Kenitra; Abschluss: Allgemeine Hochschulreife *final school cert*	
9/1984 – 7/1988	Grundstudium Chemie und Physik, Universität Mohammed V, Rabat *FH studies*	
9/1988 – 4/1989	Lehrgang technisches Französisch, private Sprachschule, Straßburg *Course*	
4/1989 – 10/1989	Deutschkurs, Privatschule, Kenitra	
11/1989 – 8/1990	Deutschkurs an der Fachhochschule Dortmund	
3/1991 – 2/1992	Studienkolleg Fachhochschule Dortmund, Gesamtnote 2,9 *Preparatory course* *overall grade*	
9/1992 – 10/1997	Studium der Nachrichtentechnik FH Dortmund, Abschlussnote 2,7 *Communications technology* *final grade*	
5/1991 – 10/1997	Technischer Mitarbeiter der Fa. Kaerger & Partner, Dortmund	
10/1997 – 2/1998	Honorartätigkeit bei Quest Techno-Marketing, Bochum *unpaid placement*	
seit 5/1998	Wissenschaftlicher Mitarbeiter und Gastdozent *guest lecturer* Private Universität Witten/Herdecke, Projekt ELEKTRA *academic assistant*	

Sprachen
Muttersprache: Arabisch
sehr gute Französisch- und Deutschkenntnisse
gute Englischkenntnisse in Wort und Schrift

EDV *Electronic data processing*
Win 95, MS-Office (Word, Excel, Access, Powerpoint, Works),
Windows NT, C++, P-Spice,
CAD-Programme: Eagle, AutoCAD

Sport
Taekwondo, Radsport, Basketball *cycling*
Musik
langjährige Leitung von Musik-Bands *leadership* *over many yrs.*
umfangreiche Erfahrungen in der Tontechnik *sound engineering*

Dortmund, 3. 6. 2000

3/11
Hören Sie den Dialog und vergleichen Sie.
Schreiben Sie Ihren eigenen Lebenslauf.

ARBEITSBUCH E1-E3

Zwischen den Zeilen

F

3/12

Hören Sie den Dialog und ergänzen Sie „also" oder „nämlich".

● Die Schere – Presseausschnittdienst, Hoffmann, Guten Tag. *review*

■ Guten Tag, mein Name ist Eckert. ... Ja, _____ (1), ich habe Ihre Anzeige in der Frankfurter Rundschau gelesen ... Wie funktioniert das denn genau?

● Ja, Herr Eckert, wie Sie der Anzeige entnehmen konnten, werten wir für Sie fast 200 verschiedene Tageszeitungen, Wochenzeitungen, Fachzeitschriften usw. aus. Wir brauchen _____ (2) möglichst genaue Angaben zu Ihrer Person ...

■ Da schicke ich Ihnen am besten meine Bewerbungsmappe. Da ist ja alles drin, _____ (3) Lebenslauf, Zeugnisse usw.

● Ja, das wäre sinnvoll. Und formulieren Sie in einem Anschreiben noch mal genau Ihre Vorstellungen, dann können wir _____ (4) gezielter für Sie suchen.

■ Und was kostet das? ... _____ (5) ... Ich hoffe, das ist bezahlbar – ich bin _____ (6) zur Zeit arbeitslos.

● Da machen Sie sich mal keine Sorgen, Herr Eckert. Wir bieten diesen Service ja vielen Stellensuchenden an, für den Einzelnen ist das _____ (7) günstig. Ich schicke Ihnen mal unser Angebot zu, mit Preisliste und Vertrag, _____ (8) das komplette Infopaket ...

F 2

Lesen Sie die Erklärungen. Welche Bedeutung passt wo? Markieren Sie.

A „also" signalisiert Beginn oder Ende eines Gesprächs, füllt Pausen aus.	*1,* _____
B „also" betont die Folge (≈ *deshalb, folglich*)	*2,* _____
C „also" wiederholt mit anderen Worten, macht genauere Angaben (≈ *d. h. = das heißt*)	_____
D „nämlich" betont den Grund (≈ *weil ...*).	_____

F 3

Ergänzen Sie „also" oder „nämlich".

● Arbeiterwohlfahrt, Herz, Guten Tag.

■ Guten Tag, Martin mein Name. ... _____ (1), ich rufe an wegen Ihrer Stellenanzeige ... Ist die Stelle noch frei?

G

Cartoon

● Ja, ... darf ich fragen, was Sie von Beruf sind? Bisher haben _____ (2) nur Leute angerufen, die zwar helfen wollen, aber keine Ausbildung haben. Wir suchen _____ (3) noch nach einer qualifizierten Kraft.

■ Ich bin ausgebildete Krankenschwester, und ich habe auch mehrere Jahre in meinem Beruf gearbeitet, bevor meine beiden Kinder zur Welt kamen.

● Sie haben _____ (4) eine Erziehungspause gemacht?

■ Ja, ich war sechs Jahre zu Hause. Aber jetzt möchte ich wieder ein paar Stunden arbeiten – am liebsten, wenn mein Mann zu Hause ist, _____ (5) am Wochenende. Die Kinder sind _____ (6) noch zu klein, die können noch nicht alleine bleiben.

● _____ (7), Frau Martin, dann kommen Sie doch einfach mal vorbei, vielleicht am Freitag, so gegen 15 Uhr. Passt Ihnen der Termin?

■ Freitag 15 Uhr? Ja, das passt hervorragend. Vielen Dank und auf Wiederhören.

ARBEITSBUCH G1-G3

3/13 **Hören und vergleichen Sie.**

ARBEITSBUCH F1-F3

Kurz & bündig

„so dass" und „so ..., dass"-Sätze

Alle Ketchum-Mitarbeiter haben Zugriff auf diese Daten, **so dass** Miyuki sich die Informationen besorgen kann.

Jedes Mitglied der Ketchum-Familie spricht fließend Englisch, **so dass** sich alle miteinander verständigen können.

Manchmal ist der Job **so** *anstrengend,* **dass** meine Gesundheit leidet.

Mit einigen Kollegen verstehe ich mich **so** *gut,* **dass** wir uns auch privat treffen.

Die Genitiv-Ergänzung

Genitiv nach Nomen

Ein Reiseleiter braucht solide Kenntnisse **der** Sprache **des** Reiselande**s**. Bei allem, was schief geht, ist der Reiseleiter Zielscheibe **des** Ärger**s der** Gäste. Der Beruf **des** Reiseleiter**s** ist kein anerkannter Ausbildungsberuf.

Genitiv nach Präpositionen

Das Privatleben des Reiseleiters mit Partner und Freunden kommt **wegen der** vielen Reisen häufig zu kurz. Polizisten haben einen abwechslungsreichen Beruf und als Beamte **innerhalb des** Staatsdienst**es** einen sicheren Arbeitsplatz. **Außerhalb des** Staatsdienst**es** können Polizisten als Detektive oder für private Sicherheitsdienste arbeiten.

Unterhalb des Blech**s**, bei Motor, Vergaser und Auspuff beginnt die Welt des Kfz-Mechanikers. Schon **während der** Lehrzeit sind seine Fähigkeiten und Kenntnisse im Freundeskreis oft sehr gefragt.

Genitiv-Ersatzform mit „von"

Viel Arbeit ist es sowieso: der Umtausch **von** Geld, das Organisieren **von** Ausflügen oder Eintrittskarten, ständig Auskünfte über Land, Leute und die besten Kneipen geben – und das alles rund um die Uhr.

Kraftfahrzeuge aller Art müssen instand gehalten und repariert werden: die Suche nach Fehlern, die Reparatur **von** Schäden und der Austausch **von** Teilen – das sind die Aufgaben des Kfz-Mechanikers.

brauchen

als Verb

Die meisten „Doppeljobber" **brauchen** den Zusatzverdienst.

Als Alleinerziehende **braucht** Stefanie Richter das zusätzliche Geld einfach zum Leben.

Jürgen Kocher hat bei seiner Tankstelle gefragt, ob die nicht eine Aushilfe **brauchen**.

Silke Behrens fehlte einfach was, sie **brauchte** einen Ausgleich.

als Modalverb + *nicht/nur/kein* + „Infinitiv mit zu"

„Doppeljobber" **brauchen** *nicht* lange nach einem Zweitjob **zu** suchen.

Als Sicherheitskraft kann sie jetzt in jedes Konzert gehen: Sie **braucht** *nur* ihren Ausweis vorzuzeigen.

Jetzt **braucht** Jürgen sich um die Finanzierung seiner Weltreise *keine* Sorgen mehr **zu** machen.

Nützliche Ausdrücke

Mittags fahre ich gern in ein Restaurant, aber oft **reicht die Zeit** nur **für** ein Sandwich.

Es ist immer so **viel zu tun**, dass ich selten vor 19 Uhr hier rauskomme.

Viel ist es sowieso – und das **rund um die Uhr**.

Sein Privatleben **kommt** wegen der vielen Reisen häufig **zu kurz**.

Die Arbeit am Computer und der Umgang mit Kunden und Lieferanten **gehören** auch **dazu**.

Wenn sich die Kollegen aufs Faulenzen freuen, **geht** für Stefanie Richter der Stress **erst richtig los**.

Stefanie Richter braucht gar nicht erst zu versuchen, mit ihrem Gehalt **über die Runden** zu kommen.

Jeder zehnte Erwerbstätige in Deutschland **arbeitet nebenbei, offiziell angemeldet** oder **schwarz**.

A

A 1

Beziehungskisten

Relationshipboxes.

ARBEITSBUCH
A1

Was passiert hier? Erzählen Sie eine Geschichte.

- 1 -

- 2 -

- 3 -

- 4 -

- 5 -

- 6 -

- 7 -

Lesen Sie den Text auf S. 98 und vergleichen Sie mit Ihren Vermutungen.

The wiser person gives in.

Der **Klügere** gibt nach.

Wie **du mir**, so **ich dir**.

narrator

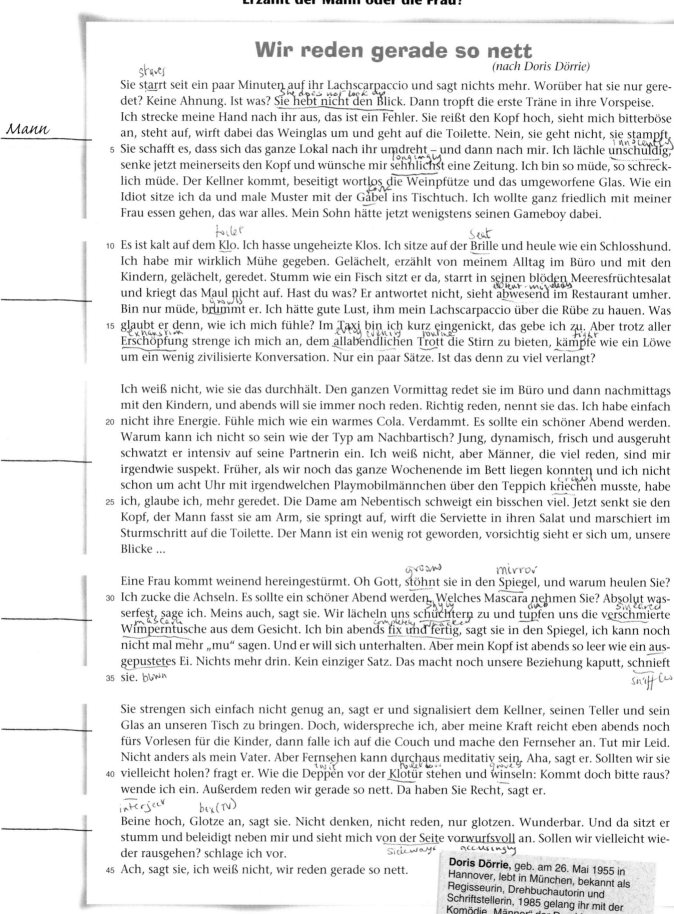

Wir reden gerade so nett

(nach Doris Dörrie)

stares

Mann

Sie starrt seit ein paar Minuten auf ihr Lachscarpaccio und sagt nichts mehr. Worüber hat sie nur geredet? Keine Ahnung. Ist was? Sie hebt nicht den Blick. Dann tropft die erste Träne in ihre Vorspeise. *She does not look up*
Ich strecke meine Hand nach ihr aus, das ist ein Fehler. Sie reißt den Kopf hoch, sieht mich bitterböse an, steht auf, wirft dabei das Weinglas um und geht auf die Toilette. Nein, sie geht nicht, sie stampft. *Innocently*
5 Sie schafft es, dass sich das ganze Lokal nach ihr umdreht – und dann nach mir. Ich lächle unschuldig, *longingly* senke jetzt meinerseits den Kopf und wünsche mir sehnlichst eine Zeitung. Ich bin so müde, so schrecklich müde. Der Kellner kommt, beseitigt wortlos die Weinpfütze und das umgeworfene Glas. Wie ein *for* Idiot sitze ich da und male Muster mit der Gabel ins Tischtuch. Ich wollte ganz friedlich mit meiner Frau essen gehen, das war alles. Mein Sohn hätte jetzt wenigstens seinen Gameboy dabei.

toilet *seat*
10 Es ist kalt auf dem Klo. Ich hasse ungeheizte Klos. Ich sitze auf der Brille und heule wie ein Schlosshund. Ich habe mir wirklich Mühe gegeben. Gelächelt, erzählt von meinem Alltag im Büro und mit den Kindern, gelächelt, geredet. Stumm wie ein Fisch sitzt er da, starrt in seinen blöden Meeresfrüchtesalat *absent-minded* und kriegt das Maul nicht auf. Hast du was? Er antwortet nicht, sieht abwesend im Restaurant umher. *grows* Bin nur müde, brummt er. Ich hätte gute Lust, ihm mein Lachscarpaccio über die Rübe zu hauen. Was *every evening* *routine* 15 glaubt er denn, wie ich mich fühle? Im Taxi bin ich kurz eingenickt, das gebe ich zu. Aber trotz aller *exhaustion* Erschöpfung strenge ich mich an, dem allabendlichen Trott die Stirn zu bieten, kämpfe wie ein Löwe *fight* um ein wenig zivilisierte Konversation. Nur ein paar Sätze. Ist das denn zu viel verlangt?

Ich weiß nicht, wie sie das durchhält. Den ganzen Vormittag redet sie im Büro und dann nachmittags mit den Kindern, und abends will sie immer noch reden. Richtig reden, nennt sie das. Ich habe einfach 20 nicht ihre Energie. Fühle mich wie ein warmes Cola. Verdammt. Es sollte ein schöner Abend werden. Warum kann ich nicht so sein wie der Typ am Nachbartisch? Jung, dynamisch, frisch und ausgeruht schwatzt er intensiv auf seine Partnerin ein. Ich weiß nicht, aber Männer, die viel reden, sind mir irgendwie suspekt. Früher, als wir noch das ganze Wochenende im Bett liegen konnten und ich nicht schon um acht Uhr mit irgendwelchen Playmobilmännchen über den Teppich kriechen musste, habe *crawl* 25 ich, glaube ich, mehr geredet. Die Dame am Nebentisch schweigt ein bisschen viel. Jetzt senkt sie den Kopf, der Mann fasst sie am Arm, sie springt auf, wirft die Serviette in ihren Salat und marschiert im Sturmschritt auf die Toilette. Der Mann ist ein wenig rot geworden, vorsichtig sieht er sich um, unsere Blicke ...

groans *mirror*
Eine Frau kommt weinend hereingestürmt. Oh Gott, stöhnt sie in den Spiegel, und warum heulen Sie? 30 Ich zucke die Achseln. Es sollte ein schöner Abend werden. Welches Mascara nehmen Sie? Absolut was- *shyly* *smeared* serfest, sage ich. Meins auch, sagt sie. Wir lächeln uns schüchtern zu und tupfen uns die verschmierte *mascara* *completely wrecked* Wimperntusche aus dem Gesicht. Ich bin abends fix und fertig, sagt sie in den Spiegel, ich kann noch nicht mal mehr „mu" sagen. Und er will sich unterhalten. Aber mein Kopf ist abends so leer wie ein ausgepustetes Ei. Nichts mehr drin. Kein einziger Satz. Das macht noch unsere Beziehung kaputt, schnieft 35 sie. *blown* *sniffles*

Sie strengen sich einfach nicht genug an, sagt er und signalisiert dem Kellner, seinen Teller und sein Glas an unseren Tisch zu bringen. Doch, widerspreche ich, aber meine Kraft reicht eben abends noch fürs Vorlesen für die Kinder, dann falle ich auf die Couch und mache den Fernseher an. Tut mir Leid. Nicht anders als mein Vater. Aber Fernsehen kann durchaus meditativ sein. Aha, sagt er. Sollten wir sie *twit* *toilet door* *groves* 40 vielleicht holen? fragt er. Wie die Deppen vor der Klotür stehen und winseln: Kommt doch bitte raus? wende ich ein. Außerdem reden wir gerade so nett. Da haben Sie Recht, sagt er.

interject *box (TV)*
Beine hoch, Glotze an, sagt sie. Nicht denken, nicht reden, nur glotzen. Wunderbar. Und da sitzt er stumm und beleidigt neben mir und sieht mich von der Seite vorwurfsvoll an. Sollen wir vielleicht wieder rausgehen? schlage ich vor. *sideways* *accusingly* 45 Ach, sagt sie, ich weiß nicht, wir reden gerade so nett.

Doris Dörrie, geb. am 26. Mai 1955 in Hannover, lebt in München, bekannt als Regisseurin, Drehbuchautorin und Schriftstellerin, 1985 gelang ihr mit der Komödie „Männer" der Durchbruch.

A 3

Welche Erklärung passt? Markieren Sie.

1 Nein, sie geht nicht, sie *stampft*.

   ▢ a) Sie *läuft sehr schnell*.

   ▢ b) Sie *tritt (mit festen Schritten) laut auf den Boden*. trod

2 Ich ... *heule wie ein Schlosshund*.

   ▢ a) Ich *schreie laut und schimpfe*.

   ▢ b) Ich *weine heftig und laut*.

3 *Stumm wie ein Fisch* sitzt er da, ...

   ▢ a) Er sitzt da und *redet nicht*.

   ▢ b) Er sitzt da und *bewegt sich nicht*.

4 Er *kriegt das Maul nicht auf*.

   ▢ a) Er *sagt kein Wort*.

   ▢ b) Er *hat Zahnschmerzen*.

5 Ich hätte gute Lust, ihm mein Essen *über die Rübe zu hauen*.

   ▢ a) Ich möchte ihm mein Essen *an den Kopf werfen*.

   ▢ b) Ich möchte ihm *etwas von meinem Essen geben*.

6 Im Taxi bin ich kurz *eingenickt*.

   ▢ a) Ich habe kurz *an etwas anderes gedacht*.

   ▢ b) Ich bin kurz *eingeschlafen*.

7 Ich strenge mich an, *dem allabendlichen Trott die Stirn zu bieten*.

   ▢ a) Ich gebe mir Mühe, *gegen die alltägliche Routine zu kämpfen*.

   ▢ b) Ich gebe mir Mühe, *abends besonders nett zu sein*.

8 Jung, dynamisch, frisch und ausgeruht *schwatzt er intensiv auf seine Partnerin ein*.

   ▢ a) Er *unterhält sich intensiv mit seiner Partnerin*.

   ▢ b) Er *redet die ganze Zeit, und seine Partnerin reagiert nicht*.

9 Ich bin abends *fix und fertig*, ...

   ▢ a) Ich bin *müde und kaputt*.

   ▢ b) Ich bin *fertig mit der Arbeit*.

10 *Wie die Deppen ... winseln*: „Kommt doch bitte raus"?

   ▢ a) *Wie zwei Gentlemen ... höflich bitten ...*

   ▢ b) *Wie die Idioten ... betteln ...* beg

A 4

Was ist das Problem? Markieren Sie.

	Paar 1 (die Erzähler)		Paar 2 (am Nebentisch)	
	Mann	Frau	Mann	Frau
1 ... hat oft keine Lust zu reden	▢	▢	▢	▢
2 ... wünscht sich mehr Kommunikation in der Partnerschaft	▢	▢	▢	▢
3 ... möchte abends in Ruhe fernsehen	▢	▢	▢	▢
4 ... möchte sich abends mit dem Partner/der Partnerin unterhalten	▢	▢	▢	▢

Wie könnte die Geschichte weitergehen? Diskutieren Sie.

A 5

Was ist wichtig für eine gut funktionierende Partnerschaft? Diskutieren oder schreiben Sie.

den Partner respektieren ◆ zum Partner Vertrauen haben ◆ vor dem Partner (keine) Geheimnisse haben ◆ Freiheiten haben ◆ materiell vom Partner unabhängig sein ◆ Kinder haben ◆ unterschiedliche Interessen haben ◆ gemeinsame Hobbys haben ◆ berufstätig sein employed ◆ allein/zusammen in Urlaub fahren ◆ den anderen tolerieren ◆ ...

Ich finde es wichtig, dass man den Partner respektiert. Jeder Mensch ...
Ja, und man muss ihn so akzeptieren, wie er ist.

Probleme im Beruf

Was ist hier dargestellt? Beschreiben Sie die Bilder.

Was sind häufige Konfliktsituationen am Arbeitsplatz? Machen Sie Notizen. Finden Sie das richtig? Markieren Sie und vergleichen Sie Ihre Ergebnisse.

– Probleme mit dem Chef
– Streit mit den Kollegen
– zu viel Arbeit
– ...

Konflikte am Arbeitsplatz sind immer etwas Negatives.

Meistens sind Missverständnisse der Grund für Konflikte.

Die meisten Menschen haben nie gelernt, mit Konflikten umzugehen.

Probleme darf man nicht direkt ansprechen, weil sie dann nur noch schlimmer werden.

Es ist wichtig, eine außenstehende Person als Vermittler einzuschalten.

Man sollte seine Chefin oder seinen Chef über Probleme mit Kollegen informieren.

Man sollte seine Chefin oder seinen Chef so akzeptieren, wie sie/er ist.

Man sollte immer erst warten. Konflikte lösen sich oft von selbst.

3/14

Lesen Sie zuerst die Aussagen und hören Sie dann die Radiosendung. Markieren Sie: richtig oder falsch.

richtig   falsch

1 Frau Risch arbeitet als Kommunikationstrainerin.
2 Sie berät Menschen, die in ihrem Beruf erfolgreicher sein möchten.
3 Frau Kindler sagt bei Arbeitsbesprechungen nichts, weil sie zu wenig weiß.
4 Frau Risch rät ihr, ihren Kollegen im Gespräch direkt in die Augen zu sehen.
5 Herr Held schafft seine Arbeit nicht, weil die Zeit nicht ausreicht.
6 Herr Held sollte seinen Arbeitstag besser organisieren.
7 Nach Meinung von Frau Risch sollte er nur die wichtigsten Dinge erledigen.
8 Frau Everding hat Probleme damit, auch mal Nein zu sagen.
9 Frau Risch rät ihr, nach Ausreden zu suchen.
10 Im Berufsleben kommt es vor allem auf das nötige Selbstvertrauen an.

B 3 **Lesen Sie die Beispielsätze und unterstreichen Sie weitere Wörter mit „da-".**

Sätze mit Pronominaladverb | *Verb + Präposition* | *Fragepronomen*

1 Nehmen Sie sich vor, sich zu einem ganz bestimmten Thema zu

Wort zu melden.

Wenn Sie etwas <u>dazu</u> sagen möchten oder sogar länger <u>darüber</u> | sagen **zu** | **Wozu?**

sprechen wollen, notieren Sie sich am besten vorher Stichpunkte. | sprechen **über** | **Worüber?**

2 Das könnte daran liegen, … dass Sie Ihre Zeit nicht richtig eintei- | liegen **an** | **Woran?**

len. Dafür müssen Sie sich unbedingt Zeit nehmen. | sich Zeit nehmen **für** | **Wofür?**

3 Lehnen Sie mit dem Hinweis darauf ab, dass Sie in dem Fall die | ein Hinweis **auf** | **Worauf?**

Arbeit nicht pünktlich erledigen können.

Okay, ich werde noch mal darüber nachdenken. | nachdenken **über** | **Worüber?**

Aber: Für Personen stehen Personalpronomen:

Dann werden **Sie** *auch gleich merken, dass Ihre Kollegen oder Vorgesetzten beim Sprechen öfter mal Blickkontakt* **mit Ihnen** *aufnehmen.*

---

da + *über* → darüber
wo + *an* → woran
Beginnt die Präposition mit einem Vokal, wird ein „r" eingefügt.

Ergänzen Sie die Regeln.

Wiederholungen ◆ Aussagen

1 In Texten oder Dialogen ersetzen Pronominaladverbien _____ oder Sachen.

2 Mit Pronominaladverbien bezieht man sich – genau wie mit Personalpronomen – auf etwas, das gesagt wurde. *Wenn Sie etwas* ***dazu*** *(= zu diesem Thema) sagen wollen, …* So kann man _____ vermeiden.

3 Pronominaladverbien können auch auf den nachfolgenden Satz / Text aufmerksam machen: *Das könnte* ***daran*** *liegen,* ***dass Sie Ihre Zeit nicht richtig einteilen.***

B 4 **Frau Risch hat noch einen Anrufer. Lesen Sie das Gespräch und ergänzen Sie.**

darauf ◆ mit Ihnen ◆ dafür ◆ daran ◆ davon ◆ dazu ◆ darüber

Hensch: Hallo! Mein Name ist Hensch. Ich arbeite schon seit fünf Jahren in einer Export-Firma

als Industriekaufmann. Jetzt habe ich _____ (1) keine Lust mehr. Ich glaube, ich hätte viel | Lust haben zu …

Spaß _____ (2), mal etwas ganz anderes zu machen, vielleicht in eine höhere Position zu | Spaß haben an …

kommen. Es gibt auch eine freie Stelle, _____ (3) könnte ich mich bewerben, aber ich | sich bewerben auf …

glaube, _____ (4) habe ich nicht den Mut. | Mut haben zu …

Risch: Glauben Sie mir, wenn Sie noch lange _____ (5) warten, dass man Ihnen diesen Job | warten auf …

von allein anbietet, bekommt ihn irgendjemand anders. Und dann ärgern Sie sich nachher

_____ (6), dass Sie nicht gleich gehandelt haben. Wenn Sie eine Aufgabe finden, die Sie | sich ärgern über …

interessiert, sollten Sie sich selbstkritisch fragen, ob Sie wirklich _____ (7) geeignet sind. | geeignet sein für …

Hensch: Ja, _____ (8) habe ich auch schon nachgedacht. Meinen Sie, ich soll meinen Chef | nachdenken über …

gleich mal fragen?

Risch: Nun, wenn Sie _____ (9) überzeugt sind, dass Sie der richtige Mann für diese Stelle | überzeugt sein von …

sind und wenn Ihr Chef bisher _____ (10) zufrieden war, reagiert er sicherlich positiv | zufrieden sein mit …

auf Ihre Argumente. Vielleicht entscheidet er nicht allein _____ (11), wer die Stelle | entscheiden über …

bekommt, aber dann haben Sie schon mal einen wichtigen Fürsprecher.

 Hören und vergleichen Sie.
3/15

ARBEITSBUCH
B1–B3

Chainpractice

Kettenübung: Sprechen Sie über Ihren Job. Einer fragt, der andere antwortet und stellt dann die nächste Frage.

sich ärgern über ◆ Angst haben vor ◆ Freude haben an ◆ sich freuen auf ◆ sich aufregen über ◆ denken an ◆ Probleme haben mit ◆ (nicht) verzichten können auf ◆ sich gerne / nicht gerne erinnern an ◆ träumen von ◆ achten müssen auf ◆ ...

Urlaub ◆ mit Kollegen offen sprechen ◆ in Konferenzen sitzen ◆ einen Betriebsausflug machen ◆ mit Kollegen auch privat Kontakt haben ◆ die Konferenz ◆ so viele Überstunden machen ◆ Kollegen zu spät kommen ◆ die Arbeit nicht schaffen ◆ Unruhe im Büro ◆ Kollegen im Büro rauchen ◆ ...

Worauf freust du dich?

Auf meinen Urlaub. Worüber ärgern Sie sich?

Darüber, dass meine Kollegen immer zu spät kommen. Woran ... ?

Kennen Sie Leute, die Probleme im Beruf haben?
Berichten Sie und sprechen Sie über Lösungsmöglichkeiten. *possible solutions*

ARBEITSBUCH B4

Zwischen den Zeilen

Was bedeuten diese Gesten?

Das ist teuer. ◆ Du spinnst wohl! ◆ Glück gehabt! ◆ Schlecht! ◆ Ich hab kein Geld. ◆ Du Idiot! ◆ Ich hab was vergessen. ◆ Selber Schuld! *Your own fault* ◆ Keine Ahnung! ◆ Gut gemacht! ◆ *Super* Spitze, gut gelaufen! *Went well* ◆ Ich Dummkopf! ◆ Sehr gut! ◆ Super! ◆ Der (Die) spinnt! ◆ Alles in Ordnung! ◆ Prima! ◆ Das ist mir doch egal! ◆ Vergiss es!

Ich glaube, Geste 1 bedeutet ...

In meinem Heimatland macht man das, wenn ...

Mit der Geste auf Bild ... drückt man aus, dass....

swear words

Welche anderen Gesten kennen Sie? Welche deutschen Schimpfwörter kennen Sie?

Welche Gesten sind wichtig für Leute, die zum ersten Mal Ihr Heimatland besuchen? Machen Sie eine Liste oder zeichnen Sie.

ARBEITSBUCH C1-C3

D

Customer

Der Kunde ... ein König?

air cushion

Höflichkeit ist wie ein Luftkissen: Es mag wohl nichts
drin sein, aber sie mildert die Stöße des Lebens.

softens

[Arthur Schopenhauer]

praise   _politeness_

Da lob ich mir die Höflichkeit,   _I like to see politeness,_
Das zierliche Betrügen.   _The dainty cheat_
Du weißt Bescheid, ich weiß Bescheid: _You know, I know_
Und allen macht's Vergnügen. _& all gives pleasure_

[Wilhelm Busch]

D 1

annoys

Worüber ärgern sich die Leute?

frequently

Worüber ärgern Sie sich häufig? Machen Sie eine Liste.
Wie ist der Service in Ihrem Heimatland / in Deutschland?
Diskutieren Sie in Kleingruppen.

auf der Post/Bank: schlechter Service, ...
im Restaurant: kaltes Essen, ...
in Geschäften: ...
_..._

ARBEITSBUCH
D1–D2

D 2

Erklären Sie die folgenden Wörter.

without permission _gets in_

nie etwas wissen, ◆ irgendwo unerlaubt reinkommen ◆ andere Menschen stören ◆
sich wie ein Star benehmen ◆ alle Leute zu Kollegen schicken, ◆ viel reden, ◆ um Hilfe bitten

behaves   _asks for help_

trouble-maker

1 Ein Störenfried _ist jemand, der andere Menschen stört_   trouble-maker .
2 Ein Weiterleiter _ist jemand, der alle Leute zu Kollegen schickt._   buck-passer .
3 Eine Plaudertasche _ist viel redet._   chatter-box .
4 Ein Ahnungsloser _nie etwas wissen. weiß_   clueless .
5 Ein Eindringling _irgendwo unerlaubt reinkommt._   Intruder .
6 Ein Bittsteller _um Hilfe bittet._   Petitioner .
7 Eine Diva _sich wie ein Star benimmt_   Diva .

Lesen Sie den Text und ergänzen Sie für jeden Abschnitt die passende Überschrift.

Die Weiterleiter   Die Ahnungslosen

Die Diven,   Die Netten   Die Plaudertaschen

Kunden müssen leider draußen bleiben

Sie fühlen sich wie ein störender Bittsteller, ein unverschämter Eindringling oder wie ein kompletter Idiot? Das kommt davon, wenn man unschuldige Mitarbeiter in Deutschlands Kaufhäusern, Behörden oder Restaurants mit seinen Wünschen belästigt.

1

empfinden Kunden als Störung ihres harmonischen Betriebsklimas. Und wenn der kleine Laden noch so voll ist: Sie vermitteln den Eindruck himmlischer Ruhe und gepflegter Langeweile. Das Liebesleben der netten Kollegin ist wichtiger. Mit der stehen sie zwischen Warenregalen, kichern und plaudern, reagieren bei jeder Unterbrechung durch Kunden irritiert, zeigen ungeduldig in irgendeine Richtung („Nein, die Hose haben wir nicht in 44, Übergrößen hängen dahinten."), um sofort das Gespräch wieder aufzunehmen. Der Kunde ist so geschockt, dass er die Schuld bei sich sucht. Es ist ja auch wirklich nicht nett, Leute im persönlichen Gespräch zu stören, denkt er und geht leise wieder.

2

beeindrucken vor allem durch ihre Unwissenheit. Sie stehen schüchtern am Verkaufstresen, hinter Schaltern oder stammeln hilflos am Telefon herum. Denn: Fragen, egal welcher Art, können sie nicht beantworten. Wer sie stattdessen beantworten kann, wissen sie aber leider auch nicht. Meist handelt es sich um picklige Lehrlinge, die von verantwortungslosen Vorgesetzten gern an Plätzen mit besonders viel Kundenverkehr eingesetzt werden. Das nennt man dann „Service".

3

können sich hervorragend vor ihrer Arbeit drücken. Man findet sie vor allem in Behörden. Auf die Zumutung störenden Kundenverkehrs reagieren sie ohne aufzublicken, mit einem leisen Brummen: „Bin nicht zuständig. Fragen Sie gegenüber", um sich dann wieder in die neueste Ausgabe von „Ich und mein Haustier" zu vertiefen. Haben Weiterleiter einen Ratsuchenden am Telefon, heißt es: „Moment, ich verbinde", und sie schalten den Störenfried sofort auf die Warteschleife. Dort quälen den Hilfesuchenden dann süßliche Musik und eine monotone Stimme, die ihn freundlich um Geduld bittet.

4

sind immer perfekt angezogen, immer perfekt geschminkt und modisch auf dem neuesten Stand. Keine teuren Boutiquen oder Parfümerien, in denen sie nicht zu Hause sind. In ihrem edlen Ambiente fühlt man sich wie ein Eindringling und wirft sich vor, vor dem Betreten teurer Boutiquen nicht noch schnell zum Frisör gegangen zu sein. In Parfümerien ist es am schlimmsten. Sogar wenn wir die größte Packung eines (viel zu) teuren Duftes kaufen (die kleinere zu nehmen, trauen wir uns ohnehin nicht mehr), packen sie uns das Wässerchen mit spitzen Fingern ein, und wir fragen uns beim Herausgehen, betäubt vom Duft exotischen Parfums, warum wir uns das für so viel Geld gefallen lassen.

5

sind unsere Rettung und geben uns den Glauben an die Menschheit wieder: Sie sind freundlich, hilfsbereit, kompetent, bemühen sich, uns wirklich zu helfen, und entschuldigen sich sogar, wenn wirklich mal was schief geht. Und dann sind diese himmlischen Wesen auch noch verwundert, wenn wir ihnen weinend um den Hals fallen und schluchzen: „Danke, dass Sie mir ein Kleid verkauft und mich nicht ausgeschimpft haben. Danke."

D 4 **Suchen Sie die folgenden Verben im Text. Welche Bedeutung haben sie? Markieren Sie.**

1 schluchzen *d*   a) leise lachen
2 kichern *a*   b) etwas leise, undeutlich und unfreundlich sagen
3 brummen *b*   c) stottern; etwas sehr stockend und undeutlich sagen, weil man Angst hat
                          oder aufgeregt ist
4 stammeln *c*   d) weinen und gleichzeitig sprechen
5 schimpfen *f*   e) nett und freundlich sprechen, ohne etwas Wichtiges zu sagen
6 plaudern *e*   f) laut und ärgerlich oder wütend sprechen

D 5 **Suchen Sie die passenden Adjektive in D3 und ergänzen Sie die Tabelle und die Regeln.**

Der Genitiv

f	m	n	Pl
de**r** _____ Kollegin eine**r** netten Kollegin _____ Ruhe	de**s** teuren Duftes eine**s** _____ Duftes _____ Kundenverkehrs	de**s** harmonischen _____ Betriebsklimas ihre**s** _____ Betriebsklimas _____ Betriebsklimas _____ Parfums	diese**r** teuren Boutiquen ihre**r** teuren Boutiquen _____ _____ Boutiquen

r (2x) ◆ en ◆ Nomen ◆ s ◆ Bezugswort

1 Der Genitiv beschreibt sein _____ genauer.
2 Das Genus-Signal für den Genitiv: *f* und *Pl* ____ , *m* und *n* ____ .
3 Die Adjektive im Genitiv haben immer die Endung ____ .
   Das Genus-Signal ist am _____ und/oder am Artikel:
   eines teuren Duftes (m), der netten Kollegin (f).
   Ausnahme: Adjektive ohne Artikel bei *f* und *Pl*: ____ .

Die bestimmten Artikelwörter *dieser, jeder, alle, mancher* funktionieren wie *der*.
Die unbestimmten Artikelwörter *kein, irgendein* und die Possessivartikel *mein, dein* etc. funktionieren wie *ein*.

D 6 **Ergänzen Sie die passenden Endungen.**

Die Besserwisser

halten ihre Kunden einfach für _____ (dumm) (1) und haben es sich zur Aufgabe ihres meist _____ (langweilig) (2) Verkäuferlebens *(n)* gemacht, ihr _____ (grenzenlos) (3) Wissen *(n)* an uns Doofe weiterzugeben. Sie wissen immer alles besser und müssen das auch unbedingt aussprechen. Im gepflegten Ambiente eines _____ (teuer) (4) Restaurants *(n)* erklären sie dem Gast, was auf seinem Teller liegt – als ob er nicht selber wüsste, was er vor einer _____ (halb) (5) Stunde *(f)* bestellt hat. In _____ (groß) (6) Kaufhäusern *(Pl)* lauern sie gern in _____ (elektronisch) (7) Abteilungen *(Pl)*, um uns auszulachen, weil wir nach einem Gerät gefragt haben, das keinen _____ (aktuell) (8) „Serve-Browser" *(m)* mit „Internet-Flöter" hat. Aber auch in der Sportabteilung sind sie anzutreffen. Auf die Frage, ob man die _____ (schwarz) (9) Aerobic-Schuhe *(Pl)* nicht auch zum _____ (täglich) (10) Jogging *(n)* benutzen kann, antworten sie mit der Andeutung eines _____ (müde) (11) Lächelns *(n)*. Schließlich weiß man heutzutage, dass ein Jogging-Schuh nach den _____ (neu) (12) Erkenntnissen *(Pl)* _____ (modern) (13) Wissenschaft *(f)* entwickelt wurde und eine _____ (knieschonend) (14) Gelpolster-Laufdämpfung *(f)* haben muss.

Beschreiben Sie andere „Service-Typen".

– Die Langweiler (müde, stumm, desinteressiert, passiv, gleichgültig ...)
– Die Gestressten (hektisch, genervt, unruhig, nervös, angespannt, Supermarktkasse ...)
– ...

Die Langweiler kann man überall treffen. Müde sitzen sie in einer Ecke und machen ein gelangweiltes Gesicht. Sie ...

ARBEITSBUCH
D3-D4

D 7　**Arbeiten Sie zu zweit oder zu dritt, wählen Sie eine Situation und spielen Sie den Dialog.**

1　Sie rufen in einer Sprachenschule an. Sie haben dort einen Deutsch-Intensivkurs besucht und wollen jetzt das Geld zurückhaben, weil Sie immer noch nicht fließend Deutsch sprechen können.

2　Sie sitzen beim Friseur und brechen in Tränen aus, weil Ihnen die Frisur (oder die neue Haarfarbe) absolut nicht gefällt. Sie weigern sich zu bezahlen und wollen einen neuen Schnitt (eine neue Farbe) vom Chef.

3　Sie sitzen in einem feinen Restaurant und lassen das Essen bereits zum zweiten Mal zurückgehen. Die Bedienung wird unfreundlich. Sie beschweren sich bei der Chefin.

Überlegen Sie sich weitere Situationen.

Redemittel „sich beschweren"

auf sich aufmerksam machen

höflich
Entschuldigen Sie, ...
Guten Tag, hier ist ..
Könnte ich bitte mit Herrn/Frau ... sprechen?

unhöflich
Hören Sie mal, ...
He, Sie da ... !
Wo ist denn Herr/Frau ... ? Ich will mit ihm/ihr sprechen!

nachfragen

Ist/War das Essen/das Zimmer/... in Ordnung/zu Ihrer Zufriedenheit?
Waren/Sind Sie ... zufrieden?
Hat es Ihnen geschmeckt/gefallen?
Kann ich/Können wir noch etwas für Sie tun?

sich beschweren

höflich
Ich möchte mich bei Ihnen darüber beschweren, dass ...
Ich muss Ihnen leider sagen, dass ...
Mit ... bin ich nicht zufrieden.
... lässt zu wünschen übrig.
Es stört mich sehr, dass ...

unhöflich
Das ist eine Unverschämtheit/Frechheit!
Jetzt habe ich wirklich die Nase voll!
Langsam habe ich genug (von) ...
Jetzt reicht's! ...

sich entschuldigen

Das tut mir wirklich Leid.
Entschuldigen Sie bitte. Es soll nicht wieder vorkommen.
Das werde ich selbstverständlich prüfen.

einen Vorschlag machen

Was halten Sie von folgendem Vorschlag?
Wir könnten uns vielleicht darauf einigen, dass ...
Ich mache Ihnen ein Angebot: ...

auf einen Vorschlag eingehen

Das wäre eine Möglichkeit.
Darüber kann man reden.
Damit könnte ich leben.

3/16

Der Ton macht die Musik

mir reicht's!

● Ich hab' dich davor gewarnt,   weiter wie bisher zu leben.
Ich hab' dich darum gebeten,   uns mehr von deiner Zeit zu geben.
Die Kinder fragen schon,   ob es dich überhaupt noch gibt.
und ich frag mich, ob ihr Papa   mich überhaupt noch liebt.

   ● Mir reicht's! Das mach' ich nicht mehr mit!
   ■ Mir reicht's! Das machst du nicht mit mir!

Mir reicht's! Wenn das nicht anders wird,
dann ● gehn wir **weg von hier!**
       ■ geh ich

■ Ich hab' keine Lust dazu,   mir ständig Klagen anzuhören.
Und hör' auf damit,   mich auch noch im Büro damit zu stören!
Ich muss mich darauf konzentrieren,   einen guten Job zu machen!
Ich hab' einfach keine Zeit für deine Herz-Schmerz-Jammer-Quengel-Sachen!

   ■ Mir reicht's! Ich halt' das nicht mehr aus!
   ● Mir reicht's! Du bist gemein zu mir!

Mir reicht's! Es dauert nicht mehr lang,
dann ● gehn wir **weg von hier!**
       ■ geh ich

● Immer muss ich für uns planen, nie machst du den ersten Schritt!
■ Die Schnapsidee mit dem Partnerschaftstraining? So ein'n Quatsch mach ich nicht mit!
● Statt mit mir zu reden, liest du Zeitung oder du machst die Glotze an …
■ … weil du immer „diskutieren" willst und man mit dir normal doch nicht reden kann.

Mir reicht's! Ich hab die Nase voll!
Mir reicht's! Ich hab genug von dir!
Mir reicht's! Und zwar ein für alle Mal:
Jetzt ● gehn wir **weg von hier!**
      ■ geh ich

ARBEITSBUCH
E1-E4

F

Cartoon

ARBEITSBUCH
F

Kurz & bündig

Pronominaladverbien

Haben Sie vielleicht irgendeine Idee, was ich da machen kann?

Nehmen Sie sich vor, sich *zu einem ganz bestimmten Thema* zu Wort zu melden. Wenn Sie etwas **dazu** sagen möchten oder sogar länger **darüber** sprechen wollen, notieren Sie sich am besten vorher Stichpunkte.

Nie reicht meine Zeit, um die Dinge zu erledigen, die ich mir vorgenommen habe.

Nun, Herr Held, ich denke, Ihr Problem könnte **daran** liegen, *dass Sie sich Ihre Zeit nicht richtig einteilen.* **Dafür** müssen Sie sich unbedingt Zeit nehmen.

Ich bedanke mich, Frau Risch, dass Sie hier waren und Hörerfragen beantwortet haben.

Zum Abschluss möchte ich vielleicht noch sagen, dass es im Berufsleben vor allem **darauf** ankommt, *sich genug zuzutrauen und selbstbewusst aufzutreten.*

Adjektivdeklination im Genitiv

Die Plaudertaschen empfinden Kunden als Störung **ihres harmonischen Betriebsklimas.** Und wenn der kleine Laden noch so voll ist: Sie vermitteln den Eindruck **himmlischer Ruhe und gepflegter Langeweile.** Das Liebesleben **der netten Kollegin** ist wichtiger.

Die Diven sind immer perfekt angezogen, immer perfekt geschminkt und modisch auf dem neuesten Stand. In ihrem edlen Ambiente fühlt man sich wie ein Eindringling und wirft sich vor, vor dem Betreten **teurer Boutiquen** nicht noch schnell zum Frisör gegangen zu sein. In Parfümerien ist es am schlimmsten. Sogar wenn wir die größte Packung **eines** (viel zu) **teuren Duftes** kaufen, packen sie uns das Wässerchen mit spitzen Fingern ein, und wir fragen uns beim Herausgehen, betäubt vom Duft **exotischen Parfums,** warum wir uns das für so viel Geld gefallen lassen.

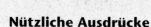

irgend-

Ich weiß nicht, Männer, die viel reden, sind mir **irgendwie** suspekt.

Sie wissen nicht genau, was es ist, aber **irgendetwas** in Ihrer Partnerschaft stimmt nicht.

Ständig kommt mein Chef mit **irgendwelchen** Zusatzaufgaben an.

Glauben Sie mir, wenn Sie noch lange darauf warten, dass man Ihnen diesen Job von allein anbietet, bekommt ihn **irgendjemand** anders.

Ständig kriege ich nur **irgendeine** unfreundliche Antwort.

Irgendwann sind sogar über Nacht Akten aus meinem Schreibtisch verschwunden.

Nützliche Ausdrücke

Stumm wie ein Fisch sitzt er da.

Ich bin abends **fix und fertig.**

Ich **heule wie ein Schlosshund.**

Ich **kämpfe wie ein Löwe.**

Manchmal habe ich das Gefühl, **mein Job überrollt mich** ganz einfach.

Das bedeutet übrigens auch, /.../ in stressfreien Zeiten auch mal ganz entspannt **eine ruhige Kugel zu schieben.**

Ich **stecke** wirklich **bis über beide Ohren in Arbeit.**

Neulich habe ich sogar meinen Urlaub verschoben, obwohl mir das eigentlich gar **nicht in den Kram gepasst hat.**

Selber Schuld!

Das darf doch wohl nicht wahr sein!

Keine Ahnung!

Das ist mir doch egal!

Die „Weiterleiter" können sich hervorragend **vor ihrer Arbeit drücken.**

Nette Verkäuferinnen sind freundlich und entschuldigen sich sogar, wenn wirklich mal **was schief geht.**

A

A 1

Das gibt meinem Leben Sinn!

Sprechen Sie über die Fotos.

A

„Raves bis zum frühen Morgen:
tolle Musik, tolle Leute, Spaß haben!"
Karin Strobel, 18,
Friseur-Azubi. München

B

„Ich lebe nur noch für meinen
Hund – der wärmt mich, der ist
mein bester Kumpel."
Hans Weißenburger, 39,
gelernter Koch, obdachlos, Lübeck

C

„Hilfe für die Dritte Welt - darin liegt für
mich die Hoffnung auf mehr Gerechtigkeit." *justice*
Dr. Marianne Kohn, 50,
Kinderärztin und 2. Vorsitzende des Komitees
„Ärzte für die Dritte Welt", Hamburg

D

„Erfolg im Beruf – das macht einfach Spaß!
Mein Kontostand gibt mir ein genaues Feedback."
Christine Berger, 27,
selbstständige Telefon-Trainerin, Hamburg

success

E

„Ich stelle den Kontakt zu den
Geistern her. Von dort bekommen
wir Rat und innere Kraft."
Marina Kistner, 55,
Schamanin, Hamburg

F

„Ich habe nicht mehr viel Zeit.
Es geht mir nur noch darum:
Wo kann ich helfen?"
Ralf Ehrendorfer, 39,
Übersetzer, HIV-positiv, Hamburg

A 2

3/
17-22

Was passt zusammen? Hören und markieren Sie.

Hörtext	1	2	3	4	5	6
Foto						

Jeder ist sich selbst der **Nächste**.

Liebe deinen **Nächsten** wie dich **selbst**.

A 3

3/
17-22

Hören Sie noch einmal und machen Sie Notizen.

Name	Sinn des Lebens?	Auslöser?	Tätigkeiten?	Zukunft?
Marianne Kohn	Hoffnung auf mehr Gerechtigkeit	Aufruf im Radio	Projekte in der Dritten Welt betreuen	

justice

Vergleichen Sie und sprechen Sie über die Leute. Wer gefällt Ihnen am besten?

Also ich finde toll, was Marianne Kohn macht. Sie hat eine Familie, muss Geld verdienen, aber trotzdem denkt sie auch an andere und hilft als Ärztin in anderen Ländern.

Ja, das finde ich auch. Andererseits: Es macht ihr ja auch Spaß, fremde Länder kennen zu lernen.

Na und? Das ist doch okay. Mir gefällt …

A 4

Htx **Was gibt Ihrem Leben Sinn? Was finden Sie wichtig?**

Auto ◆ Beruf ◆ Bücher ◆ Computer ◆ Familie ◆ Freunde ◆ Glaube ◆ Hobby ◆
Mode ◆ Liebe ◆ Sportverein ◆ …

A 5

Arbeiten Sie zu zweit oder dritt, wählen Sie eine Situation und spielen Sie den Dialog.

Important

Convince

Ihr Freund arbeitet täglich zwölf Stunden: Erfolg im Beruf ist für ihn das einzig Wichtige im Leben. Sagen Sie ihm, dass andere Dinge im Leben genauso wichtig sind, und überzeugen Sie ihn davon, weniger zu arbeiten.

Ihre 17-jährige Tochter verbringt jedes Wochen-ende in der Disko. Über-zeugen Sie Ihre Tochter davon, weniger tanzen zu gehen, und machen Sie ihr einen Vorschlag, was sie stattdessen tun könnte.

Suggestion

instead

Sie arbeiten für eine Hilfs-organisation. Versuchen Sie andere davon zu über-zeugen, auch für diese Organisation zu arbeiten oder die Arbeit dieser Organisation finanziell zu unterstützen.

support

Ihr 12-jähriger Sohn fragt Sie eines Abends: Warum lebe ich eigentlich? *really/ actually* Was ist der Sinn des Lebens? Antworten Sie ihm.

Ein Freund hat seinen Beruf aufgegeben und sagt, er sei Schamane. Er spricht mit Geistern und erklärt, er würde von ihnen auch bald Geld bekommen. Sprechen Sie mit Ihrem Freund. Überzeugen Sie ihn davon, dass es keine Geister gibt und dass er in seinen alten Beruf zurück-gehen sollte.

Eine Freundin liebt Sport. Sie ist ständig im Fitness-Studio, unternimmt nichts anderes mehr und spricht auch nur noch über ihr Training. Überzeugen Sie sie, dass Sport zwar gut für den Körper ist, dass zu viel Sport aber ungesund ist. Und dass es noch andere Dinge im Leben gibt.

B

B 1

Tauschbörsen

Was sind Tauschbörsen? Was vermuten Sie?

Nichts ist **hinterher** einfacher als eine **verwirklichte Idee**.

[Wernher von Braun]

B 2

Lesen Sie die Definitionen. Welche ist richtig? Raten Sie mal.

1 Auf Tauschbörsen werden Aktien getauscht. Man muss also nicht an die Börse gehen, um Aktien zu verkaufen und zu kaufen.

2 Mitglieder von Tauschbörsen helfen sich untereinander: Sie tauschen Dienstleistungen, z.B. Babysitten gegen PC-Beratung oder Hilfe beim Umzug.

3 Auf Tauschbörsen werden Geräte gesammelt, z.B: Rasenmäher, Computer, Haushaltsgeräte oder Spielzeug. Dann wird alles an arme Leute verschenkt.

Lesen Sie den Anfang des Artikels und vergleichen Sie mit Ihrer Vermutung.

Die Indefinitpronomen „man" und „jemand"

NOM	man	jemand
AKK	einen	jemand(en)
DAT	einem	jemand(em)

Man findet für ungeliebte... Arbeiten leicht *jemanden*, der das erledigt.
Man verdient Geld ... mit Tätigkeiten, die *einem* Spaß machen.
Die Rentner sind froh, sich ... bei *jemandem* unterhaken zu können.
Fälle von so schlimmem Missbrauch ... können *einen* schon nachdenklich machen.

Tauschbörsen – der neue Trend

Die Idee der Tauschbörsen, auch LETS genannt (Local Exchange Trading System), stammt aus Kanada. Dort tauschen seit langem viele Menschen Waren und Dienstleistungen, ohne dafür mit Geld zu bezahlen. Seit einigen Jahren gewinnt dieses Konzept auch in Deutschland immer mehr Anhänger – pro Monat wird im Durchschnitt eine neue Tauschbörse gegründet.

Jedes LETS-Mitglied bietet die Leistung an, die es gern macht oder gut kann. Dafür findet man für ungeliebte oder zu schwere Arbeiten leicht jemanden, der das erledigt. Ein konkretes Beispiel: Ein Student ist Mitglied einer Tauschbörse, er bietet Babysitten und Hausaufgabenhilfe an. Er möchte sein Auto reparieren lassen, deshalb vereinbart er mit einem anderen Mitglied, einem Mechaniker, einen Preis für die Reparatur, zum Beispiel 100 Talente oder LETS (so heißt die Währung der meisten Tauschbörsen). Ein Talent oder LETS entspricht ungefähr 50 Cent. Die Dienstleistung und der vereinbarte Preis müssen von dem Mechaniker und dem Studenten gemeinsam schriftlich bestätigt und an die Zentrale gemeldet werden. Dem Mechaniker werden dann die 100 Talente auf seinem Konto gutgeschrieben, das Konto des Studenten wird mit 100 Talenten belastet. Der Student kann dann z.B. mit zwei Abenden Babysitten bezahlen. Der Clou: Er muss nicht etwa bei dem Mechaniker babysitten, der ihm das Auto repariert hat, sondern kann seine „Schulden" woanders abarbeiten. Für die Kontoverwaltung wird eine geringe Jahresgebühr (meist um fünf Euro) bezahlt.

Lesen Sie weiter: Welche Dienstleistungen werden angeboten?
Welche Vorteile hat LETS? Machen Sie Notizen.

In den Tauschringen findet man Menschen aus allen Berufen: Handwerker und Bauern, Angestellte und Beamte, aber auch Rentner, Schüler und Studenten. Oft sind jedoch gar nicht die beruflichen Fähigkeiten der Menschen, sondern ihre Hobbys und individuellen Vorlieben die Grundlage des ganz persönlichen Dienstleistungsangebots.

In Leipzig gründete Andreas Kelly im Mai einen Tauschring. Wir besuchten den 30-jährigen Pädagogen in seiner kleinen Wohnung, die auch die Zentrale des Leipziger Tauschrings ist: „Ich hörte vom Berliner Tauschprojekt und war gleich begeistert. Über eine Zeitungsanzeige suchte ich Gleichgesinnte und lud sie zur Gründungsfeier ein – nach zwei Monaten waren wir schon 50 Mitglieder!" Andreas Kelly bietet selbst Reparaturarbeiten aller Art, Hilfe bei Umzügen und den Verleih seines Zweitfahrrads an. „Nichts, wofür man die Fachkenntnisse eines Pädagogen braucht", lacht er, „aber das sind halt alles Sachen, die ich gut kann und die mir Spaß machen."

Einkaufen, Marmelade kochen, Kinder hüten, tapezieren, Hecken schneiden, Steuererklärung machen, Garten umgraben – alltägliche Dienstleistungen wie diese werden am häufigsten angeboten. Manche Teilnehmer erfüllen sich über LETS-Organisationen aber auch ganz persönliche Wünsche. So z. B. der 15-jährige Daniel, eines der jüngsten deutschen Mitglieder: Er besucht regelmäßig den Nachbarn und nutzt dessen Spülmaschine, wenn er zu Hause mit dem Abwasch dran ist. Dafür zahlt er dem Nachbarn dann gern etwas von seinem LETS-Guthaben. Manchmal ersetzt LETS auch den Restaurantbesuch: „Bei uns auf dem Land gibt es einen Polizisten, der regelmäßig in einer fremden Familie zu Mittag isst, weil das Heimfahren zu lange dauern würde", erzählt Georg Minzer vom Tauschring in Klettgau-Grießen am Rand des Schwarzwalds. „Die Frau kocht sowieso jeden Mittag für eine große Familie, da ist der Polizist als zusätzlicher Esser überhaupt kein Problem."

Aber wo ist nun eigentlich der Unterschied, ob mit echtem Geld oder Talenten bezahlt wird? Fans von Tauschringen zählen begeistert Vorteile auf: Auch finanziell weniger „flüssige" Menschen können teurere Dienstleistungen in Anspruch nehmen und dennoch angemessen bezahlen, und man verdient Geld – oder doch so was Ähnliches – mit Tätigkeiten, die einem Spaß machen. „Es werden sogar Dienstleistungen genutzt, von denen wir gar nicht wussten, dass jemand sie brauchen könnte", sagt Klaus Reichenbach, Organisator des Kasseler Tauschrings „Zeitbörse". „Eine unserer Teilnehmerinnen hilft älteren Menschen beim Friedhofsbesuch. Die Rentner sind froh, sich auf dem holprigen Weg bei jemandem unterhaken zu können. Sie könnten es sich wahrscheinlich gar nicht leisten, so eine Begleitung in Euro zu bezahlen. Doch wenn sie dafür mal Kinder hüten oder die Briefkästen von Verreisten leeren, ist das kein Problem." Auch zum Umweltschutz leistet LETS einen Beitrag, weil es die Reparatur von Gebrauchsgegenständen fördert. Außerdem lernt man in LETS-Kreisen viele neue Menschen kennen und schließt Freundschaften, wie alle Organisatoren versichern. Denn die Tauschringe veranstalten regelmäßig Treffen für ihre Mitglieder, die dort sich und ihr Angebot persönlich vorstellen können. Im englischen Liverpool wurde sogar schon die erste Ehe zwischen zwei LETS-Teilnehmern geschlossen.

Welche Probleme könnte es geben? Wie könnte man sie lösen?
Diskutieren Sie zu dritt. Dann lesen und vergleichen Sie.

Natürlich läuft nicht immer alles so glatt, und auch die Tauschringe kennen schwarze Schafe unter ihren Mitgliedern. Im kanadischen Courtenay passierte etwas, woran keiner gedacht hatte: Ein Mitglied nahm immer nur Dienstleistungen in Anspruch, ohne sich jemals zu revanchieren. Seine Schulden an Green Dollars wuchsen und wuchsen – bei einem Minus von 14 000 Green Dollars brach das System zusammen. Seither haben Tauschringe ein Kreditlimit eingeführt: Wer etwa mit 1000 Talenten im Minus ist, muss aktiv werden. Außerdem veröffentlichen die meisten Netzwerke regelmäßig den Kontostand aller Teilnehmer: So entsteht ein gewisser moralischer Druck, für die Gemeinschaft etwas zu leisten. „Fälle von so schlimmem Missbrauch kann man weltweit an einer Hand abzählen", sagt der LETS-Experte Dr. Hugo Godschalk von der Unternehmensberatung PaySys, „aber sie können einen schon nachdenklich machen. Zum Glück ist in Deutschland bisher kein einziges Vorkommnis dieser Art bekannt geworden." Natürlich gibt es ab und zu mal Streit über die Qualität einer Dienstleistung oder die Höhe des vereinbarten Preises, aber eine Einigung ist hier eine Frage des guten Willens der Beteiligten und meistens rasch gefunden – falls nötig, mit Unterstützung der Zentrale.

Keine Einigkeit herrscht auch bei der Festsetzung des Werts der unterschiedlichen Dienstleistungen: Während die „geldwertorientierten" Tauschringe – das sind die meisten – dies der freien Vereinbarung ihrer Mitglieder überlassen, lassen die „zeitorientierten" Tauschringe nur die Zeit gelten, die man für eine Tätigkeit gebraucht hat: 60 Minuten Autoreparatur sind ebenso viel wert wie eine Stunde Babysitten.

Auch Umzüge sind heute noch ein Problem: Wer mit einem dicken Plus auf dem Konto in eine andere Stadt zieht, hat einfach Pech. Aber die vielen örtlichen LETS-Tauschringe arbeiten schon an einer Vernetzung, und vielleicht wird man in Zukunft seinen Kontostand von einem Tauschring auf den anderen übertragen können.

B 5

Suchen Sie die markierten Wörter im Text (B2 + B3) und ergänzen Sie die Tabelle und die Regeln.

Die n-Deklination

Singular

NOM	AKK	DAT	GEN
	den Studenten		
der/ein Pädagoge		dem Pädagogen	
der/ein Nachbar			des Nachbarn
		dem Polizisten	des Polizisten

Plural

NOM	AKK	DAT	GEN
(die) Menschen			der Menschen

Genauso dekliniert man: Bauer, Experte

Berufe ◆ Endungen ◆ maskuline ◆ Nationalitäten ◆ *-n* bzw. *-en* ◆ Tiere

1 Einige _____ Nomen folgen der „n-Deklination": Außer im Nominativ Singular sind die Kasus-Endungen immer _____ .

2 Die Wörter der „n-Deklination" bezeichnen oft _____ (der Student, Pädagoge, Polizist), _____ (der Franzose, Pole, Türke) und _____ (der Elefant, Löwe).

3 Man muss die Wörter der „n-Deklination" extra lernen. Es gibt aber einige _____ (-ist, -ent/-ant, -e), die anzeigen, dass ein Nomen wahrscheinlich zur „n-Deklination" gehört.

Sammeln Sie weitere Nomen der „n-Deklination".

… eine Frage des guten Willens der Beteiligten …
Einige Nomen der „n-Deklination" haben im Genitiv Singular die Endung „-ns", z.B.
der Friede, Gedanke, Glaube, Name, Wille

ARBEITSBUCH B1-B5

B 6

Sie wollen eine Tauschbörse in Ihrer Stadt gründen. Diskutieren Sie zu dritt oder viert und berichten Sie dann.

Name der Tauschbörse?

Welche Berufe/Dienstleistungen?

Mitgliedsbeitrag? Kreditlimit?

Name des „Geldes"?

Wer wird zur Gründung eingeladen?

Welche Art von Werbung?

Welche Geräte/Räume/ … braucht man?

…

Lerntipp:
Sitzen Sie beim Lernen nicht immer ruhig am Schreibtisch, sondern lernen Sie auch mal „im Spazierengehen". Wenn Sie in Bewegung sind, arbeitet Ihr Gehirn besser: Sie können konzentrierter nachdenken, sich leichter etwas einprägen und freier sprechen. Egal, ob Sie mit Wortkarten oder Vokabelheft neue Wörter wiederholen, Lieder und Gedichte auswendig lernen oder Dialoge üben wollen – es klappt besser, wenn Sie in Bewegung sind. Führen Sie dabei ruhig „Selbstgespräche", um sich auf Diskussionen und Gespräche mit anderen vorzubereiten oder um verschiedene Dialog-Variationen und Sprechweisen auszuprobieren. Denken Sie daran: Auch Schauspieler lernen ihre Texte am besten im Gehen.

ARBEITSBUCH B6

Zwischen den Zeilen

Was passt zusammen? Markieren Sie.

1	Auskunft geben	*l*	a) wichtiger werden
2	Ratschläge geben	*c*	b) nachdenken (über)
3	an Bedeutung gewinnen	*a*	c) beraten
4	sich Gedanken machen (über)	*b*	d) beeinflussen
5	in Anspruch nehmen		e) entscheiden
6	Einfluss nehmen (auf)	*d*	f) geben
7	keine Rolle spielen		g) nutzen, annehmen
8	zur Verfügung stehen	*i*	h) beantragen
9	zur Verfügung stellen	*f*	i) vorhanden sein
10	einen Antrag stellen	*h*	j) unwichtig sein
11	eine Entscheidung treffen	*e*	k) informiert sein
12	Bescheid wissen	*k*	l) informieren

> Feste Verbindungen zwischen Nomen und Verben gibt es oft in zwei Varianten. Sie haben dann entweder eine aktive oder passive Bedeutung. Vergleichen Sie:
> *zur Verfügung stellen*   *zur Verfügung stehen*
> *Auskunft geben*   *Bescheid wissen*

Lesen und ergänzen Sie mit festen Verbindungen aus C1.

Netscape: Warum gibt es die Tafeln?

Back   Forward   Reload   Home   Search   Netscape   Images   Print   Security   Stop

Netsite: http://www.tafel.de/warum.html

WebMail   Contact   People   Yellow Pages   Download

DIE TAFELN

Soziale Probleme und Arbeitslosigkeit wachsen, das soziale Netz wird grobmaschiger, neues gesellschaftliches Engagement ist gefragt. Selbsthilfegruppen, Privatinitiativen, Seniorenbüros und gemeinnützige Vereine _____ deshalb _____ (1).

In Deutschland werden täglich große Mengen an Lebensmitteln weggeworfen, während es gleichzeitig Menschen gibt, die sich und ihre Kinder nicht ordentlich ernähren können. Anfang der 90er-Jahre setzten sich deshalb in Berlin engagierte Frauen zusammen und _____ sich darüber _____ (2), wie sie helfen könnten. Sie wollten nicht nur diskutieren und gute _____ _____ (3) – sie wollten etwas Praktisches tun und auf die Entwicklung _____ _____ (4). In der Zeitung lasen sie einen Bericht über die „Tafeln" in den USA: Das war die Idee! Und so _____ sie 1993 die _____ (5), die erste deutsche „Tafel" in Berlin zu gründen. Die Idee breitete sich rasch aus: 1999 gab es in Deutschland schon mehr als 200 „Tafeln".

Der Lebensmittelgroßhandel, der Großmarkt und die Bäckerei um die Ecke _____ die Lebensmittel _____ (6), die am Ende des Tages übrig bleiben. Sie werden von freiwilligen Helfern eingesammelt und an bedürftige Menschen verteilt: Obdachlose, Arbeitslose und Sozialhilfeempfänger _____ diese Hilfe dankend _____ (7): So können sie etwas besser leben, ohne bei Behörden einen _____ _____ zu müssen (8). „Die Tafeln" sind gemeinnützige Vereine, sie arbeiten selbstständig oder als Projekt von gemeinnützigen Trägern (z. B. Caritas, Diakonisches Werk, Arbeiterwohlfahrt oder Rotes Kreuz). Diesen Vereinen _____ keine große Verwaltung _____ (9), Hierarchie und Bürokratie _____ deshalb bei ihnen _____ _____ (10). Die Idee der „Tafeln" lebt von den vielen tausend Helfern, die ihre Freizeit einsetzen. Neben diesem ehrenamtlichen Engagement sind in vielen „Tafeln" gemeinnützige Arbeitsplätze entstanden. In den jeweiligen Orten sind „Die Tafeln" bekannt in Verbindung mit dem Städtenamen als Kieler Tafel, Düsseldorfer Tafel, Dresdner Tafel, Augsburger Tafel.

Möchten Sie noch genauer über „Die Tafeln" _____ _____ (11)? „Die Tafeln" _____ auch im Internet unter http://www.tafel.de _____ (12) über ihre Arbeit.

ARBEITSBUCH
C1-C3

Der Ton macht die Musik

Egoist
Falco

Die ganze Welt dreht sich um mich, denn ich bin nur ein Egoist.
Der Mensch, der mir am nächsten ist, bin ich, ich bin ein Egoist.
Die ganze Welt dreht sich um mich ...

Ganz oben auf der Liste, ja, da stehe ich.
Du musst mir schon verzeihen, aber ich liebe mich
Das obwohl ich übermaßend durchaus kritisch bin,
hab ich den ganzen lieben Tag nur mich im Sinn.

Ich habe über meinem Bett 'nen Spiegel angebracht,
damit mein eig'nes Spiegelbild mir meinen Schlaf bewacht.
Ich will niemanden wollen, nein, ich will, dass man mich will,
bis ich kriege, was ich brauche, halt ich niemals still.

Die ganze Welt dreht sich um mich, denn ich bin nur ein Egoist.
Der Mensch, der mir am nächsten ist, bin ich, ich bin ein Egoist.
Die ganze Welt dreht sich um mich ...

Liebe kommt von Lieben und ich fange bei mir an,
mit ein bisschen Glück bist eines Tages du mal dran.
Ich gebe meinem Ego täglich die spezielle Kur,
nur meistens geb ich mir gleich alles und am liebsten pur – sure.

An jedem Tag, an dem es mein Weltbild länger gibt,
erkenne ich mich selbst und ich bin neu verliebt.
Die Sterne schreiben meinen Namen in das Firmament,
damit er hell in euren Augen brennt.

Die ganze Welt dreht sich um mich, denn ich bin nur ein Egoist.
Der Mensch, der mir am nächsten ist, bin ich, ich bin ein Egoist.
Die ganze Welt dreht sich um mich ...

Wos is er denn, wos hat er denn, wos kann er denn,
wos mocht er denn, wos red er denn, wer glaubt er, dass er is.

Die ganze Welt dreht sich um mich, denn ich bin nur ein Egoist.
Der Mensch, der mir am nächsten ist, bin ich, ich bin ein Egoist.
Die ganze Welt dreht sich um mich ...

Wos is er denn, wos hat er denn, wos kann er denn,
wos mocht er denn, wos red er denn, wer glaubt er, dass er is.

*Falco, eigentlich Hans Hölzel, österreichischer Sänger, geb. 19.02.1957 in Wien, gest. 06.02.1998 in der Dominikanischen Republik. Sein erster internationaler Durchbruch gelang Falco mit seiner Single „Der Kommissar", später eroberte er die amerikanischen und englischen Charts mit seinem Hit „Amadeus".

ARBEITSBUCH
D1–D3

Umweltschutz

Sprechen Sie über die Collage.

A

B

C

D

E

F

G

Ordnen Sie die Begriffe den Fotos zu.

Abfall ◆ Abgase ◆ Atomenergie ◆ Alternative Energien ◆ Müll ◆ Konsum ◆
Mülltrennung ◆ Schädlingsbekämpfung ◆ Stau ◆
Umweltkatastrophen ◆ öffentliche Verkehrsmittel

E 3

3/24

Was machen die Leute für die Umwelt? Hören Sie und machen Sie Notizen.

– *kein Auto*
– *Müll trennen, keine Plastiktüten*
– *...*

Welche Verhaltensweisen finden Sie gut? Diskutieren Sie.

E 4

Was passt zusammen? Markieren Sie.

1 Statt im Stau zu stehen, *e*
2 Anstatt einfach alles wegzuwerfen und zu verbrennen,
3 Meistens nehme ich zum Einkaufen Stofftaschen
   mit,
4 Wenn ich friere, ziehe ich mir halt noch eine Jacke
   an,
5 Statt täglich zu baden,
6 Ich bringe die alten Batterien immer ins Geschäft
   zurück und die abgelaufenen Medikamente in die
   Apotheke,
7 Statt diesen ganzen umweltfeindlichen Putzmitteln
8 Ich habe in meiner Küche statt zehn stinkender
   Abfalleimer
9 Statt eine billige Maschine zu kaufen, die viel
   Energie verbraucht,
10 Statt diesen ganzen Chemiekram zu benutzen,
11 Unsere Gartenstühle sind aus Holz
12 Jeder sollte ein bisschen auf die Umwelt achten,

a) dusche ich – das spart Wasser.
b) nehme ich nur alternative, die biologisch abbaubar sind.
c) statt aus Plastik.
d) statt einfach nur zu konsumieren.
e) lese ich gemütlich in der U-Bahn meine Zeitung.
f) sollte man möglichst viel wieder verwerten.
g) statt das Zeug einfach in den Müll zu werfen.
h) endlich wieder nur einen. Da blickt man wenigstens durch!
i) verwende ich nur natürliche Mittel, zum Beispiel
   Brennnesselsud gegen Blattläuse.
j) haben wir eine umweltfreundliche geholt.
k) anstatt im Supermarkt dann Plastiktüten zu kaufen.
l) anstatt die Heizung ganz aufzudrehen.

3/24

Hören Sie noch einmal und vergleichen Sie.

Ergänzen Sie die Regeln.

das Subjekt ◆ eine Alternative ◆ einen Nebensatz ◆
Genitiv ◆ Infinitiv mit zu

1 Die Konjunktion „(an)statt" und die Präposition „statt" drücken
einen Gegensatz aus: Sie nennen _____ , die
gleichzeitig verneint wird.

2 Die Konjunktion „(an)statt" leitet _____ ein.
Sie wird meistens mit _____ benutzt. Dann gilt
_____ des Hauptsatzes auch für den Nebensatz.

3 Die Präposition „statt" steht mit dem _____ (statt
zehn stinkender Abfalleimer) und umgangssprachlich auch mit dem
Dativ (statt diesen ganzen umweltfeindlichen Putzmitteln).

*In der Umgangssprache verwendet
man manchmal auch einen
Nebensatz mit „(an)statt dass".
Vergleichen Sie:*

*Meistens nehme **ich** zum Einkaufen
Stofftaschen mit, ...*

*... **anstatt** im Supermarkt dann
Plastiktüten **zu kaufen**.*

*... **anstatt dass ich** im Supermarkt
dann Plastiktüten **kaufe**.*

E 5   **Machen Sie Sätze mit „statt" und „anstatt" (↔) und nennen Sie Gründe.**

1 mit dem Auto in die Stadt fahren ↔ die S-Bahn nehmen

2 Flugreisen in weit entfernte Länder machen ↔ im eigenen Land Urlaub machen

3 alles im Supermarkt einkaufen ↔ frische Sachen vom Markt holen

4 Fertiggerichte warm machen ↔ frische Sachen kochen

5 Getränke in Dosen kaufen ↔ in Pfandflaschen

6 Joghurt in Pfandgläsern kaufen ↔ in Plastikbechern

7 Müll trennen ↔ alles in einen Mülleimer werfen

8 Abfälle werfen ↔ auf den Boden ↔ in den Papierkorb

9 Kindern Spielzeug schenken ↔ aus Plastik ↔ aus Holz

10 die Heizung ausschalten ↔ das Fenster öffnen

11 Regenwasser ↔ Trinkwasser ↔ für den Garten nehmen

12 über Umweltschutz reden ↔ etwas für die Umwelt tun

*Statt mit dem Auto in die Stadt zu fahren, sollte man die S-Bahn nehmen. Das ist
gut für die Umwelt, weil die Autoabgase sehr schädlich sind.*

*Ich fahre oft mit dem Auto in die Stadt, anstatt die S-Bahn zu nehmen. Ich finde es einfach
bequemer mit dem Auto – bis zur S-Bahn brauche ich eine Viertelstunde.*

ARBEITSBUCH
E1-E4

E 6   **Was tun Sie für die Umwelt? Arbeiten Sie zu dritt oder zu viert.**

Wir fahren meistens ...
Wir fliegen ...
Wir benutzen nur ...
Wir verwenden ...
Wir verzichten auf ...
Wir kaufen ausschließlich ...
Wir nehmen oft ...
Wir sammeln...
Wir bringen ...
Wir essen nie ...
Wir trinken nur...
Wir versuchen ...
Wir ...

um ... zu
(an)statt ... zu
----
damit
(an)statt dass
so (...) dass
weil
...
----
denn
...

ARBEITSBUCH
E5

E 7

Diskutieren Sie die folgenden Aussagen.

„Mein Auto fährt auch ohne Wald."
„Erst stirbt der Wald – dann stirbt der Mensch."

„Atomkraftwerke sollte man sofort abschalten. Es gibt genug andere alternative Energien."
„Wenn wir die AKWs schließen, was ist denn dann mit den Leuten, die da arbeiten? Das erhöht doch nur die Arbeitslosenquote."

„Ich kaufe meine Lebensmittel direkt vom Bauern. Das bedeutet, es gibt nicht das ganze Jahr Erdbeeren. Damit kann ich gut leben."
„Nach den vielen Lebensmittel-Skandalen kann man eigentlich gar nichts mehr essen. Aber nur beim Biobauern kaufen – das ist zu teuer, das kann ich mir nicht leisten."

„Müll trennen ist wichtig, aber: Viel wichtiger ist es, Müll zu vermeiden!"
„Ich habe wenig Zeit, deshalb esse ich oft in Fastfood-Restaurants oder kaufe Fertiggerichte. Das bedeutet viel Verpackungsmüll, aber was soll ich machen?"

„Auf den Inhalt kommt es an!" – Verpackungen sind unnötig, wir sollten auf sie verzichten.
„Kleider machen Leute." - Erst die Verpackung macht Sachen interessant.

F

Cartoon

n-Deklination

Ein Student ist Mitglied einer Tauschbörse, er bietet Babysitten und Hausaufgabenhilfe an. Er möchte sein Auto reparieren lassen, deshalb vereinbart er mit einem anderen Mitglied, einem Mechaniker, einen Preis für die Reparatur. Die Dienstleistung und der vereinbarte Preis müssen von dem Mechaniker und **dem Studenten** gemeinsam schriftlich bestätigt und an die Zentrale gemeldet werden. Dem Mechaniker werden dann die 100 Talente auf seinem Konto gutgeschrieben, das Konto **des Studenten** wird mit 100 Talenten belastet. **Der Student** kann dann z. B. mit zwei Abenden Babysitten bezahlen.

In den Tauschringen findet man **Menschen** aus allen Berufssparten: Handwerker und **Bauern**, **Journalisten**, aber auch Rentner, Schüler und **Studenten**.

„(an)statt"-Sätze

Was tun Sie für die Umwelt?

Ich habe seit acht Jahren kein Auto. **Statt** im Stau **zu stehen**, lese ich gemütlich in der U-Bahn meine Zeitung und komme entspannt ins Büro.

Anstatt einfach alles **wegzuwerfen** und **zu verbrennen**, sollte man möglichst viel wieder verwerten. Meistens nehme ich zum Einkaufen Stofftaschen mit, **anstatt dass** ich im Supermarkt dann Plastiktüten **kaufe**.

Ich bringe die alten Batterien immer ins Geschäft zurück und die abgelaufenen Medikamente in die Apotheke, **statt** das Zeug einfach in den Müll **zu werfen**.

„statt" als Präposition

Was tun Sie, um die Umwelt zu schützen?

Lassen Sie mich doch mit diesem Öko-Quatsch in Ruhe. Ich habe in meiner Küche **statt zehn stinkender Abfalleimer** endlich wieder nur einen.

Generell versuche ich natürliche Materialien zu kaufen. Unsere Gartenstühle sind aus **Holz statt aus Plastik**.

Ich kaufe Joghurts nur in Pfandgläsern **statt in Plastikbechern**.

Nützliche Ausdrücke

Ich tue das nicht für Geld, sondern weil es meine Aufgabe in diesem Leben ist.

Irgendwie habe ich dann **die Kurve gekriegt**.

Ich habe eine **Lehre** angefangen als Friseurin, die will ich unbedingt **durchziehen** und weniger oft weggehen.

Seit kurzem habe ich einen Freund. Eine feste Beziehung ist wichtig, die **gibt mir Halt**.

Das ist ja ein Luderleben, das ich führe. Immer **von der Hand in den Mund**.

Der Clou: Er muss nicht etwa bei dem Mechaniker babysitten, der ihm das Auto repariert hat, sondern kann seine „Schulden" woanders abarbeiten.

Natürlich **läuft nicht immer alles so glatt**, und auch die Tauschringe kennen **schwarze Schafe** unter ihren Mitgliedern.

Viele Männer und Frauen tun das freiwillig und **ohne einen Pfennig Geld dafür zu sehen**.

Frauen suchen neue Betätigungsfelder, wenn **die Kinder aus dem Haus sind**.

Sie helfen **Menschen**, die aus eigener Kraft **mit ihrem Leben nicht zurechtkommen**.

A

A 1 Sprechen Sie über die Fotos. Was passt wo? Markieren Sie.

Komödie	Quizsendung	Talkshow	Tierfilm	Zeichentrickfilm
Spielfilm	Wetterbericht	Sportsendung	Krimi	Dokumentarfilm
Musiksendung	Familienserie	Nachrichten	Western	Psychothriller

Was sehen Sie am liebsten? Wie lange sitzen Sie durchschnittlich pro Tag vor dem Fernseher? Vergleichen Sie mit der Statistik und berichten Sie.

Sehdauer der Zuschauer in Minuten pro Tag												
1985	1986	1987	1988	1989	1990	1991	1992	1993	1994	1995	1996	1997
141	143	148	147	151	157	162	170	178	179	174	183	183

A 2 Wie heißen die Berufe der Menschen auf den Fotos? Markieren Sie.

| Showmaster/in | Reporter/in | Kameramann/frau | Moderator/in |
| Ansager/in | Schauspieler/in | Nachrichtensprecher/in | Regisseur/in |

Finden Sie das richtig oder falsch? Markieren Sie und diskutieren Sie zu zweit oder zu dritt.

	richtig	falsch
1 Fernsehen macht Kinder ängstlich, nervös und aggressiv.		✓
2 Fernsehen fördert die sprachliche Entwicklung bei Kindern.		✓
3 Kinder sollten erst fernsehen, wenn sie in die Schule gehen.		✓
4 Fernsehen ist der beste Babysitter.		
5 Am Fernsehkonsum von Kindern kann man familiäre Probleme erkennen.	✓	
6 Die meisten Eltern sind ein schlechtes Vorbild.		✓
7 Kinder sollten höchstens eine Stunde pro Tag fernsehen.		
8 Durch Fernsehen verlieren Kinder ihre Fantasie und Kreativität.		✓
9 Für Kinder sind nur Kindersendungen geeignet.		✓
10 Kinder mit mehreren Geschwistern sehen besonders viel fern.	✓	

Lesen Sie den Text: Zu welchen Aussagen gibt es Informationen? Notieren Sie die Zeilen.

1 Zeile 31–32, _____

Familien: Massive Schwierigkeiten mit dem Fernsehen

Fernsehen wird für Kinder immer mehr zur „Berieselungsmaschine". Vor allem wenn sie sich langweilen oder frustriert sind, schalten sie die „Glotze" ein. Die Eltern sind meist schlechte Vorbilder und haben keine Ahnung, wie sie die häusliche Fernseherziehung gestalten sollen. Dies ist das Ergebnis einer Umfrage, die unter 200
5 Kölner Familien durchgeführt wurde.
Abends nach der Arbeit sind die Eltern oft gestresst und setzen sich erst einmal vor den Fernseher um abzuschalten, egal was gerade läuft. Genau das sehen dann die
10 Kinder. Und dieses Beispiel überzeugt sie natürlich nicht davon, bewusst und überlegt mit dem Fernsehen umzugehen und nur ausgewählte Sendungen anzusehen.
„Eine Menge Probleme sind in dieser
15 Studie zum Vorschein gekommen", meint Bettina Hurrelmann, Professorin für Jugendliteratur und Medienforschung. Probleme, die allerdings eng mit den Familienverhältnissen verbunden sind:
20 Besonders Familien mit nur einem Elternteil oder mit mehr als zwei Kindern berichteten über massive Schwierigkeiten beim Umgang mit dem Fernsehen. So findet man in diesen Familien häufiger „Vielseher" – Kinder mit exzessivem TV-Konsum. „Dieser Fernsehkonsum ist oft völlig orientierungslos, bei Kindern wie
25 bei Eltern", erklärt Bettina Hurrelmann. „Es wird nicht ausgewählt oder überlegt, bevor auf den Einschaltknopf gedrückt wird. Und dann wird einfach unkonzentriert durch die Programme gezappt, ohne Verständnis von Inhalten."
Fernsehen wird so zum diffusen Zeitgeber und Alltagsfüller – im wahrsten Sinne des Wortes: 20 Prozent aller Kinder, die befragt wurden, sehen vor der Schule fern, 23 Prozent sofort nach dem
30 Heimkommen.
Die Studie zeigt, dass dieser Fernsehstil die Kinder stresst und negative Folgen hat. Viele der „Vielseher" berichteten über Ängste, Nervosität und Aggressivität nach dem TV-Konsum. Dies wird von den Eltern durchaus bemerkt, nur wissen sie nicht, wie sie sinnvoll gegensteuern sollen. In 91% der befragten Familien werden Kindern manche Sendungen verboten. Es gibt jedoch kaum
35 Familien, in denen den Kindern geeignete Sendungen empfohlen werden. 23 Prozent der Mütter geben zu, überhaupt keine Fernsehregeln zu haben.
Der TV-Konsum kann nach Ansicht Bettina Hurrelmanns ein wichtiger Indikator für familiäre Probleme sein. Die Professorin warnt aber ausdrücklich davor, blind zu sein für die positiven Möglichkeiten des Mediums: „Eltern oder Pädagogen, die davon überzeugt sind, dass alles Böse aus
40 dem Fernseher kommt, sind immer die schlechtesten Medienerzieher."

Welche Erfahrungen haben Sie mit dem Fernsehverhalten von Kindern gemacht? Berichten Sie.

Das Passiv im Präteritum

Das Passiv im Präteritum bildet man mit der Präteritum-Form von „werden" *(wurde-)* und dem **Partizip Perfekt**:
*Dies ist das Ergebnis einer Umfrage, die unter 200 Kölner Familien **durchgeführt wurde**.*

Passivsätze ohne Subjekt und mit „es"

Wenn es nicht wichtig ist, wer etwas macht, sondern nur, was passiert, kann ein Passiv-Satz auch ohne Subjekt stehen oder mit „es" eingeleitet werden:
*Und dann **wird** einfach unkonzentriert durch die Programme gezappt.*
*Es **wird** nicht **ausgewählt** oder **überlegt**, bevor auf den Einschaltknopf gedrückt wird.*
Wichtig: Die Position 1 muss immer besetzt sein, das Verb steht auch hier immer auf Position 2.

A 4

Lesen Sie den Text noch einmal, ergänzen Sie die Verben und markieren Sie: Ist das ein Zustand/Resultat (A) oder eine Handlung/ein Prozess (B)?

A   B

1 Vor allem wenn die Kinder sich langweilen oder _____, schalten sie die „Glotze" ein.

2 Abends nach der Arbeit _____ die Eltern oft _____ und setzen sich erst einmal vor den Fernseher um abzuschalten.

3 In der Studie sind Probleme zum Vorschein gekommen, die eng mit den Familienverhältnissen _____.

4 Es _____ nicht _____ oder _____, bevor auf den Einschaltknopf _____.

5 Und dann _____ einfach unkonzentriert durch die Programme _____, ohne Verständnis von Inhalten.

6 In 91% der befragten Familien _____ Kindern manche Sendungen _____ .

7 Es gibt kaum Familien, in denen den Kindern geeignete Sendungen _____ .

8 Eltern oder Pädagogen, die davon _____, dass alles Böse aus dem Fernseher kommt, sind immer die schlechtesten Medienerzieher.

Ergänzen Sie die Regeln.

Adjektiv ◆ werden ◆ sein ◆ Handlungen oder Prozesse

1 Das Passiv bildet man normalerweise mit _____ und Partizip Perfekt.
Es beschreibt _____ : *Dies **wird** von den Eltern durchaus **bemerkt**.*
= *Die Eltern bemerken es.* → Handlung.

2 Um einen Zustand oder ein Resultat zu beschreiben, bildet man das Passiv mit _____ und Partizip Perfekt. Das Partizip Perfekt hat dann dieselbe Funktion wie ein _____ : *Abends nach der Arbeit **sind** sie oft **gestresst** und setzen sich erst einmal vor den Fernseher um abzuschalten.* → *die gestressten Eltern* → Zustand.

A 5

Passiv mit „werden" oder „sein"? Ergänzen Sie die Verben.

Der „Flimmo" ist ein Projekt des Vereins „Programmberatung für Eltern e. V." Die Broschüre enthält einen Überblick über Sendungen, die regelmäßig _____ (1) (ausstrahlen) und für Kinder interessant sind. Im „Flimmo" _____ das Fernsehen aus der Sicht von Kindern im Alter von 3–13 Jahren _____ (2) (betrachten). Alle regelmäßigen Sendungen _____ von der Redaktion kurz _____ und _____ (3) (beschreiben, kommentieren). Außerdem _____ auch die für Kinder relevanten einmaligen Angebote, z. B. Spielfilme und Dokumentationen, _____ (4) (vorstellen). Im Heft _____ sie dann alphabetisch in drei Rubriken _____ (5) (ordnen). „Flimmo" wendet sich an Eltern, die _____ und an dem Wohl ihrer Kinder _____ (6) (engagieren, interessieren). Wahrscheinlich _____ damit das Problem der häuslichen Fernseherziehung noch nicht _____ (7) (lösen), aber Eltern und Kindern _____ auf diese Weise _____ (8) (helfen), eine sinnvolle Auswahl zu treffen.

**Wie denken Sie über das Thema „Kinder und Fernsehen"?
Machen Sie Notizen und diskutieren Sie.**

> motiviert ◆ interessiert ◆ erlaubt ◆ ausgewählt ◆ verboten ◆ diskutiert ◆ genutzt ◆
> frustriert ◆ gelangweilt ◆ gestresst ◆ empfohlen ◆ ...

Es ist wichtig, dass das Fernsehen in der Erziehung sinnvoll genutzt wird. ...
Ich finde es nicht gut, wenn ...

**Wir haben fünf Menschen befragt, die ohne Fernseher leben.
Lesen Sie die Aussagen, hören Sie die Interviews und markieren Sie.**

richtig falsch

1 Seit der Fernseher abgeschafft ist, spielen und lesen die Kinder wieder mehr.

2 Die Sprecherin lebt ohne Fernseher, weil sie keine Kontrolle über ihren Fernsehkonsum hat.

3 Der Sprecher hat nur für die Zeit seiner Diplomarbeit ohne Fernseher gelebt.

4 Als der Fernseher abgeschafft wurde, hatte die Sprecherin zunächst Probleme mit ihrem Sohn.

5 Die Sprecherin hat gemerkt, dass sie ohne Fernseher nicht leben kann.

Könnten Sie ohne Fernseher leben? Diskutieren oder schreiben Sie.

Das kann ich mir nicht vorstellen. Ich möchte doch wissen, was in der Welt passiert.
Dazu brauchst du doch keinen Fernseher. Zeitung und Radio reichen doch, oder?

B

Wer liest, sieht mehr

Kennen Sie einige Titel? Was vermuten Sie über den Inhalt?

Kennen Sie ein Beispiel für ... ?

a) eine Wochenzeitung   c) eine Tageszeitung   e) eine Boulevardzeitung
b) ein Nachrichtenmagazin   d) eine Fachzeitschrift   (Regenbogenpresse)

Welche Zeitungen oder Zeitschriften interessieren Sie? Berichten Sie.

B 2

Interviewen Sie sich gegenseitig. Markieren oder ergänzen Sie.

1 Was lesen Sie gern?

Markieren Sie. (1 = sehr gern, 2 = gern, 3 = nicht so gern, 4 = ungern, 5 = sehr ungern)

___ Romane ___ (Auto-)Biografien ___ Gedichtbände ___ Sachbücher ___ Tageszeitungen

___ Nachrichtenmagazine ___ Frauen-/Männermagazine ___ Fachzeitschriften ___

2 Wann lesen Sie normalerweise?

___ abends im Bett vor dem Einschlafen ___ beim Frühstück ___ in der U-Bahn _3_ am Wochenende

_1_ im Urlaub ___ am Arbeitsplatz ___ abends, wenn ich Ruhe habe _2_ _____

3 Hat man Ihnen als Kind Geschichten vorgelesen?

_✓_ ja, oft ___ ja, manchmal ___ nur selten ___ nein, nie

4 Lesen Sie selbst gern vor? Warum (nicht)? _____

_✓_ ja ___ nein weil _____

5 Haben Sie in Ihrer Kindheit und Jugend viel gelesen? Warum (nicht)?

_✓_ ja ___ nein weil _____

6 Hat sich Ihr Leseverhalten in den letzten 10–15 Jahren verändert?

___ Ja, früher habe ich viel mehr gelesen. Damals/Heute _____

___ Ja, früher habe ich weniger gelesen. Damals/Heute _____

___ Ja, früher habe ich ganz andere Sachen gelesen, nämlich _____

___ Nein, das ist eigentlich gleich geblieben.

7 Hätten Sie gern mehr Zeit zum Lesen? Warum (nicht)?

___ ja ___ nein weil _____

8 Wie heißen die Bücher, die Sie zuletzt gelesen haben? Was für Bücher waren das?

_____

Fassen Sie die Antworten zusammen und stellen Sie Ihren Interviewpartner in Kleingruppen vor.

B 3

Sehen Sie sich das Foto an: Wer könnte das geschrieben haben? Warum?

Überfliegen Sie den Anfang des Textes und vergleichen Sie mit Ihren Vermutungen.

Wer nicht liest, ist doof *(nach Elke Heidenreich)*

Als Kinder haben wir mit Kreide auf die Hauswände gemalt: „WER DAS LIEST IST DOOF". Ach, und diese Freude dann, wenn es Eltern und Lehrer lasen, die Doofen! Heute möchte ich manchmal – gibt es überhaupt noch Kreide? – Kreide nehmen und beschwörend ganz groß auf alle Wände schreiben: „WER NICHT LIEST IST DOOF". Es gibt eine Menge Leute, die nicht lesen. Und jetzt werden Sie sagen, na, die können dafür sicher prima Fußball spielen und Computer bedienen oder haben unheimlich viel Herzenswärme oder Charakter oder sind erfolgreiche Manager. Und ich sage Ihnen: Wer nicht liest, ist trotzdem doof, zum Teufel dann auch mit der Herzenswärme.

**Lesen Sie jetzt den ganzen Text und unterstreichen Sie:
Womit vergleicht die Autorin das Lesen?**

Die Lust an der Literatur ist auch die Lust am Leben. Die Kunst zu lesen, ein faszinierendes Buch zu verschlingen, darin zu versinken, kaum noch auftauchen zu können, ist ein Stück Lebenskunst. Und es bedeutet natürlich auch, sich nicht von anderen Medien ablenken zu lassen. Dann kann es eine glühende Liebesgeschichte werden – die zwischen einem Buch und einem leidenschaftlichen Leser. Und sind die nicht blöde, die der Liebe aus dem Weg gehen, wenn sie ihnen begegnet? Das Lesen war und ist nicht nur für mich lebenserklärend, ja sogar lebensrettend. In den Büchern habe ich das Leben kennen gelernt, das die Schule vor mir versteckt hatte. In den Büchern zeigt sich mir eine andere Realität als die, in die meine Eltern und Lehrer mich pressen wollten.

Lesen ist anstrengend und aufregend – wie die Suche nach dem passenden Partner. Ob es die große Liebe war oder eine unbedeutende Kurzbeziehung, weiß man erst hinterher – und ein viel versprechender Titel ist noch keine Garantie für ein befriedigendes Leseerlebnis.

Lesen ist gefährlich, wie eine ansteckende Krankheit, wie ein Fieber. Es trägt uns weg aus dem gewohnten Umfeld, es stellt Lebensumstände in Frage, weckt Sehnsüchte und Widerstand. Nicht ohne Grund verbieten und verbrennen Diktatoren zuerst die Bücher und sperren die Dichter ein.

Die Literatur ist auch ein Spiel. Spiel ist mit Lust verbunden. Wer keine Lust am Lesen hat, soll es halt lassen. Er kann ja trotzdem ein hervorragender Elektronikspezialist sein, er kann Herzen verpflanzen oder zum Mond fliegen. Ein bisschen doof ist er aber doch – schon weil er auf Lust verzichtet. Nach jedem Buch ist man ein anderer als zuvor. Auf irgendeiner Postkarte stand einmal: „Lesen ist für die Seele, was Gymnastik für den Körper ist." Es hat eine heilende Wirkung, es ist wie ein nie endender Dialog mit sich selbst: Lesen macht nicht unbedingt glücklicher, aber man lernt sich besser kennen, und irgendwie kann das auch eine Art von Glück sein. Lesen ist auch die Erfahrung von Differenz – ich sehe, dass zu anderen Zeiten Menschen anders gelebt haben oder an anderen Orten unter anderen Umständen anders leben als ich. Und ich kann mich einordnen – wo ist mein Platz in all dem?

Lesen führt zur Identifikation, lesend sind wir unser eigener Held. Ist also nicht der, der all das nicht wahrhaben will – nun ja: doof?

Elke Heidenreich: geb. 1943, lebt in Köln; bekannte Journalistin und Autorin.

Sind Sie einverstanden? Wie denken Sie darüber? Diskutieren Sie.

Ich finde das arrogant. Nur, weil sich jemand nicht für Literatur interessiert, ist er doch nicht doof.
Ich persönlich kann das sehr gut verstehen. ...

B 4   **Suchen Sie die passende Stelle im Text und ergänzen Sie die Sätze und die Regeln.**

		Partizip Präsens		
1 Ein Buch, das Menschen fasziniert, ist	*ein*	*faszinierendes*	*Buch*	.
2 Eine Liebesgeschichte, die „glüht", ist	____	____	____	.
3 Lesen erklärt das Leben und rettet Leben. Es ist		____ und	____	.
4 Lesen strengt den Leser an und regt ihn auf, es ist		____ und	____	.
5 Der Partner, der zu mir passt, ist	____	____	____	
6 Ein Titel, der viel verspricht, ist	____ viel	____	____	
7 Eine Wirkung, die heilt, ist	____	____	____	
8 Ein Dialog, der nie endet, ist	____ nie	____	____	

-d- ◆ Adjektiv ◆ echte Adjektive

1 Das Partizip Präsens kann man wie ein _____ benutzen. Es steht meistens vor einem Nomen: *eine heilende Wirkung; ein viel versprechender Titel, ein faszinierendes Buch.*

2 Das Partizip Präsens wird gebildet aus: Infinitiv + _____ + Adjektivendung.

3 Einige Partizipien sind _____ geworden. Sie haben einen eigenen Eintrag im Wörterbuch und stehen oft als Qualitativergänzung bei Verben wie „sein" oder „finden": *Lesen ist anstrengend und aufregend.*

> **auf·re·gend 1** *Partizip Präsens;* ↑ **aufregen 2** *Adj* ⟨ein Erlebnis, ein Film⟩ spannend u. so, dass sie j-¹ begeistern: *Ist es nicht a., beim Pferderennen zuzusehen?* **3** *Adj;* ⟨⟨e-e Frau, ein Mann, ein Kleid, ein Parfüm⟩ so, dass sie j-s (sexuelles) Interesse erregen

> **Verben als Nomen**
> Man kann Verben auch als Nomen benutzen. Sie werden dann großgeschrieben, sind *neutrum* und stehen häufig mit dem Artikel (*das Lesen*).
> → *Das Lesen* war und ist für mich lebensrettend.
> → *Wer keine Lust am Lesen* hat, soll es halt lassen.

B 5

Bilden Sie das Partizip Präsens dieser Verben und ergänzen Sie die Sätze. Achten Sie auf die richtigen (Adjektiv-)Endungen.

> anstrengen ◆ entscheiden ◆ ergänzen ◆ faszinieren ◆ fehlen ◆ lesen (2x) ◆ passen ◆ schockieren ◆ spielen ◆ sprechen ◆ steigen

● Ich habe gestern eine Reportage im Radio gehört, die war wirklich interessant. Die haben da eine Studie zum Leseverhalten von Schulkindern vorgestellt. Ein _____ Ergebnis war für mich, dass Lehrer fast 20 Prozent aller Schüler als „lesefeindlich" bezeichnet haben. Und die Tendenz ist _____.

■ Also, das wundert mich nicht. Die bunten Bilder im Fernsehen sind natürlich viel _____ als die _____ Lektüre eines Buches. Und bei der „Sesamstraße" oder bei der „Sendung mit der Maus" kann man doch auch was lernen.

● Aber das ist trotzdem kein Ersatz fürs Lesen. Die haben das genau erklärt: Auch Kindersendungen, die sozusagen _____ Lesebücher sind, haben nicht den _____ Vorteil des Lesens, nämlich die Übung, sich zu konzentrieren, sich Dinge selbst vorzustellen und sie zu bewerten. Kinder können Informationen einfach besser nutzen, Fernsehen ist nur Konsum ohne Lernprozesse und höchstens als _____ Medium sinnvoll.

■ Aber wenn die Kinder nicht lesen wollen? Was kann man denn deiner Meinung nach gegen die _____ Lesemotivation bei Kindern tun?

● Na ja, das ist schwierig. Es muss ja nicht gleich die Bilderbuchfamilie mit dem _____ Papa auf der Bettkante und den _____ Kindern auf dem Fußboden sein. Aber Lesen ist irgendwie Familiensache. Es ist der Schlüssel zur Welt. Und ich finde, den müssen Eltern ihren Kindern in die Hand geben, indem sie bei der Auswahl der _____ Bücher helfen, vorlesen, über die Bücher reden ... ja, und das Lesen so zu etwas Besonderem machen.

3/30 Hören und vergleichen Sie. „Lesen ist Familiensache": Was meinen Sie dazu?

ARBEITSBUCH B2-B5

B 6

Arbeiten Sie zu viert und sprechen Sie über ein Buch, das Sie gelesen haben.

> Buch ◆ Buchumschlag ◆ Geschichte ◆ Handlung ◆ Klappentext ◆ Person ◆ Roman ◆ Sprache ◆ (Schreib)Stil ◆ Titel ◆ ...

> anregend ◆ ansprechend ◆ anstrengend ◆ aufregend ◆ beeindruckend ◆ bedeutend ◆ enttäuschend ◆ entscheidend ◆ ermüdend ◆ faszinierend ◆ packend ◆ passend ◆ schockierend ◆ spannend ◆ störend ◆ treffend ◆ überraschend ◆ verwirrend ◆ viel versprechend ◆ ...

Ich finde, „Der Gott der kleinen Dinge" ist ein faszinierender Roman. Schon den Titel fand ich irgendwie viel versprechend.

ARBEITSBUCH B6

C

C 1

ARBEITSBUCH
C1–C2

Lesen Sie den ersten Abschnitt. Wo könnte dieser Text stehen? Markieren Sie.

☐ in der Service-Broschüre einer Computerfirma
☐ auf der Homepage einer Zeitschrift
☐ in einer Tageszeitung

Crash Bang
wenn der PC streikt!

Jeder kennt das, jeder hat es erlebt: Die Maschine streikt, der Bildschirm bleibt schwarz, der Drucker druckt nur noch Unsinn oder der Cursor bewegt sich nicht mehr. Erlebnisse mit PC und Internet – was ist Ihnen alles schon passiert? Schreiben auch Sie uns eine E-Mail und erzählen Sie von Ihren Erfahrungen und vielleicht auch vom alltäglichen Frust!

Ihre Redaktion

von Heiko Dörfler
((am Mittwoch, den 7. April – 09:53))

Seit ich einen Computer habe, glaube ich wieder an Wunder. Immer wieder überrascht er mich mit irgendwelchen Launen und Macken, die ebenso unerwartet auftauchen wie sie wieder verschwinden. Neulich schalte ich meinen Computer ein, aber es passiert nichts: Der Bildschirm bleibt schwarz und stellt mir die Frage: „Podaj haslo?" Ich versuche zu antworten. Während die ersten zehn Zeichen nur Sternchen erzeugen, bringt die elfte Taste den Rechner dazu, erneut mit mir zu sprechen: „Blad!" Ich probiere es immer wieder, bis er nach einer Weile überhaupt nicht mehr reagiert – ein hoffnungsloser Fall.

Zum Glück arbeite ich in einem Unternehmen mit einem sehr pfiffigen Kollegen: Er sieht alles, hört alles, weiß alles und kann diverse Sprachen – vor allem slawische, denn er ist Tscheche. Von ihm erfahre ich, dass es sich bei der neuen Sprache meines Computers um einen nordostpolnischen Dialekt handeln muss. Ich halte das zunächst für einen blöden Witz, bis die polnische Kollegin aus der Marketingabteilung mir die Meldungen tatsächlich übersetzt. Mein PC fragt mich zunächst nach einem Kennwort und lehnt dann meine Eingaben ab („Fehler!").

Bevor ich es völlig genervt ein letztes Mal versuche, lasse ich mir von der Kollegin einige böse polnische Schimpfworte beibringen, um sie meinem Computer anstelle irgendwelcher Kennwörter an den Kopf oder besser gesagt an den Bildschirm zu hauen. Rachedurstig schalte ich am Abend die Kiste ein – und was passiert? Er spricht wieder Deutsch mit mir, als sei nichts geschehen.

Aus dieser Geschichte habe ich einiges gelernt:
1. Installiere unbedingt ein Virusprogramm, bevor du im Internet herumsurfst.
2. Keine Panik, wenn dein Computer Polnisch spricht: Innerhalb von 24 Stunden erholt er sich wieder davon.
3. Ich kann jetzt auf Polnisch fluchen. Wer weiß, wofür man's nochmal braucht.
Schönen Gruß
Heiko Dörfler, Zürich

Arbeiten Sie in Gruppen. Lesen Sie einen Text. Machen Sie Notizen zu den folgenden Punkten und berichten Sie.

Person	Problem	Lösungsversuch	Lösung
Heiko Dörfler	PC spricht Polnisch		

Brizzel Schmor

von Anja Wolkersdörfer
((am Dienstag, den 6. April – 11:53))

Ich schalte meinen Rechner ein – der Abgabetermin der Diplomarbeit rückt immer näher – schalte den Monitor ein, und das Sch...-Ding bleibt schwarz. Immer schön ruhig bleiben, sage ich mir. Bevor du jetzt in Panik ausbrichst, rufst du lieber erst mal eine Notruf-Hotline an! Dazu sind die ja schließlich da! Besetzt! Es dauert ewig, bis ich mal jemanden an der Strippe habe. Nach zwei Stunden Warteschleife und Gesprächen mit unzähligen Mitarbeitern irgendwelcher Firmen und Notdienste bin ich schlauer. Mein Bildschirm ist kaputt,

einen Monat nach Ablauf der Garantiezeit natürlich, eine Reparatur lohnt sich nicht, die Lieferung des neuen Monitors wird ca. drei Wochen dauern und 250 Euro kosten. Während ich erst mal tief durchatme nach diesen Horrornachrichten, blicke ich gedankenverloren in eine Richtung ... Was hängt da eigentlich für ein Kabel rum??? Na ja, vielleicht sollte ich das nächste Mal, wenn ich über mein Monitorkabel stolpere, doch erst mal schauen, ob alle Stecker noch da sind, wo sie hingehören! Seit mir das passiert ist, überprüfe ich bei jedem Problem zuerst mal alle Kabel. So was Peinliches soll mir nie wieder passieren!
Anja Wolkersdörfer, Wien

von Elvira Kümmel
((am Mittwoch, den 31. März – 16:27))

Es riecht nach Frühling. Alle Leute im Bus sind gut gelaunt. Fröhlich und voller Motivation öffne ich die Bürotür, drücke mit einer genialen Idee im Kopf den Startknopf des Computers und – nichts passiert. Immer noch gut gelaunt wiederhole ich das Ganze. Nichts. Bevor ich weitermache, überprüfe ich erst einmal die Kabelverbindungen – alles in Ordnung.

Während ich alles Mögliche ausprobiere und merke, wie sich meine gute Laune langsam verabschiedet, habe ich plötzlich DIE Idee. Wie war das noch? Ein Computer ist auch nur ein Mensch? Also versuche ich es auf die nette Tour. Rede mit dem Teil. Glücklicherweise hören das meine Kollegen nicht! Aber es passiert nichts! Bis diese doofe Kiste wieder funktioniert, das dauert wahrscheinlich noch Stunden. Völlig verzweifelt und ohne irgendeine klare Vorstellung im Kopf berühre ich mit beiden Händen gleichzeitig den Monitor und flüstere leise: „Ach bitte, lieber Compi, mach's mir doch nicht so schwer, sei doch lieb." Plötzlich beginnt die Festplatte zu arbeiten, der Rechner fährt hoch, meine gute Laune und die Ideen sind wieder da. Es kann losgehen. Fazit: Mein Computer ist sehr menschlich. Seit ich nett mit ihm rede, macht er alles, was ich will.
Elvira Kümmel, Kiel

Erzählen im Präsens
Über Vergangenes berichtet man meistens im Präteritum (schriftlich) oder im Perfekt (mündlich). Man kann aber auch im Präsens erzählen. Solche Berichte klingen dann besonders lebendig und spannend.

Neulich schalte ich meinen Computer ein, aber es passiert nichts: Der Bildschirm bleibt schwarz und stellt mir die Frage: „Podaj hasło?" Ich versuche zu antworten.

Lesen Sie jetzt alle Texte, unterstreichen Sie die Nebensätze mit „seit", „bis", „während" und „bevor" und ergänzen Sie die Beispielsätze und die Regeln.

_____ ich nett mit ihm rede,
Nebensatz = Anfang der Handlung

macht er alles, was ich will.
Hauptsatz = Handlung

Es dauert ewig,
Hauptsatz = Handlung

_____ ich mal jemanden an der Strippe habe.
Nebensatz = Anfang der Handlung

_____ ich alles Mögliche ausprobiere,
Nebensatz = parallele Handlung

habe ich plötzlich DIE Idee.
Hauptsatz = Handlung

Installiere unbedingt ein Virusprogramm,
Hauptsatz = vorher (1)

_____ du im Internet herumsurfst.
Nebensatz = nachher (2)

bevor ◆ bis ◆ Konjunktionen ◆ Nebensätzen ◆ seit ◆ während

„Seit", „bis", „während" und „bevor" sind temporale _____ . Sie stehen am Anfang

von _____ . Die Bedeutungen sind:

• zwei Handlungen geschehen gleichzeitig: _____

• zwei Handlungen geschehen nacheinander: _____

• eine Handlung hat zu einem festen Zeitpunkt begonnen: _____

• eine Handlung endet zu einem festen Zeitpunkt: _____

während
„Während" bezeichnet normalerweise zwei Abläufe, die parallel verlaufen. Es kann aber auch einen Gegensatz zwischen Nebensatz und Hauptsatz andeuten.
Während die ersten zehn Zeichen nur Sternchen erzeugen, bringt die elfte Taste den Rechner dazu, erneut mit mir zu sprechen.

Was passt? Ergänzen Sie „seit", „bis", „während" oder „bevor".

Tipps für Computerfreaks

1   _____ Sie sich einen neuen Computer kaufen, finden Sie heraus, ob es in Ihrem Bekanntenkreis jemanden gibt, der sich mit Computern auskennt und Ihnen bei Problemen weiterhelfen kann.

2   Warten Sie nicht, _____ die Preise für ein bestimmtes Modell fallen, denn dann ist es schon wieder veraltet.

3   Haben Sie Geduld, wenn mal etwas nicht sofort funktioniert. Versuchen Sie es so lange allein, _____ Sie wirklich nicht mehr weiterwissen. _____ Sie dann aber Ihren neuen Computer aus dem Fenster schmeißen, sollten Sie Ihren Bekannten (s. o.) um Hilfe bitten.

4   Essen oder trinken Sie nicht, _____ Sie am Computer arbeiten. Kaffee auf der Tastatur und Brotreste im Diskettenlaufwerk können für die Geräte und für Ihre Daten gefährlich werden.

5   Überprüfen Sie fremde Disketten oder Dateien aus dem Internet immer mit einem Virusprogramm, _____ Sie die Dateien auf Ihrer Festplatte speichern.

6   Achtung: _____ immer mehr Menschen im Internet surfen, ist die Zahl der Internetsüchtigen rapide gestiegen. Surfen Sie also nicht länger als zwei Stunden pro Tag.

7   Beachten Sie: Wenn Sie nur einen Anschluss für Telefon und Internet haben, können Sie nicht telefonieren oder angerufen werden, _____ Sie im Internet surfen.

8   Seien Sie beruhigt: _____ die Menschheit mit Computern arbeitet, hat sie auch regelmäßig Probleme damit und ärgert sich. Sie stehen also mit Ihrem Computer-Frust nicht allein da.

C 4

Hatten Sie auch schon einmal ein „besonderes" Erlebnis mit einem Computer (oder einem anderen technischen Gerät)? Berichten Sie.

Es war während des Studiums. Ich hatte zu Weihnachten meinen ersten Computer geschenkt bekommen und wollte meine Hausarbeit pünktlich zum Abgabetermin ausdrucken. Aber bevor ich den Drucker überhaupt einschalten konnte, war plötzlich die Datei weg. Ich habe stundenlang gesucht und herumprobiert, bis ich dann voller Verzweiflung bei meiner Nachbarin geklingelt habe. Aber die konnte mir auch nicht helfen. Es war schrecklich. Seit mir das passiert ist, mache ich immer eine Kopie von meinen Dateien auf Diskette.

ARBEITSBUCH
C3-C6

D

Zwischen den Zeilen

D 1

Was passt? Markieren Sie.

„Englisch"		Deutsch
1 mailen	c	a) blinkende Positionsmarke auf dem Monitor
2 Layout *das, -s*		b) ein Unternehmen, das den Zugang zum Internet ermöglicht
3 surfen		c) einen elektronischen Brief verschicken
4 Cursor *der, –*		d) sich von einer Internet-Seite zur anderen klicken
5 Pay-TV *das*		e) engl. to chat = plaudern, sich im Internet unterhalten
6 Talkshow *die, -s*		f) zwischen den Fernsehsendern hin und her schalten
7 Homepage *die, -s*		g) private Fernsehsender, für die man extra bezahlen muss
8 World Wide Web *das*		h) Fernsehsendung, in der meist bekannte Persönlichkeiten mit einem Moderator diskutieren
9 Mailbox *die, -en*		i) Startseite einer WWW-Verbindung im Internet
10 zappen		j) Anordnung des Textes und der Bilder in Zeitungen, Büchern etc.
11 Provider *der, –*		k) elektronischer Briefkasten
12 chatten		l) das gesamte Informationsangebot im Internet (Texte, Bilder, Videos etc.)

D 2 3/31

Hören Sie einen Dialog und markieren Sie alle „englischen" Wörter, die Sie hören.

Internet	Layout	checken	chatten	World Wide Web
faxen	mailen	Homepage	surfen	Talkshow
E-Mail(s)	Cursor	Mailbox	Provider	zappen

Ergänzen Sie dann die Regel.

-s ◆ Artikel ◆ regelmäßige ◆ Fachbegriffe ◆ Verben

1 Man benutzt im Deutschen häufig englische Wörter für _____ oder Modeausdrücke, wenn es kein passendes deutsches Wort gibt oder wenn die deutsche Übersetzung lang und kompliziert ist.

2 _____ aus dem Englischen werden im Deutschen wie _____ Verben konjugiert *(er mailt, er mailte, er hat gemailt)*.

3 Nomen aus dem Englischen haben im Deutschen unterschiedliche _____ *(die Homepage, der Cursor, das Layout)*. Sie haben im Plural meistens die englische Endung _____ *(die Layouts)* oder gar keine Pluralendung *(die Provider)*.

D 3

Ergänzen Sie die passenden „englischen" Wörter.

---

chatten ◆ E-Mail ◆ Homepage ◆ Internet (3x) ◆ surfen ◆ E-Mails ◆ zappen ◆
Mailbox ◆ Talkshows ◆ faxen ◆ checken ◆ mailen

Tom P.

Es ist Montag, und ich besuche Tom P., einen alten Schulfreund. Tom ist Programmierer. Seine Welt besteht nur aus Medien und Technik. Kontakt zu Menschen hat er seit einigen Jahren kaum noch.

Morgens nach dem Aufstehen _____ (1) er zuerst seine _____ (2), um zu sehen, ob vielleicht interessante _____ (3) gekommen sind. Schließlich hat er mittlerweile einige Leute übers _____ (4) kennen gelernt. „Diese _____ (5) ist z. B. von Betty.", erklärt er mir. „Seit ein paar Monaten _____ (6) wir uns regelmäßig." Wie Betty aussieht, weiß er nicht.

„Früher, bevor es das _____ (7) gab, habe ich viel _____ , (8) aber das macht ja heute auch kaum noch jemand. Ich kann mich auch wirklich nicht erinnern, wann ich den letzten Brief mit der Hand geschrieben habe. Abends setze ich mich vor die Glotze und _____ (9) erst mal durch alle Programme. Am liebsten mag ich _____ (10). Wenn da nichts Gutes läuft, _____ (11) ich meistens im _____ (12) oder _____ (13) 'ne Weile. Aber das wird auch schnell langweilig. Eine eigene _____ (14) habe ich natürlich auch. Das braucht man in meinem Beruf."

D 4

Diskutieren Sie: Finden Sie es positiv oder negativ, wenn eine Sprache viele Wörter aus einer anderen Sprache übernimmt? Wie ist es in Ihrer Muttersprache?

ARBEITSBUCH
D1–D3

Der Ton macht die Musik

Bei mir läuft die Glotze rund um die Uhr:
Sport, Talkshow, Film, Wetter - ist völlig egal.
Spannend ist doch immer nur das andere Programm:
Ich zapp' durch die Welt wie ein Depp!

Refrain
Ich bin Surfer ... Ich will Spaß, ich will Spaß!
Ich bin Surfer ... Ich mach mich nich nass.
Ich bin Surfer ... Ich tauche nie ein.
Es ist einfach cool, ein Surfer zu sein.

Mein Computer ist für mich das Tor zur Welt,
Reisen und Shopping läuft nur noch im World Wide Web,
ich maile per Pseudonym und chatte anonym:
Statt ins Bett geht's ins Internet!

Refrain

Nur das Leben live ist ziemlicher Stress,
unter richtigen Menschen stürz' ich meistens ab,
da pack' ich mir schnell meinen Walkman auf die Ohr'n
und starte neu mit dem Gameboy.

Refrain

Cartoon

„WOHIN DAMIT?"

Kurz & bündig

Passiv mit „sein" und „werden"

Vor allem wenn die Kinder sich langweilen oder **frustriert sind**, schalten sie die „Glotze" ein. Abends nach der Arbeit **sind** die Eltern oft **gestresst** und setzen sich erst einmal vor den Fernseher um abzuschalten. Und dann **wird** einfach unkonzentriert durch die Programme **gezappt**, ohne Verständnis von Inhalten.

Dieser Fernsehstil stresst die Kinder und hat negative Folgen. Dies **wird** von den Eltern durchaus **bemerkt**, nur wissen sie nicht, wie sie sinnvoll gegensteuern sollen. Es gibt kaum Familien, in denen den Kindern geeignete Sendungen **empfohlen werden**. Eltern oder Pädagogen, die davon **überzeugt sind**, dass alles Böse aus dem Fernseher kommt, sind immer die schlechtesten Medienerzieher.

Partizip I als Adjektiv

Die Kunst zu lesen, ein **faszinierendes** Buch zu verschlingen, darin zu versinken, kaum noch auftauchen zu können, ist ein Stück Lebenskunst. Dann kann es eine **glühende** Liebesgeschichte werden – die zwischen einem Buch und einem leidenschaftlichen Leser. Das Lesen war und ist nicht nur für mich **lebenserklärend**, ja sogar **lebensrettend**. Lesen ist auch **anstrengend** und **aufregend** – und gefährlich.

Wer keine Lust am Lesen hat, soll es halt lassen. Er kann ja trotzdem ein **hervorragender** Elektronikspezialist sein, er kann Herzen verpflanzen oder zum Mond fliegen. Lesen ist für die Seele, was Gymnastik für den Körper ist. Es hat eine **heilende** Wirkung, es ist wie ein **nie endender** Dialog mit sich selbst.

temporaler Nebensatz	Hauptsatz
Bevor ich es völlig genervt ein letztes Mal versuche,	lasse ich mir von der Kollegin einige böse polnische Schimpfworte beibringen.
Bevor du jetzt in Panik ausbrichst,	rufst du lieber erst mal eine Notruf-Hotline an!
Während ich erst mal tief durchatme nach diesen Horrornachrichten,	blicke ich gedankenverloren in eine Richtung.
Während ich alles Mögliche ausprobiere und merke, wie sich meine gute Laune langsam verabschiedet,	habe ich plötzlich DIE Idee.
Seit ich einen Computer habe,	glaube ich wieder an Wunder.
Seit ich nett mit ihm rede,	macht er alles, was ich will.

Hauptsatz	temporaler Nebensatz
Es dauert ewig,	**bis** ich mal jemanden an der Strippe habe.
Versuchen Sie es solange allein,	**bis** Sie wirklich nicht mehr weiter wissen.
Überprüfen Sie fremde Disketten oder Dateien aus dem Internet immer mit einem Virusprogramm,	**bevor** Sie die Dateien auf Ihrer Festplatte speichern.

Nützliche Ausdrücke

Fernsehen wird so zum diffusen Zeitgeber und Alltagsfüller – **im wahrsten Sinne des Wortes**.
In 91% der befragten Familien werden Kindern manche Sendungen verboten.
Der TV-Konsum kann **nach Ansicht Bettina Hurrelmanns** ein wichtiger Indikator für familiäre Probleme sein.
Wer keine Lust am Lesen hat, **soll es halt lassen**.
Lehrer nennen 20 Prozent ihrer Schüler „lesefeindlich". – Also, **das wundert mich nicht**.
Zum Glück arbeite ich in einem Unternehmen mit einem sehr pfiffigen Kollegen.
Er spricht wieder Deutsch mit mir, **als sei nichts geschehen**.
Keine Panik, wenn dein Computer Polnisch spricht: **Innerhalb von 24 Stunden** erholt er sich wieder davon.

Abgehakt ✔

Sie brauchen drei oder vier Spielfiguren
oder Münzen und einen Würfel.

A

Sammelspiel

Spielregeln:

Bilden Sie Kleingruppen (3–5 TN). Jede Gruppe wählt einen Spielleiter.
Der Spielleiter liest die Aufgaben (S. 138) vor.

Teilnehmerkarte

In der Mitte des Spielfeldes finden Sie Teilnehmerkarten
für jeden Spieler. Tragen Sie Ihren Namen auf einer
Teilnehmerkarte ein. Wenn Sie nun z. B. auf ein
Grammatik-Feld kommen und die Aufgabe richtig lösen,
machen Sie auf Ihrer Teilnehmerkarte bei „Grammatik"
einen ✔. Wer zuerst auf seiner Teilnehmerkarte alles
abgehakt hat, ruft „Abgehakt" ✔.

Sie müssen eine Runde aussetzen.

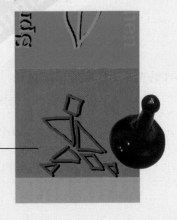

Grammatik-Feld

Sie sind auf ein Grammatik-
Feld gekommen. Der Spielleiter
liest die Aufgabe vor.
Wenn Sie die Aufgabe richtig
gelöst haben, machen Sie bei
„Grammatik" einen Haken.

Sie dürfen ein Aufgabenfeld frei auswählen.

Grammatik

Wissen

Phonetik

Sprechen

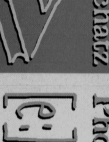

Wortschatz

Phonetik

Wissen

Name:

 Grammatik

Wissen

Phonetik

Wortschatz

Sprechen

Pause

Grammatik

Sprechen

Wortschatz

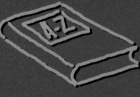

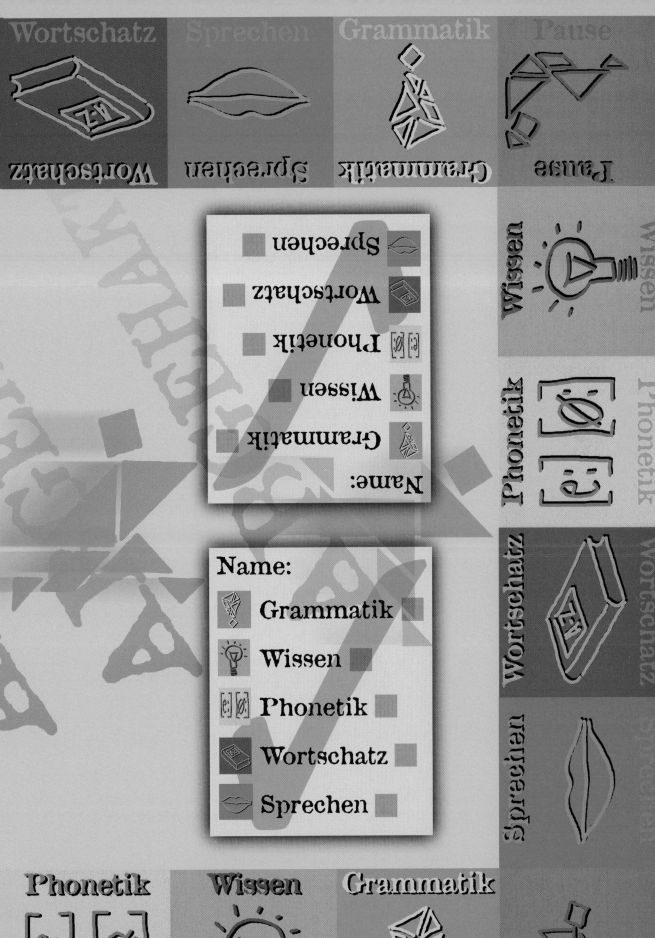

Aufgaben zu „Abgehakt"

Sie finden hier jeweils zehn Aufgaben zu den Bereichen: Grammatik, Wissen, Wortschatz, Sprechen, Phonetik. Wenn ein Spieler z. B. auf ein Grammatik-Feld kommt, lesen Sie die nächste Aufgabe vor. Hat der Spieler die Aufgabe richtig gelöst, haken Sie die Aufgabe ab.

Grammatik

1 Ergänzen Sie: *„Manchmal ist der Deutschkurs so anstrengend, …"*; *„Mit einigen Kursteilnehmern verstehe ich mich so gut, dass …"*
2 Eine Fee kommt zu Ihnen und sagt: *„Sie haben drei Wünsche frei. Was wünschen Sie sich?"*
3 Worüber kann man sich im Beruf freuen? Ergänzen Sie die Adjektiv-Endung: *die Höflichkeit der _____ Kollegin (neu), das Lächeln des _____ Chef_ (freundlich), die Größe des _____ Büro_ (schön), die Geduld _____ Kunden (unzufrieden)*
4 Wovor haben Sie Angst?
5 Nennen Sie drei Nomen der „n-Deklination". Deklinieren Sie ein Nomen davon.
6 *„Statt mit dem Auto zu fahren, fahre ich mit dem Zug".* Was machen Sie für die Umwelt?
7 Ergänzen Sie die Sätze: *„Bevor ich ins Bett gehe, …"*; *„Seit ich Deutsch lerne, …"*
8 Beschreiben Sie einen Beruf. Was braucht man dazu? Was braucht man nicht? Was müssen Sie tun? Was brauchen Sie nicht zu tun?
9 Ergänzen Sie die Sätze: *„Hätte ich doch nie…"*; *„Wäre ich doch …"*
10 Ergänzen Sie die Adjektive: *ein _____ Buch (faszinieren), ein _____ Arbeitstag (anstrengen), eine _____ Idee (hervorragen).*

Wissen

1 Was bedeuten diese Gesten?
2 Nennen Sie vier verschiedene Fernsehsendungen und erklären Sie sie.
3 Was gehört zu einem guten Kundenservice?
4 Was ist die „Regenbogenpresse"?
5 Was ist eine „Tauschbörse"?
6 Was bedeutet „doppelte Staatsangehörigkeit"?
7 Was ist ein „Doppeljobber"?
8 Wo arbeiten in Deutschland Leute ehrenamtlich?
9 Was gehört zu einer (schriftlichen) Bewerbung?
10 Kennen Sie ein deutsches Sprichwort? Nennen und erklären Sie es.

Wortschatz

1 Nennen Sie fünf Wörter, die zum Thema „Medien" passen.
2 Was passt? Wovon träumen Sie? Finden Sie ein Wort zu jedem Buchstaben: T R A U M.
3 Nennen Sie drei Komposita mit „irgend-".
4 Was fällt Ihnen zum Thema „Umweltverschmutzung" ein? Nennen Sie drei Begriffe.
5 Nennen Sie fünf Wörter, die zum Thema „Stellensuche" passen.
6 Nennen Sie drei Komposita mit „Ehren-".
7 Nennen Sie drei häufige Konfliktsituationen im Beruf.
8 Nennen Sie zwei Adjektive mit der Endung „-reich" und erklären Sie ihre Bedeutung.
9 Erklären Sie die Begriffe „Heimat", „Muttersprache" und „Fernweh".
10 Bilden Sie drei Komposita mit „Fernseh-".

Sprechen

1 Sie sind im Restaurant und bekommen gerade Ihre Suppe. Die Suppe ist kalt. Beschweren Sie sich bei der Bedienung.
2 Ihre Nachbarin will ihren Fernseher verkaufen. Raten Sie ihr davon ab und nennen Sie drei Gründe dafür.
3 Ihre Tochter möchte im Ausland studieren. Sprechen Sie mit ihr über die Vor- und Nachteile.
4 Sie lesen eine Anzeige: Es werden Schauspieler für eine Fernsehserie gesucht. Rufen Sie an und bewerben Sie sich.
5 Ihr Sohn möchte Polizist werden. Sie möchten das nicht. Sagen Sie ihm, warum.
6 Sie arbeiten ehrenamtlich für die „Freiwillige Feuerwehr". Überzeugen Sie Ihren Nachbarn davon, auch ehrenamtlich zu arbeiten.
7 Ihr Mann / Ihre Frau möchte ein paar Jahre im Ausland arbeiten. Sagen Sie ihm / ihr, was Sie davon halten.
8 Ihr Kollege führt im Büro immer lange Privatgespräche. Sie können dabei nicht arbeiten. Bitten Sie ihn freundlich darum, dies nicht mehr zu tun.
9 Ihr Nachbar trennt seinen Müll nicht. Sprechen Sie mit ihm und überzeugen Sie ihn davon, dass Mülltrennung gut für die Umwelt ist.
10 Ihr Sohn findet Lesen langweilig. Versuchen Sie ihn davon zu überzeugen, doch etwas zu lesen.

Phonetik

1 *die, ein, mit, und, weil:* Sind das Inhaltswörter oder Funktionswörter? Wie heißt die Akzentregel?
2 Links oder rechts? Wo ist der Wortakzent bei nominalen Ausdrücken? Nennen Sie drei Beispiele.
3 *Brief, kurz, schreiben, selten, zurück:* Sind das Inhaltswörter oder Funktionswörter? Wie heißt die Akzentregel?
4 *im Moment, ab Paris, ab Berlin, bis Sonntag:* Bindung oder Neueinsatz? Wie heißen die Regeln?
5 Was sind Kontrastakzente? Was ist anders als bei normalen Akzenten? Nennen Sie Beispiele.
6 Wie heißen die Komposita zu: *Tipps für das Lernen, die Tür zum Klo, der Tisch nebenan, ein Glas für Wein?* Wo ist der Wortakzent?
7 Wo spricht man „b" wie „p", „d" wie „t" und „g" wie „k"? Nennen Sie je zwei Beispiele.
8 *selbst, pünktlich, Rechtschreibung:* Wie ist die Aussprache bei mehreren Konsonanten hintereinander?
9 *Alles Gute!; Viel Spaß!; kein Problem, zum Beispiel:* Bindung oder Neueinsatz? Wie heißen die Regeln?
10 Ergänzen Sie die Sätze mit Kontrastakzent: *Ich esse zu viel und …; Für die einen sind Computer sehr wichtig, für …; Nicht nur Mülltrennung ist wichtig, sondern auch Müll … .*

B

Reden ist Schweigen, Silber ist Gold?

《 Das Sprichwort heißt richtig: Reden ist Silber, Schweigen ist Gold. 》

B 1   **Was passt zusammen? Ergänzen Sie die Sprichwörter.**

Das sagt man ...

1 ... wenn jemand seinem Vater oder seiner Mutter in Interessen oder Verhaltensweisen sehr ähnlich ist.

Der Apfel *fällt nicht weit vom Stamm.*

2 ... wenn eine Person in einem Streit nachgibt.

Der Klügere _____

3 ... wenn jemand in einem anderen Land auf ganz andere Verhaltensweisen und Gewohnheiten trifft.

Andere Länder – _____

4 ... wenn zwei Menschen sich lieben und die gleichen Hobbys und Interessen haben.

Gleich und gleich _____

5 ... wenn jemand einen anderen schlecht behandelt, weil dieser ihn ebenso behandelt hat.

Wie du mir, _____

6 ... wenn jemand die Fehler der geliebten Person nicht mehr sieht.

Liebe _____

7 ... wenn zwei Menschen, die sehr unterschiedlich sind, sich ineinander verlieben.

Gegensätze _____

8 ... wenn auf eine unglückliche Zeit eine glückliche folgt.

Auf Regen _____

9 ... wenn jemand glaubt, dass jedes Ziel erreichbar ist.

Wo ein Wille ist, _____

10 ... wenn jemand gelogen hat und dies entdeckt wird.

Lügen _____

... so ich dir   ...~~fällt nicht weit vom Stamm~~   ...gibt nach

... folgt Sonnenschein   ...haben kurze Beine   ...ziehen sich an

... andere Sitten   ...macht blind

...gesellt sich gern   ...ist auch ein Weg

Wann sagt man diese Sprichwörter? Erfinden Sie Situationen und spielen Sie in Kleingruppen Dialoge.

Also, Juan z.B. spielt jeden Samstag Fußball. Auch sein Sohn ist schon im Fußballverein, obwohl er erst fünf Jahre alt ist. Seine Frau sagt: „Kein Wunder, der Apfel fällt nicht weit vom Stamm!"

Paola streitet sich mit ihrem Mann: Er will einen Krimi im Fernsehen sehen, sie einen Liebesfilm. Dann nimmt sie ein Buch und sagt: „Sieh dir ruhig den Krimi an – der Klügere gibt nach!"

Berichten Sie.
Gibt es ähnliche Sprichwörter in Ihrer Sprache?

Der Ton macht die Musik

Hören Sie das Gedicht und markieren Sie die Akzente.

von Rudolf Otto Wiemer

offen gestanden

mir fehlen die worte

immerhin

andersherum gefragt

mag sein

überhaupt

bei lichte betrachtet

find ich ja witzig

allen ernstes

das ist nun mal so

jedenfalls

ohne langes gerede

na klar

mach keine geschichten

im übrigen

ganz unter uns

da kann man nichts machen

ehrlich

und außerdem

was soll das

kurz und gut

angenommen

ich denke

nun mal genau

> **Wiemer, Rudolf Otto,** geboren am 24. 3. 1905 in Friedrichsroda/Thüringen, als Lehrer tätig in Böhmen, Thüringen, Niedersachsen, daneben Bibliothekar, Schauspielrezensent und Puppenspieler. Er schrieb zahlreiche Theaterstücke, Hörspiele sowie lyrische und erzählerische Werke. Rudolf Otto Wiemer starb am 5. 6. 1998 in Göttingen.

Hören und vergleichen Sie. Lesen Sie das Gedicht zu zweit.

Schreiben Sie dann mit diesen „Floskeln" einen Dialog.

ARBEITSBUCH C1-C2

Grammatik
Seite G1–G38

Übersicht

Der Satz

§ 1	Die Aussage:	*Rolf trifft seine Eltern höchstens einmal im Monat.*
§ 2	Die Fragen:	*Woher kommen Sie? – Sind Sie verheiratet?*
§ 3	Der Imperativ-Satz:	*Bitte meldet euch mal und sagt Bescheid, ob ihr kommt.*
§ 4	Die Verbklammer:	
	a) Modalverben	*Auf Herbert **konnten** wir uns immer **verlassen**.*
	b) Trennbare Verben	*Mit 25 **fing** ich eine Lehre in Lübeck **an**.*
	c) Perfekt und Plusquamperfekt	*Wir **haben** uns immer auf die Sommergäste **gefreut**.*
		*Fast 30 Jahre lang **hatte** die Mauer unser Leben in Berlin **geprägt**!*
	d) Futur I und Passiv	*Im Jahr 2025 **werden** mehr als 8 Milliarden Menschen auf der Erde **leben**.*
		*Die Akupunktur **wird** in China seit mehr als dreitausend Jahren **angewendet**.*
	e) Konjunktiv II	*Wo **würden** Sie gern **wohnen**?*
		*Wie **könnte** die Geschichte **weitergehen**?*

§ 5 Das Satzgefüge:
 a) Hauptsätze *Wir finden Rolfs Wohnung ungemütlich; **trotzdem** besuchen wir ihn manchmal.*
 b) Nebensätze *Ich kaufe meine Möbel ganz spontan, **wenn** ich etwas Schönes sehe.*
 ***Als** ich 16 war, wollte ich unbedingt von zu Hause weg.*
 *Sie machte eine Ausbildung als Lehrerin, **bevor** sie an der Kunstschule studierte.*
 *Ich bin nicht sicher, **ob** wir so kurzfristig noch ein passendes Zimmer finden.*
 *Irgendwo gibt es den einen Menschen, **der** wirklich zu mir passt.*
 *Sie fuhr oft nach Paris, **um** dort künstlerisch **zu arbeiten**.*
 *Sie haben mich mitgenommen, **damit** ich in Istanbul mein Abitur mache.*
 *Meistens nehme ich zum Einkaufen Stofftaschen mit, **anstatt** im Supermarkt dann Plastiktüten **zu kaufen**.*
 *Aber viele Leute plappern so was einfach nach, **ohne** groß darüber **nachzudenken**.*
 c) Infinitiv mit *zu* *Ich **habe** keine Zeit, meine Eltern regelmäßig **zu besuchen**.*
§ 6 Die Satzteile: *Subjekt, Verb, Akkusativ-Ergänzung, Dativ-Ergänzung, andere Ergänzungen und Angaben*

§ 7 Verben und ihre Ergänzungen:
 a)–f) Die wichtigsten Ergänzungen *nehmen* + AKK, *fehlen* + DAT, *fahren* + DIR, *leben* + SIT, *aussehen* + QUAL, *werden* + EIN
 g) Verben mit Präpositional-ergänzungen *denken* + an AKK, *sich entschuldigen* + bei DAT + für AKK, *halten* + AKK + für AKK, *sich treffen* + mit DAT, ...
 h) Nomen-Verb-Verbindungen *eine Frage stellen, eine Lösung finden, ...*
 i) Reflexive Verben *sich verlieben* + in AKK, *sich ausdenken* + AKK + DAT

Die Wortarten

Das Verb

§ 8	Die Konjugation:	
	a) Präsens	*ich lebe, er fährt, ihr erinnert euch, du suchst, ...*
	b) Imperativ	*reiß dich zusammen, meldet euch, freuen Sie sich, ...*
	c) Trennbare Verben	*es sieht aus, wir laden ein, sie nehmen mit, ...*
	d) Nicht-trennbare Verben	*ich besuche, du erzählst, sie verliebt sich, ...*
	e) Perfekt	*er ist geworden, sie hat studiert, sie haben aufgegeben, ...*
	f) Präteritum	*sie heiratete, wir verbrachten, sie fuhren, ...*
	g) Plusquamperfekt	*sie hatte geprägt, sie waren losgezogen, ...*
	h) Passiv	*sie wird eingesetzt, sie werden eingerieben, ...*
	i) Futur I	*sie werden leben, du wirst treffen, es wird geben, ...*
	j) Konjunktiv II	*ich würde nehmen, es wäre schön, wir hätten gerne, ...*

Textgrammatische Strukturen

§ 25	Die Negation:	*nicht, kein, nein, doch, nie, nichts, niemand …*
§ 26	Referenzwörter :	
	a) Personalpronomen	*Ihre Nachbarin hat Migräne.* **Sie** *war schon bei vielen Ärzten.*
	b) 1) Demonstrativpronomen	*… ne alte Tante. – Meinst du etwa* **die** *da?*
	2) Reflexivpronomen	*Ich freue* **mich** *auf deine Post.*
	3) Relativpronomen	*… ein Freund,* **den** *Sie schon lange kennen.*
		Alles, **was** *man hört, ist gleich wichtig.*
		Gleich neben dem Aufzug, **wo** *das Schild steht.*
	c) D-Wörter	*Unser Vater hat uns* **dabei** *sehr geholfen.*
§ 27	Kurze Sätze:	*Ab wann ist die Wohnung frei?* **Ab sofort.**
	Echofragen:	*Wann machst du Urlaub?* **Wann ich Urlaub mache?** *Im Juli.*

Der Grammatikanhang gibt eine Übersicht über die grammatischen Strukturen, die in Tangram 2A neu eingeführt werden. Die Zählung der Paragraphen (§) ist in Tangram 1 und Tangram 2 gleich. Das Zeichen TANGRAM 1 bedeutet, dass diese Teile in Tangram 1 ausführlich behandelt sind.

Der Satz

Die Aussage

TANGRAM 1 In einer Aussage steht das Verb immer auf **Position 2**. Das Subjekt steht rechts oder links vom Verb.

1.	2.	... Position

Inzwischen wohnen wir *nur zehn Kilometer von meinen Eltern entfernt.*
Ich sehe *meine Eltern ungefähr zweimal die Woche.*

§2 **Die Fragen** → § 27

TANGRAM 1 Es gibt W-Fragen (Fragewort auf Position 1) und Ja/Nein-Fragen (Verb auf Position 1).

a) W-Fragen
W-Wörter fragen nach <u>Satzteilen und Sätzen</u>.

Was *ist denn jetzt schon wieder los?* – <u>Du hörst mir nie zu.</u>
Wer *von uns beiden gibt bei einem Konflikt eher nach?* – <u>Ich.</u>
Wo *warst du?* – <u>Im Büro.</u>
Wieso? Weshalb? Warum? – *Wer nicht fragt, bleibt dumm.*
Wozu *hängt man Knoblauch ins Zimmer?* – <u>Um Vampire zu vertreiben.</u>

Die Fragepronomen *wo(r)* + Präposition fragen nach einer <u>Präpositionalergänzung</u>. Beginnt die Präposition mit einem Vokal, dann wird noch ein *-r-* eingefügt, z. B. worauf. → § 16 f

Wofür *ist der Abstand?* – **Für** *den Teppichboden und einige Möbel.*
Worum *soll ich mich kümmern?* – **Um** *die Hotelreservierung.*
Worüber *hat sie nur geredet?* – *Ach ja,* **über** *die Schule.*
Worauf *freust du dich?* – **Auf** *meinen Urlaub.*
Woran *können Sie sich besonders gut erinnern?* – **An** *meinen ersten Schultag.*
Woran *denkst du?* – **An** *den Betriebsausflug.*
Wovon *träumst du?* – **Von** *einem Lottogewinn.*

b) Ja/Nein-Fragen

Ist *die Wohnung noch frei?*   **Nein**, *tut mir Leid. Die ist schon weg.*
Wolltest *du mir nicht noch was erzählen?*   *Ich weiß nicht mehr – das war sicher nichts Wichtiges.*
Kannst *du dich gut an Gesichter erinnern?*   **Ja**, *aber Namen kann ich mir nicht gut merken.*

§3 **Der Imperativ-Satz** → § 8

TANGRAM 1 Imperativ-Sätze benutzt man für Bitten oder Ratschläge. Das Verb steht auf Position 1.

Reiß *dich zusammen!*
Meldet *euch ganz schnell unter Chiffre 7712.*
Entdecken *Sie Leipzig!*

§4 Die Verbklammer

GRAM 1 Besteht das Verb aus mehreren Teilen, steht es im (Haupt)Satz getrennt.

a) Modalverben

Sportstudent (23, 181, gut aussehend)	**will**	sich endlich vom Single-Leben	**verabschieden.**
Auf Wunsch ihrer Familie	**musste**	Paula Modersohn-Becker einen „richtigen Brotberuf"	**erlernen.**
	Möchtest	du dich auch endlich mal wieder so richtig	**verlieben?**

b) Trennbare Verben

Meine Eltern **denken** über jede Investition haargenau **nach.**
Rolf **macht** einmal im Monat das Fenster **auf** und **wirft** fast 1000 Euro **hinaus.**
Unbeschreibliche Szenen **spielten** sich nach der Grenzöffnung am Kontrollpunkt Invalidenstraße **ab.**

c) Perfekt und Plusquamperfekt

Sonntags **haben** wir nach dem Mittagessen immer einen Spaziergang **gemacht.** Wenn wir dann nach Hause kamen, duftete es meistens schon im ganzen Haus. Meine Oma **hatte** frischen Kaffee **gekocht** und ihren köstlichen Apfelstrudel **gebacken.**
Als man die ersten Bilder von der Grenzöffnung im Fernsehen sehen konnte, **waren** schon Tausende von Berlinern aus beiden Teilen der Stadt zu den Grenzübergängen **losgezogen.**

d) Futur I und Passiv

Ein Tief bestimmt das Wetter in Deutschland. Die nächsten Tage **werden** wenig Änderung **bringen.**
Sie **werden** ein Haus **bauen.** Aber es **wird** viele Probleme **geben.**
Bei der Aromatherapie **werden** fast 300 ätherische Öle **verwendet.** Aromatherapie **wird** von den Kassen in der Regel nicht **bezahlt.**
1996 **wurde** in Leipzig das neue Messegelände und Kongresszentrum **eröffnet.**

e) Konjunktiv II (würd-, könnt-, sollt-)

Was **würden** Sie gerne in Leipzig **machen?**
Ich **würde** gern die Schuhfachmesse **besuchen.**
Wir **könnten** doch auch zur Modemesse **gehen.**
Abends **sollten** wir unbedingt in Auerbachs Keller **essen gehen.**

§5 Das Satzgefüge

a) Hauptsätze

GRAM 1 Hauptsätze kann man mit und (= Addition), aber (= Gegensatz) und oder (= Alternative) verbinden.

Hauptsätze mit deshalb, also, nämlich, trotzdem und stattdessen

Rolf hat wenig Zeit. **Deshalb** trifft er seine Eltern höchstens einmal im Monat.
Ätherische Öle enthalten Wirkstoffe in konzentrierter Form; sie dürfen **deshalb** nie unverdünnt angewendet werden.

Auslandskorrespondenten bleiben in der Regel nur einige Jahre an einem Ort. **Also** lernen sie im Laufe ihres Berufslebens viele Länder kennen.
Auslandskorrespondenten sind meistens für mehrere Länder zuständig, sie müssen **also** viel reisen.
Nachmittags checkt er noch einmal seine E-Mails – er erwartet **nämlich** eine Nachricht von einem wichtigen Kunden.

Die Wohnung hat einfach keinen Stil. **Trotzdem** fühlt Rolf sich dort wohl.
Wir haben gute Leute, aber **trotzdem** muss ich sie ständig kontrollieren.

Bonbontüten können nicht recycelt werden – sie werden **stattdessen** verbrannt.

Zwischen diesen Sätzen kann ein Punkt („."), ein Semikolon („;"), ein Komma („,") oder ein Gedankenstrich (–) stehen. Die Konjunktionen deshalb, also, trotzdem und stattdessen können vor oder hinter dem Verb stehen. Nämlich kann nur hinter dem Verb stehen.

b) Nebensätze

Nebensätze beginnen meistens mit einer Konjunktion; das Verb steht am Ende.

1 Nebensätze mit *weil, da, obwohl, wenn* und *dass*

*Heute finden viele Menschen keinen Partner, **weil** ihre Erwartungen sehr hoch **sind**.*
***Da** ich passionierter Hobbybastler **bin**, freut es mich, einen kleinen, gut sortierten Heimwerkermarkt in meiner direkten Nähe zu haben.*
*Es war einfacher, nach Mallorca zu reisen als an den Müggelsee, **obwohl** der nur ein paar Kilometer entfernt **war**.*
***Wenn** Akupunktur zur Schmerzbehandlung **eingesetzt wird**, bezahlen die gesetzlichen Kassen.*
*Schon lange weiß man, **dass** bestimmte Düfte positiv auf Körper und Seele **wirken**.*

▶ Die Konjunktion *dass* leitet Nebensätze ein nach Verben wie *glauben, wissen, meinen, annehmen* und nach Ankündigungen wie *Es fing damit an, ...* und *Die Sache ist die, ...*

2 Temporalsätze mit *während, wenn, als, bevor, nachdem, seit* und *bis*

• Zwei Handlungen geschehen **gleichzeitig**: *während, wenn* und *als*

***Während** ich ins Taxi **stieg**, gab es an der Rezeption einen peinlichen Auftritt.*

▶ *Während* kann auch einen Gegensatz ausdrücken.
***Während** die ersten zehn Zeichen nur Sternchen erzeugen, bringt die elfte Taste den Rechner dazu, mit mir zu sprechen.*

▶ *Während* kann auch eine Präposition sein: *Haben Sie **während der Messe** noch ein Zimmer frei?*   → § 19 b

Wenn oder als?	
Wenn man klein **ist**, ist die Welt riesig groß. Na ja, wer weiß, wie's ist, **wenn** ich irgendwann mal so alt **bin**.	*wenn* bei Gegenwart und Zukunft
Der Duft von Apfelstrudel erinnert mich an die Zeit, **als** ich noch ganz klein **war**. Schon **als** ich das erste Mal in die Klasse **kam**, habe ich mich in sie verliebt.	*als* bei Vergangenheit: Zustand oder einmaliges Ereignis
Wenn wir nach Hause **kamen**, duftete es meistens schon im ganzen Haus. Immer **wenn** sie mich **ansprach**, wurde ich rot und konnte kein Wort mehr sagen.	*wenn* bei Vergangenheit: wiederholtes Ereignis

• Zwei Handlungen geschehen **nicht gleichzeitig**: *bevor, nachdem* und *als*

*Sie **machte** eine Ausbildung als Lehrerin,*   **bevor**   *sie an der Berliner Kunstschule **studierte**.*
Hauptsatz = vorher   ← *bevor* →   Nebensatz = nachher

***Bevor** du jetzt in Panik ausbrichst,*   *rufst du lieber erst mal eine Notruf-Hotline an!*
bevor → Nebensatz = nachher   ← Hauptsatz = vorher

*Unbeschreibliche Szenen **spielten sich** an der Grenze **ab**,*   **nachdem**   *man sie **geöffnet hatte**.*
Hauptsatz = nachher   ← *nachdem* →   Nebensatz = vorher

***Als** ich die Hoffnung auf eine schöne Wohnung schon fast **aufgegeben hatte**,*   *rief mich ein Makler **an**.*
als → Nebensatz = vorher,   Hauptsatz = nachher

• **Anfang und Ende einer Handlung**: *seit* und *bis*

***Seit** er arbeitslos **ist**,*   *hängt er nur noch lustlos zu Hause **herum**.*
***Seit** ich nett mit ihm rede,*   *macht er alles, was ich will.*
seit → Nebensatz = Anfang der Handlung,   Hauptsatz = Handlung

*Ich **bin** am Kontrollpunkt **geblieben**,*   **bis**   *es Morgen **wurde**,*
Der hat mir mein Alter nicht geglaubt,   **bis**   *ich ihm ein Foto von mir geschickt habe.*
Hauptsatz = Handlung   ← *bis* →   Nebensatz = Ende der Handlung

▶ *Seit* und *bis (zu)* können auch Präpositionen sein: *Ich habe **seit meiner Jugend** sehr starken Heuschnupfen.*
***Bis zu ihrer Heirat** konzentrierte sich Clara Schumann völlig auf ihre künstlerische Arbeit.*   → § 19 b

3 Indirekte Fragesätze

Indirekte Fragen klingen höflicher als direkte Fragen. Sie beginnen mit einem Fragewort oder mit *ob*.

Hauptsatz	Nebensatz	Zum Vergleich: direkte Frage
Können Sie mir sagen	*, wann Sie ankommen?*	*Wann kommen Sie an?*
Wissen Sie schon	*, wie lange Sie bleiben möchten?*	*Wie lange möchten Sie bleiben?*
Meine Frau fragte gerade	*, ob es auch Hotels mit Swimming-Pool gibt.*	*Gibt es auch Hotels mit Swimming-Pool?*

Indirekte Fragesätze ohne Hauptsatz („Echofragen") in der gesprochenen Sprache: → § 27

Was machst du am Wochenende?   **Was ich am Wochenende mache?** *Ich weiß noch nicht, …*

4 Relativsätze

Mit Relativsätzen kann man Personen oder Sachen genauer beschreiben. Sie beziehen sich auf einen Satzteil im Hauptsatz (= Bezugswort) und stehen meistens direkt hinter diesem Satzteil. Relativsätze beginnen mit einem Relativpronomen.

Hauptsatz	Bezugswort	Relativsatz	(Hauptsatz-Ende)
Irgendwo gibt es	**den einen Menschen,**	**der** *wirklich zu mir* **passt.**	
Sie geben für	*einen Freund,*	**dem** *Sie bei der Partnersuche* **helfen wollen,**	*eine Kontaktanzeige auf.*
Sie schreiben	*Freunden,*	**über die** *Sie sich geärgert haben,*	*keine Postkarte aus dem Urlaub.*

Die **Form des Relativpronomens** kommt   → § 26 b) 3
→ vom Bezugswort: Genus *(feminin, maskulin, neutrum)* und Numerus *(Singular, Plural)*;
→ vom Verb oder von der Präposition im Relativsatz: Kasus *(Nominativ, Akkusativ, Dativ)*.

der *Mensch (maskulin Singular) –* **Er** *(NOM) passt zu mir.* → *der Mensch,* **der** *zu mir passt*
der *Freund (maskulin Singular) – Sie wollen* **ihm** *(DAT) helfen.* → *der Freund,* **dem** *Sie helfen wollen*
Freunde *(Plural) – Sie haben sich über* **sie** *(AKK) geärgert.* → *Freunde, über* **die** *Sie sich geärgert haben*

Die Relativpronomen sind identisch mit dem bestimmten Artikel. Ausnahme: Dativ Plural.

	Nominativ	Akkusativ	Dativ
feminin	*die*	*die*	*der*
maskulin	*der*	*den*	*dem*
neutrum	*das*	*das*	*dem*
Plural	*die*	*die*	**denen**

Relativpronomen *wo* für die Beschreibung von Orten:

Ich komme nach Leipzig, an **einen Ort,** **wo** *man die ganze Welt im Kleinen sehen kann.*
Martin verließ das Büro, um **aufs Land** *hinauszufahren,* **wo** *er Freunde besuchen wollte.*

Relativpronomen *was* nach allgemeinen Bezugswörtern wie *alles, nichts, etwas, das*

Nicht **alles, was** *wie ein Geschäft beginnt, muss auch wie ein Geschäft enden.*
In welcher Anzeige finden Sie **das, was** *Sie suchen?*

5 Finalsätze

Mit Finalsätzen drückt man Ziele und Absichten aus.

Ist das **Subjekt** im Hauptsatz und im Nebensatz **gleich**, bildet man den Finalsatz mit *um … zu + Infinitiv.*

Sie waren gekommen,	**um** *mich*	**zu holen.**
Ich verließ das Büro,	**um** *zu Freunden hinaus aufs Land*	**zu fahren.**
Ich fuhr einen unbeleuchteten Feldweg,	**um** *ein paar Kilometer*	**abzukürzen.**

Gibt es im Hauptsatz und im Nebensatz **unterschiedliche Subjekte**, beginnt der Finalsatz mit *damit*, das konjugierte Verb steht am Ende.

Hauptsatz	*damit* Nebensatz (Ziel/Absicht)
<u>*Ich*</u> *fahre einmal im Jahr nach Italien,*	**damit** <u>*der Kontakt*</u> *nicht verloren geht.*
<u>*Sie*</u> *haben mich mitgenommen,*	**damit** <u>*ich*</u> *in Istanbul mein Abitur mache.*

6 Konsekutiv**sätze** mit *so (...) dass*

Mit Konsekutivsätzen drückt man eine Folge oder ein Ergebnis aus. Wenn im Hauptsatz nichts besonders betont wird, beginnt der Nebensatz mit *so dass*. Wenn aber im Hauptsatz ein Wort mit *so* betont wird, beginnt der Nebensatz nur mit *dass*.

Wir koordinieren hier die PR-Arbeit für mehrere ausländische Pharma-Unternehmen, **so dass** *ich viel reisen muss.*
Manchmal ist der Job **so** *anstrengend,* **dass** *meine Gesundheit leidet.*

▶ Konsekutivsätze können nur rechts vom Hauptsatz stehen.

7 Nebensätze mit *(an)statt*

In Nebensätzen mit *(an)statt* drückt man einen Gegensatz aus. Sie nennen eine Alternative, die gleichzeitig verneint wird.

Meistens nehme ich zum Einkaufen Stofftaschen mit, **anstatt** *im Supermarkt dann Plastiktüten* **zu kaufen.**
Ich bringe die alten Batterien immer ins Geschäft zurück und die abgelaufenen Medikamente in die Apotheke, **statt** *das Zeug einfach in den Müll* **zu werfen.**

Mit *(an)statt* betont man die verneinte Alternative, mit *stattdessen* die reale Alternative.

Bonbontüten verbrennt man, **statt** *sie* **zu recyceln.**   (= Man recycelt sie nicht.)
Bonbontüten können nicht recycelt werden – sie werden **stattdessen** *verbrannt.*

▶ In der gesprochenen Sprache verwendet man manchmal auch einen Nebensatz mit *(an)statt dass*.
Meistens nehme ich zum Einkaufen Stofftaschen mit, **anstatt dass** *ich im Supermarkt dann Plastiktüten kaufe.*

▶ Auch die Präposition *statt* drückt eine verneinte Alternative aus.   → § 19 c

8 Nebensätze mit *ohne ... zu*

In Nebensätzen mit *ohne... zu* drückt man eine Handlung aus, die parallel zur Handlung im Hauptsatz verläuft und verneint wird.

Viele Leute plappern so was einfach nach, **ohne** *darüber* **nachzudenken.**

c) **Infinitiv mit *zu***
Nach vielen Verben und Ausdrücken mit Adjektiven oder Nomen steht der *Infinitiv mit zu*. Er kann weitere Ergänzungen haben. Das Verb oder die Verben stehen immer am Ende.

Ich **habe** *keine* **Zeit,**	*meine Eltern regelmäßig*	**zu besuchen.**
Ich **habe** *keine* **Lust,**	*viel Geld für ein Auto*	**auszugeben.**
Es ist *mir fast ein bisschen* **peinlich,**	*so lange zu Hause*	**gelebt zu haben.**
Wir **sind froh,**	*Ute jetzt wieder in unserer Nähe*	**zu haben.**
Birke **glaubt,**	*alles ganz anders als wir*	**machen zu müssen.**
Es *fällt uns manchmal* **schwer,**	*Rolf*	**zu verstehen.**

§6 Die Satzteile

NGRAM1 Das Verb bestimmt die notwendigen Ergänzungen.

Eine schicke, große Wohnung und ein tolles Auto – **brauche** *ich* alles nicht.
  Akkusativ-Ergänzung   Subjekt (Nominativ-Ergänzung)

Ich **war** *ein Jahr* *in New York*, und da ist *mir* **klar geworden**: Ich kann gut ohne Statussymbole leben.
              Situativergänzung   Dativ-Ergänzung

Wozu soll ich viel Geld *für Möbel* **ausgeben**? Meine **sind** *billig und praktisch*, mehr nicht.
                    Präpositionalergänzung   Qualitativergänzung

Für meine Eltern **ist** *die Wohnung* *ein wichtiger Teil des Lebens*. *Alles* **ist** *superclean und ordentlich*.
                    Subjekt   Einordnungsergänzung   Subjekt   Qualitativergänzung

Deshalb **mögen** *Sie* *meine Wohnung* *auch nicht. Inzwischen* **kommen** *sie fast nie mehr* *in meine Wohnung*.
                 Akkusativ-Ergänzung   Direktivergänzung

NGRAM1 Daneben gibt es zusätzliche Informationen durch „freie" Angaben. Sie geben Informationen zu Ort, Zeit, Grund, Art und Weise etc.

Eine schicke, große Wohnung und ein tolles Auto – brauche ich alles nicht.
*Ich war **ein Jahr** in New York, und **da** ist mir klar geworden: Ich kann **gut ohne Statussymbole** leben.*
Wozu soll ich viel Geld für Möbel ausgeben? Meine sind billig und praktisch, mehr nicht.
***Für meine Eltern** ist die Wohnung ein wichtiger Teil des Lebens. Alles ist superclean und ordentlich.*
*Deshalb mögen Sie meine Wohnung **auch** nicht. **Inzwischen** kommen sie **fast nie mehr** in meine Wohnung.*

§7 Verben und ihre Ergänzungen → §6

NGRAM1 Im Satz stehen Verben immer mit einem Subjekt (= Nominativ-Ergänzung) zusammen. Die meisten Verben haben aber noch andere Ergänzungen (vgl. Wortliste).

a)–f) Die wichtigsten Ergänzungen

werden + EIN(ordnungsergänzung)	*Als ich 16 war, wollte ich **Schauspielerin** werden.*
nehmen + AKK(usativergänzung)	***Welche Wohnung** würden Sie nehmen?*
fehlen + DAT(ivergänzung)	*Warum bist du so weit weg? Du fehlst **mir**.*
fahren + DIR(ektivergänzung)	*Sie fuhr oft **nach Paris**, um dort künstlerisch zu arbeiten.*
leben + SIT(uativergänzung)	*Ich lebe gern **in der Stadt**, weil ich oft ausgehe.*
aussehen + QUAL(itativergänzung)	*Na, du siehst ja so richtig **glücklich und zufrieden** aus.*

g) Verben mit Präpositionalergänzung

abhängen + *von* DAT	*Soviel ich weiß, habe ich keinen Geburtstag. Aber meine Zukunft in Deutschland hängt **von diesem Datum** ab.*
achten + *auf* AKK	*Sie sollten auf jeden Fall **auf eine vitaminreiche Ernährung** achten.*
(Geld) ausgeben + *für* AKK	*Wozu soll ich viel Geld **für Möbel** ausgeben?*
beginnen + *mit* DAT	*Beginnen Sie **mit der Hotelreservierung**.*
berichten + DAT + *von* DAT	*Sie hat die Polizei angerufen, um **ihr von den mysteriösen Vorfällen** zu berichten.*
bitten + *um* AKK	*Ich habe ihn **um seine Hilfe** gebeten.*
denken + *an* AKK	***An das Alter** denkt sie überhaupt nicht.*
entscheiden + *über* AKK	*Vielleicht entscheidet er nicht allein **über diese Sache**.*
fragen + *nach* DAT	*Auf dem Rückweg in mein Zimmer fragte ich einen Portier **nach der Uhrzeit**.*
halten + AKK + *für* AKK	*Hin und wieder halten die Leute **den Franz für ein Mädchen**.*
(nichts, viel, wenig) halten + *von* DAT	*Ich halte **nichts von Astrologie**.*
helfen + DAT + *bei* DAT	*Das Leipzig Tourist Center hilft **Touristen bei der Suche nach einer Unterkunft**.*
leiden + *an* DAT	*Seit drei Jahren leide ich **an Schwindel**.*
liegen + *an* DAT	*Ihr Problem könnnte **daran** liegen, dass Sie ihre Zeit nicht richtig einteilen.*

nachdenken + über AKK	*Meine Eltern denken **über jede Investition** haargenau nach.*
nachfragen + bei DAT	*Fragen Sie **bei ihrer Chefin** nach.*
protestieren+ gegen AKK	*Seit ich einmal **gegen seine Ausländerwitze** protestiert habe, ist es noch schlimmer geworden.*
reden + mit DAT *+ über* AKK	*Eine Freundin, **mit der** ich **über alles** reden kann, habe ich eigentlich nicht.*
riechen + nach DAT	*Würden Sie einem Freund, der immer **nach Schweiß** riecht, einen Deoroller schenken?*
sagen + zu DAT	*Wenn Sie etwas **zu diesem Thema** sagen möchten, ...*
schicken + an AKK	*Schicken Sie diesen Brief **an Herrn Müller**.*
träumen + von DAT	*Humorvolle älter Dame (73, Witwe) träumt **von einem seriösen, niveauvollen Partner**.*
(etwas, nichts, viel) verstehen + von DAT	*Wer **viel von Phonetik** versteht, versteht **viel vom Alphabet**.*
verzichten + auf AKK	*Ich kann nicht **auf meinen Urlaub** verzichten.*
warten + auf AKK	*Glauben Sie mir, wenn Sie noch lange **darauf** warten, dass man Ihnen diesen Job von allein anbietet, bekommt ihn irgendjemand anders.*
sich ärgern + über AKK	*Ärgere dich nicht **über deine Figur**, vergiss die Komplexe!*
sich aufregen + über AKK	*Er regt sich immer **über seine Kollegen** auf.*
sich auskennen + mit DAT	*Geh zu einem Arzt, der sich auch **mit alternativen Heilmethoden** auskennt.*
sich bedanken + bei DAT *+ für* AKK	*Hast du dich schon **bei Tante Klara für die Blumen** bedankt?*
sich beschweren + über AKK	*Ich habe mich **über sein Benehmen** beschwert.*
sich entscheiden + für AKK	*Ich habe mich **für diese Stelle** entschieden, weil ...*
sich entschuldigen + bei DAT *+ für* AKK	*Ich habe keine Lust, mich **bei ihr für jeden kleinen Fehler** zu entschuldigen.*
sich erinnern + an AKK	*An schlechten Tagen erinnert man sich vor allem **an negative Dinge**.*
sich freuen + auf AKK	*Ich freue mich **auf deine Post**.*
sich gewöhnen + an AKK	*Ich kann mich nicht **an seine Unpünktlichkeit** gewöhnen.*
sich interessieren + für AKK	*Welche Frauen interessieren sich **für Kino, Wandern und Tanzen**?*
sich kümmern + um AKK	*Kümmert sich dein Partner gerne **um den Haushalt**?*
sich treffen + mit DAT	*Am nächsten Abend traf ich mich **mit dem Makler**.*
sich verlassen + auf AKK	***Auf Herbert** konnten wir uns immer verlassen.*
sich verstehen + mit DAT	*Ich verstehe mich gut **mit meinen Eltern**.*
sich Gedanken machen + über AKK	*Machen Sie sich bitte schon mal **über diese Sache** Gedanken.*
sich Zeit nehmen + für AKK	*Nehmen Sie sich viel Zeit **für diese Arbeit**.*

Auch einige Nomen und Adjektive haben eine Präpositionalergänzung.

Angst + vor DAT	*Ich habe Angst **vor meinem Chef**.*
Freude + an DAT	*Ich habe Freude **an meinem Beruf**.*
ein Hinweis + auf AKK	*Lehnen Sie die Arbeit mit einem Hinweis **auf das Zeitproblem** ab.*
Lust + zu DAT	*Haben Sie **zu dieser Aufgabe** Lust?*
Mut + zu DAT	*Ich habe nicht den Mut **zu diesem Gespräch**.*
Probleme + mit DAT	*Hast du Probleme **mit deinen Kollegen**?*
Spaß + an DAT	*Er hat keinen Spaß **an seiner Arbeit**.*
Streit + mit DAT	*Sie hat Streit **mit einer Kollegin**.*
überzeugt + von DAT	*Ich bin **von deiner Idee** überzeugt.*
zufrieden + mit DAT	*Wenn Ihr Chef bisher **mit Ihnen** zufrieden war, reagiert er sicherlich positiv auf Ihre Argumente.*

h) Nomen-Verb-Verbindungen

Es gibt eine ganze Reihe von festen Verbindungen von Nomen und Verb, z. B.
eine Frage stellen, eine Lösung finden, in Rechnung stellen, zur Ruhe kommen, zu Ende bringen, Platz nehmen.
Das Nomen trägt die Bedeutung des Ausdrucks und ist deshalb betont. Oft (aber nicht immer) gibt es zu diesen Verbindungen ein einfaches Verb mit ähnlicher Bedeutung:
fragen, lösen, berechnen, sich beruhigen, beenden, aber: nicht ~~platzen~~, sondern *sich setzen.*

Oft gibt es zwei Varianten von Nomen-Verb-Verbindungen. Sie haben dann entweder eine aktive oder eine passive Bedeutung, z. B. *zur Verfügung stellen* (aktiv) und *zur Verfügung stehen* (passiv).

zum Einsatz kommen	Wenn alternative Heilmittel **zum Einsatz kommen**, ...
in Mode kommen	In den letzten Jahren sind verschiedene alternative Therapieformen **in Mode gekommen.**
zur Ruhe kommen	Nachts bin ich oft überhaupt nicht mehr **zur Ruhe gekommen.**
Erfolg bringen	Andere haben ... festgestellt, dass diese Therapien bei ihnen keinen **Erfolg bringen.**
Besserung bringen	Mein Arzt gab mir verschiedene Medikamente, aber die **brachten** keine **Besserung.**
zu Ende bringen	Auf jeden Fall sollte man eine herkömmliche Behandlung auch wirklich **zu Ende bringen**, bevor ...
Platz nehmen	**Nehmen Sie Platz!**
Abschied nehmen	Irgendwann **nimmt** er dann eben **Abschied** von der so genannten Schulmedizin.
die Hoffnung (nicht) aufgeben	Sie haben vielleicht **die Hoffnung** schon **aufgegeben.**
sich einer Therapie unterziehen	Andere haben **sich** zuvor „normalen" **Therapien unterzogen.**
eine Lösung finden	Aber nicht jeder **findet** wie Christoph P. **die Lösung** seines Problems bei einem alternativen Arzt.
eine Frage stellen	Ich habe ihm nie viele **Fragen gestellt.**
an Bedeutung gewinnen	Selbsthilfegruppen, Privatinitiativen, Seniorenbüros und gemeinnützige Vereine **gewinnen** deshalb **an Bedeutung.**
sich Gedanken machen (über)	Anfang der 90er Jahre setzten sich deshalb in Berlin engagierte Frauen zusammen und **machten sich** darüber **Gedanken**, wie sie helfen könnten.
Ratschläge geben	Sie wollten nicht nur diskutieren und gute **Ratschläge geben** ...
Einfluss nehmen (auf)	... sie wollten etwas Praktisches tun und auf die Entwicklung **Einfluss nehmen.**
eine Entscheidung treffen	Und so **trafen** sie 1993 die **Entscheidung**, die erste deutsche „Tafel" in Berlin zu gründen.
zur Verfügung stellen	Der Lebensmittelgroßhandel, der Großmarkt und die Bäckerei um die Ecke **stellen** die Lebensmittel **zur Verfügung**, die am Ende des Tages übrig bleiben.
in Anspruch nehmen	Obdachlose, Arbeitslose und Sozialhilfeempfänger **nehmen** diese Hilfe dankend **in Anspruch.**
einen Antrag stellen	So können sie etwas besser leben, ohne bei Behörden **einen Antrag stellen** zu müssen.
zur Verfügen stehen	Diesen Vereinen **steht** keine große Verwaltung **zur Verfügung.**
(k)eine Rolle spielen	Hierarchie und Bürokratie **spielen** deshalb bei ihnen **keine Rolle.**
Bescheid wissen	Möchten Sie noch genauer über „Die Tafeln" **Bescheid wissen?**
Auskunft geben	„Die Tafeln" geben auch im Internet unter http://www.tafel.de **Auskunft** über ihre Arbeit.

i)   Reflexive Verben   → § 16 e + § 26 b) 2

Bei reflexiven Verben zeigt das Reflexivpronomen zurück auf das Subjekt. Meistens steht das Reflexivpronomen im Akkusativ. Wenn das Verb eine andere Akkusativ-Ergänzung hat, steht das Reflexivpronomen im Dativ.

*Möchtest **du dich** auch endlich mal wieder so richtig **verlieben**?*
***Sportstudent** (23, 181, gut aussehend) will **sich** endlich vom Single-Leben **verabschieden**.*
*Welche **Frauen interessieren sich** für Kino, Wandern und Tanzen?*
***Ich freue mich** auf deine Post.*

*Hast **du dir** eigentlich schon das Buch von Ute Ehrhardt **gekauft**?*
*Ja, das hab' ich schon. Ach, eigentlich **wünsche ich mir** nichts Besonderes.*
*Na ja, egal, **ich denk' mir** was Schönes **aus**.*

Die Wortarten

§8 Die Konjugation

TANGRAM 1 Im Satz ist das Verb meistens konjugiert. Das Subjekt bestimmt die Verb-Endung.

▶ Verben aus dem Englischen werden im Deutschen wie regelmäßige Verben konjugiert (*mailen: er mailt, er mailte, er hat gemailt; zappen: sie zappt, sie zappte, sie hat gezappt; surfen: er surft, er surfte, er hat gesurft*).

a) **Präsens**

*Die Welt, in der **ich lebe**, ist meinen Eltern fremd. **Meine Eltern leben** ganz anders.*
***Rolf verreist** öfter mit dem Flugzeug als **wir** mit der U-Bahn **fahren**.*
***Meine Frau fragt** gerade, ob **es** auch Hotels mit Swimming-Pool **gibt**.*
***Erinnert ihr** euch noch an die Silvesterparty bei Sven?*
***Du interessierst** dich auch für Kultur und **suchst** eine dauerhafte Beziehung.*
*Wie **nennt man** Menschen, **die** zur Familie **gehören**?*

Das Präsens benutzt man normalerweise, um über Dinge in der Gegenwart und in der Zukunft zu sprechen. Man kann es aber auch zum Erzählen von Vergangenem benutzen. Die Erzählung wird dadurch lebendiger und spannender.
*Neulich **schalte** ich meinen Computer **ein**, aber es **passiert** nichts: Der Bildschirm **bleibt** schwarz und **stellt** mir die Frage: „Podaj haslo?" Ich **versuche** zu antworten. ...*

b) **Imperativ**

*Hey Mann, **reiß** dich zusammen!*
***Meldet** euch ganz schnell unter Chiffre 7712.*
***Freuen** Sie sich schon jetzt auf das erste Treffen!*

c) **Trennbare Verben** (Wortakzent auf der trennbaren Vorsilbe)

*Fußreflexzonenmassage **regt** die Durchblutung **an**, Schmerzen **lassen nach**.*
*Rolf **macht** einmal im Monat das Fenster **auf** und **wirft** fast 1000 Euro **hinaus**.*
*An guten Tagen **sieht** Vergangenes viel positiver **aus**.*
*Heute ist Partytime, wir **laden** alle **ein**.*
*Fehlt im Toto dir ein Gewinn, **geh** nur zu Tante Hedwig **hin**.*
*Es wird Zeit, wir **nehmen** dich jetzt **mit**.*
*Der Mythos vom idealen Partner **lebt** auch heute noch **weiter**.*
*Eine seltsame Kraft **hielt** mich **zurück**.*

d) **Nicht-trennbare Verben** (Wortakzent auf dem Verbstamm)

*Rolfs Wohnung **gefällt** uns nicht. Trotzdem **besuchen** wir ihn manchmal.*
*Wenn ich meine Oma **besuche**, **erzählt** sie mir immer, wie liebevoll Opa sie **behandelt** hat.*
*Faust **verkauft** dem Teufel Mephisto seine Seele und **bekommt** dafür besondere Fähigkeiten.*
*Welches Mädchen möchte sich auch **verlieben** und mit mir das Leben und die Liebe **entdecken**?*
*Ein dicker Herr an der Rezeption hatte gerade einen Wutanfall und **zerriss** Rechnungsformulare.*

e) **Perfekt** (*haben* oder *sein* + Partizip Perfekt)
Mit Präteritum und Perfekt berichtet man über Vergangenes. Das Perfekt wird meistens in der Konversation, in mündlichen Berichten und persönlichen Briefen benutzt.

*Birke **hat** ihren Weg noch nicht **gefunden**, auch wenn sie gerade ihren ersten Laden **aufgemacht hat**.*
*Inzwischen **ist** Ute ruhiger und vernünftiger **geworden**, sie **hat** sich wohl genug **ausgetobt**.*
*Bevor Paula an der Berliner Kunstschule **studiert hat**, **hat** sie eine Ausbildung als Lehrerin **gemacht**.*
*Ich **habe** meinem Hausarzt immer **vertraut** und ihm nie viele Fragen **gestellt**.*
*Viele Menschen **haben** sich jahrelang normalen Therapien **unterzogen** – ohne Erfolg. Oft **haben** sie die Hoffnung **aufgegeben**, wieder gesund zu werden.*

*Wir **haben** einige Experten, die sich mit dem Thema Ufos lange **beschäftigt haben**, ins Studio **eingeladen**,*
***Habe** ich die Frage richtig **verstanden**?*

Partizip Perfekt: Formen

	regelmäßige Verben		unregelmäßige Verben	
		-t		**-en**
	machen *stellen*	*ge**macht*** *ge**stellt***	*finden* *werden*	*ge**funden*** *(ist) ge**worden***
Bei den trennbaren Verben steht **ge-** nach der Vorsilbe.	*auf**machen*** *aus**toben***	*auf**gemacht*** *aus**getobt***	*ein**laden*** *auf**geben***	*ein**geladen*** *auf**gegeben***
Die nicht-trennbaren Verben haben kein **ge-**.	*vertrauen* *beschäftigen*	*ver**traut*** *be**schäftigt***	*verstehen* *unterziehen*	*ver**standen*** *unter**zogen***
Die Verben auf **-ieren** haben kein **ge-**.	*studieren*	*stud**iert***		

▶ Meistens Präteritum statt Perfekt:
- *haben, sein, werden*   Formen   → § 9 a
- die Modalverben *müssen, können, wollen, dürfen, sollen*   Formen   → § 10
- einige häufig gebrauchte Verben: *geben, wissen, brauchen …*

f)   Präteritum

Mit Präteritum und Perfekt berichtet man über Vergangenes. Das Präteritum wirkt etwas unpersönlicher und sachlicher als das Perfekt. Es wird vor allem in Zeitungsberichten, Lebensläufen, Erzähltexten und Märchen benutzt.

*Auf Wunsch ihrer Familie **musste** Paula Modersohn-Becker einen „richtigen Brotberuf" erlernen. Deshalb **machte** die 1876 geborene Dresdnerin zuerst in Bremen eine Ausbildung als Lehrerin, bevor sie an der Berliner Kunstschule **studierte**. 1901 **heiratete** Paula Becker den Maler Otto Modersohn. Paula Modersohn-Becker **verbrachte** viel Zeit im Ausland und **fuhr** oft nach Paris, um dort künstlerisch zu arbeiten.*

Präteritum: Formen

Regelmäßige Verben: Verbstamm + Präteritum-Signal **-t-** + Endung
Unregelmäßige Verben: Präteritum-Stamm + Endung (keine Endung bei *ich* und *sie, er, es!*)
Mischverben: Präteritum-Stamm + Präteritum-Signal **-t-** + Endung (wie regelmäßige Verben)
(z. B. *verbringen – verbrachte, denken – dachte, kennen – kannte, nennen – nannte, wissen – wusste*)

	regelmäßig	Mischverben	unregelmäßig (Beispiele)			
	machen	**verbringen**	**beginnen**	**geben**	**fahren**	**bleiben**
ich	*mach **te***	*verbrach **te***	*begann*	*gab*	*fuhr*	*blieb*
du	*mach **test***	*verbrach **test***	*begannst*	*gabst*	*fuhrst*	*bliebst*
sie/er/es	*mach **te***	*verbrach **te***	*begann*	*gab*	*fuhr*	*blieb*
wir	*mach **ten***	*verbrach **ten***	*begannen*	*gaben*	*fuhren*	*blieben*
ihr	*mach **tet***	*verbrach **tet***	*begannt*	*gabt*	*fuhrt*	*bliebt*
sie/Sie	*mach **ten***	*verbrach **ten***	*begannen*	*gaben*	*fuhren*	*blieben*

▶ Bei Verben mit Verbstamm auf *d, t, fn, gn* wird vor dem Präteritum-Signal -t- ein **e** eingefügt:
*sie heirat **e** te, er red **e** te, wir öffn **e** ten, sie begegn **e** ten.*

▶ Die *du-* und die *ihr*-Form werden selten im Präteritum verwendet. Hier nimmt man lieber das Perfekt:
***Seid** ihr denn gestern ins Kino **gegangen**?* (unüblich: ~~Gingt ihr denn gestern ins Kino?~~)

g) Plusquamperfekt

Über Vergangenes berichtet man mit Präteritum und Perfekt (= Erzähl-Zeit). Wenn man etwas berichten will, was schon vorher passiert ist, benutzt man das Plusquamperfekt (= Rückschau).

*Es war damals (= 1989) einfach unvorstellbar, dass die Mauer von heute auf Morgen nicht mehr existieren sollte. Fast 30 Jahre lang **hatte** sie unser Leben in Berlin **geprägt**. Die Mauer **hatte** nicht nur eine Stadt in zwei Hälften **geteilt**: Sie **hatte** Familien **zerrissen**, Ehepaare **getrennt** und Kontakte zu alten Freunden **abgeschnitten** – sie ging mitten durch das Herz der Berliner.*
*Als man die ersten Bilder von der Grenzöffnung im Fernsehen sehen konnte, **waren** schon Tausende von Berlinern zu den Grenzübergängen **losgezogen**. Unbeschreibliche Szenen spielten sich am Kontrollpunkt Invalidenstraße ab: Es war eine Stimmung wie auf einem Volksfest. Hier zeigte sich: Niemand **hatte** sich wirklich mit der Mauer **abgefunden**.*

Plusquamperfekt in Nebensätzen mit *bevor, nachdem* und *als*   → § 5 b) 2

Plusquamperfekt: Formen

Das Plusquamperfekt bildet man mit *hatt-* oder *war-* + Partizip Perfekt   Formen   → § 8 e

haben-Verben, z. B. *teilen*   *sein*-Verben, z. B. *losziehen*

      ich hatte … geteilt   *er war … losgezogen*

h) Passiv

Das Passiv kommt überall dort vor, wo Handlungen oder Prozesse beschrieben werden. Die handelnden Personen sind nicht wichtig, nicht bekannt oder nicht vorhanden.

*Die Akupunktur kommt aus China und **wird** dort seit mehr als dreitausend Jahren **angewendet**.*
*Bei jeder zweiten Behandlung von Schmerzen des Bewegungsapparats **wird** Akupunktur **eingesetzt**.*
*Dazu **werden** Nadeln in bestimmte Punkte entlang der Meridiane **gestochen**.*
*Bei der Aromatherapie **werden** ätherische Öle aus Blüten, Blättern, Schalen und Hölzern **verwendet**. Diese Öle **werden** **inhaliert** oder **eingerieben** und können viele körperliche Beschwerden lindern.*

▶ In der Umgangssprache verwendet man oft *man* statt Passiv:
*Die Akupunktur **wendet man** in China seit mehr als dreitausend Jahren **an**.*
*Bei der Aromatherapie **verwendet man** ätherische Öle aus Blüten, Blättern, Schalen und Hölzern.*

Wenn es nicht wichtig ist, wer das macht, sondern nur, was passiert, kann ein Passiv-Satz auch ohne Subjekt stehen oder mit *es* eingeleitet werden. Die Position 1 im Satz muss aber immer besetzt sein.

*Es **wird** nicht **ausgewählt** oder **überlegt**, bevor auf den Einschaltknopf **gedrückt wird**.*
*Und dann **wird** einfach unkonzentriert durch die Programme **gezappt**.*

Mit dem Passiv kann man auch Zustände und Resultate (= Zustandspassiv) beschreiben. Man benutzt dann *sein* + Partizip Perfekt, z. B. *Die Diskussion **ist** beendet.* Das Partizip Perfekt hat dann die gleiche Funktion wie ein Adjektiv.   → § 17 e

*Im Heft **sind** sie dann alphabetisch in drei Rubriken **geordnet**.*
*Abends nach der Arbeit **sind** sie oft **gestresst**.*
*Die Diskussion um die Fernsehzukunft in Deutschland **ist** noch nicht **beendet**.*

Passiv: Formen

Das Passiv bildet man mit *werden* + Partizip Perfekt   Formen   → § 8 e)-g), i + § 9 a

Das **Präteritum** bildet man mit dem Präteritum von *werden (wurd-)* + Partizip Perfekt:
*Es war eine stille, mondlose Nacht. Plötzlich **wurde** mein Fenster von einem Luftzug **aufgestoßen**.*
*Alle Objekte, die mir **angeboten wurden**, waren entweder zu teuer oder zu weit draußen.*

Das **Perfekt** bildet man mit dem Präsens von *sein* + Partizip Perfekt + *worden*.
*Der Tod des öffentlich-rechtlichen Rundfunks, der von einigen **vorausgesagt worden ist**, ist nicht eingetreten.*

Das **Plusquamperfekt** mit dem Präteritum von *sein* + Partizip Perfekt + *worden*.
*Bis 1984 **waren** Fernsehprogramme nur vom öffentlich-rechtlichen Rundfunk **angeboten worden**.*

Das **Futur I** bildet man mit dem Präsens von *werden* + Partizip Perfekt + *werden*.
*Bald **wird** abends vielleicht nicht mehr automatisch der Fernseher **eingeschaltet werden**, sondern der Computer.*

	Präsens	Präteritum	Perfekt	Plusquamperfekt	Futur I
ich	*werde gebracht*	*wurde gebracht*	*bin gebracht worden*	*war gebracht worden*	*werde gebracht werden*
du	*wirst gebracht*	*wurdest gebracht*	*bist gebracht worden*	*warst gebracht worden*	*wirst gebracht werden*
sie, er, es	*wird gebracht*	*wurde gebracht*	*ist gebracht worden*	*war gebracht worden*	*wird gebracht werden*
wir	*werden gebracht*	*wurden gebracht*	*sind gebracht worden*	*waren gebracht worden*	*werden gebracht werden*
ihr	*werdet gebracht*	*wurdet gebracht*	*seid gebracht worden*	*wart gebracht worden*	*werdet gebracht werden*
sie/Sie	*werden gebracht*	*wurden gebracht*	*sind gebracht worden*	*waren gebracht worden*	*werden gebracht werden*

Passiv mit Modalverben → § 4

Modalverb (Position 2)	Partizip Perfekt + werden (Infinitiv)
Wie Ausweise **können** *auch Erinnerungen*	**verändert** *und* **gefälscht werden.**
Ätherische Öle **dürfen** *nie unverdünnt*	**angewendet werden,**
sondern **müssen** *in einem neutralen Öl*	**gelöst werden.**

Passiv im Nebensatz → § 5 b

	Partizip Perfekt + werden (+ Modalverb)
Ich habe keine Lust mehr,	*immer nur* **untersucht** *oder* **geröntgt zu werden.**
Die gesetzlichen Kassen bezahlen,	*wenn Akupunktur zur Schmerzbehandlung* **eingesetzt wird.**
Ich habe von einer Freundin gehört,	*dass Heuschnupfen mit einer Eigenbluttherapie* **behandelt werden kann.**

i) **Futur I**

Über die Zukunft spricht man im Deutschen normalerweise mit Präsens und entsprechender Zeitangabe (*in fünf Minuten, heute Abend, um … Uhr, morgen, in einer Woche, nächstes Jahr, im Jahr 2050 …*).

Ein Sturmtief bei Schottland **bestimmt morgen** *das Wetter in Deutschland.*
Nächstes Jahr wollen *wir neben meinen Eltern* **bauen.**

Das Futur I verwendet man vor allem bei offiziellen Anlässen und in schriftlichen Texten für Pläne, Prognosen und Versprechen.

Im Jahr 2025 **werden** *mehr als 8 Milliarden Menschen auf der Erde* **leben.**
Die FDP **wird** *den Einzug in den Bundestag vermutlich nicht* **schaffen.**
Wenn Sie uns wählen, dann **wird** *es in Deutschland bald keine Arbeitslosen mehr* **geben.**
Sie **werden** *beruflich einen Riesenschritt nach vorn* **machen.** *Wer noch Single ist, der* **wird** *heute vielleicht seine große Liebe* **treffen.**
Es ist nicht vorstellbar, dass es in 20 Jahren denkende Roboter **geben wird,** *aber wir* **werden** *mit elektronischen Geräten in einer primitiven Sprache* **sprechen können.**

Futur I: Formen

Das Futur I bildet man mit *werden* + Infinitiv   Formen → § 9 a

Futur I mit Modalverben → § 4

werden (Position 2)	Verb (Infinitiv) + Modalverb (Infinitiv)
Die Menschen **werden**	*nicht mehr* **arbeiten müssen.**
Mit Spezialbrillen **werden** *Sie*	*am Strand* **sitzen** *und an einer Besprechung im Büro* **teilnehmen können.**

Futur I im Nebensatz → § 5 b

	Verb (Infinitiv) + werden
Ich bin sicher,	*dass die Werke von Carla Veltronio ihren Platz in der Kunstgeschichte* **finden werden.**
Und ich hoffe,	*dass diese Ausstellung die Künstlerin einem größeren Publikum näher* **bringen wird.**

j) Konjunktiv II

1 Für Wünsche, Träume und Fantasien verwendet man oft den Konjunktiv II:

*Was **würden** Sie in Leipzig **tun**?*
> *Ich **würde** in Auerbachs Keller **gehen**.*
>> *Ich **würde** ins Neue Gewandhaus **gehen**. Ich höre nämlich gern Musik.*
>> *Ich **würde** etwas ganz anderes **machen** ...*
*Welche Wohnung **würdest** du **nehmen**?*
> *Ich **würde** die Wohnung in Uni-Nähe **nehmen**, weil in Studentenvierteln immer was los ist.*
>> *Ich **würde** gerne auf einem Bauernhof **wohnen**, weil ich gern Tiere um mich habe.*
*Welche Stadt **würden** Sie gern einmal **besuchen**? Was **würden** Sie dort **ansehen**?*
*Solchen Gästen **würde** ich gern mal **die Meinung sagen**, aber ich muss sie alle freundlich behandeln.*
*Ohne dich, liebe Gaby, **würde** die Geschichte des Waldhofs anders **aussehen**.*

Der Konjunktiv II zeigt, dass etwas nicht die Wirklichkeit ist.

Konjunktiv II: Träume, Fantasien, Wünsche (irreal)	Wirklichkeit (real)	
Ich **wäre** gern Millionär.	*Gegenwart*	Ich *bin* leider kein Millionär.
Ich **würde** gern mit einer Rakete zum Mond **fliegen**.		Ich *kann* leider nicht zum Mond fliegen.
Wenn ich Zeit **hätte, würde** ich mich einfach in den Garten **legen**.		Ich *habe* keine Zeit, ich kann mich nicht in den Garten legen.
Ach, **hätte** ich doch als Kind **gelernt**, Saxofon zu spielen!	*Vergangenheit*	Ich *habe* als Kind leider nicht *gelernt*, Saxofon zu spielen.
Das klingt gerade so, als ob das nur mein Fehler **gewesen wäre**.		Das *war* nicht nur mein Fehler.

Für Träume, Fantasien und irreale Wünsche benutzt man oft Sätze mit *wenn*.

*Und **wenn** ich Lust auf Spaghetti **hätte, müsste** meine Mutter das **kochen**.*
*Wie wunderbar das **wäre, wenn** ich immer weiter **schauen könnte**.*
***Wenn** ich wenigstens Klavier spielen **könnte**.*
*Ach, **wenn** doch nur endlich Frieden und Freiheit überall auf der Welt **wäre**!*

Irreale Wünsche kann man in „Wunsch-Sätzen" ohne *wenn* äußern. Das Verb steht auf Position 1.

***Könnte** ich wenigstens Klavier **spielen**!*
***Wäre** doch endlich Frieden und Freiheit überall auf der Welt.*

Für irreale Vergleiche benutzt man *als ob* und Konjunktiv II.

*Und ich würde wunderschön singen, **als ob** ich nie etwas **getrunken hätte**.*
*Du tust ja gerade so, **als ob** ich nie Spaghetti **machen würde**.*
*Du trainierst so, **als ob** du an der Olympiade **teilnehmen wolltest**.*

2 Auch für höfliche Vorschläge und Bitten kann man den Konjunktiv II verwenden:

*Wir **könnten** doch zur Modemesse **gehen**.*
> *Ich **würde** lieber die Auto Mobil International **besuchen**.*
>> *Und abends **sollten** wir unbedingt in Auerbachs Keller **essen gehen**.*

Konjunktiv II: Formen

<u>Gegenwart</u>
Regelmäßige Verben:
Die Formen von Konjunktiv II und Präteritum sind gleich. Deshalb benutzt man fast immer die Ersatzform
würde + Infinitiv, z. B. *er machte → er würde machen*.

*Ich glaube, er **würde** erst einmal eine Schiffsreise rund um die Welt **machen**.*
*Ich **würde** gern einmal mit Boris Becker Tennis **spielen**.*

Unregelmäßige Verben: → § 9 a
Die Formen von Konjunktiv II und Präteritum sind ähnlich. Aber: Es gibt oft Umlaute und immer die Endung -e
bei der 1. und 3. Person Singular, z. B. *ich kam* → *ich käme, sie/er/es ging* → *sie/er/es ginge*.
Die „Originalformen" des Konjunktivs II verwendet man **immer** bei *haben* und *sein* bei den Modalverben und
oft bei einigen anderen unregelmäßigen Verben.

Konjunktiv II	Präteritum	Konjunktiv II	Präteritum
ich, sie, er, es		*ich, sie, er, es*	
wäre	war	bräuchte	brauchte
hätte	hatte	fände	fand
würde	wurde	gäbe	gab
dürfte	durfte	ginge	ging
könnte	konnte	käme	kam
müsste	musste	ließe	ließ
sollte	sollte	stände	stand
wollte	wollte	wüsste	wusste

*Eine Villa **wäre** nicht **schlecht**, doch mir sind auch zwei Zimmer recht.*
*Es **wäre** schön, wenn ihr was zu essen oder zu trinken **mitbringen könntet**.*
*Wir **hätten** gerne noch einige nähere Informationen.*
*So eine Wohnung **müsste** man **haben**!*
*Wie **könnte** die Geschichte **weitergehen**? Erzählen Sie.*
*Alkohol wird in der Regel da getrunken, wo ich mich so wenig wie möglich **aufhalten sollte**: auf Partys.*
*Das **fände** ich toll.*
*Wenn das **ginge**, würde ich ...*

Bei den meisten unregelmäßigen Verben benutzt man aber – wie auch bei den regelmäßigen Verben – die
Ersatzform *würde* + Infinitiv.

Vergangenheit
Den Konjunktiv II der Vergangenheit bildet man mit dem Konjunktiv II von *haben* oder *sein* und dem
Partizip II.

*Ach, **hätte** ich doch als Kind **gelernt**, Saxofon zu spielen.*
*Das Pfeifen der Bomben **wäre** lauter **gewesen** als die Klänge schwarzer und weißer Tasten.*
*... und beinahe **wäre** ich in meinen früheren Beruf **zurückgegangen**.*
*Sie **hätten** keinen Schaden **genommen**.*
*Was **wäre** ohne sie aus mir **geworden**?*

§9 Unregelmäßige Verben

a) Die Verben *haben, sein* und *werden*: Präsens – Präteritum – Konjunktiv II

	haben			sein			werden		
ich	*habe*	*hatte*	*hätte*	*bin*	*war*	*wäre*	*werde*	*wurde*	*würde*
du	*hast*	*hattest*	*hättest*	*bist*	*warst*	*wär(e)st*	*wirst*	*wurdest*	*würdest*
sie/er/es/man	*hat*	*hatte*	*hätte*	*ist*	*war*	*wäre*	*wird*	*wurde*	*würde*
wir	*haben*	*hatten*	*hätten*	*sind*	*waren*	*wären*	*werden*	*wurden*	*würden*
ihr	*habt*	*hattet*	*hättet*	*seid*	*wart*	*wär(e)t*	*werdet*	*wurdet*	*würdet*
sie/Sie	*haben*	*hatten*	*hätten*	*sind*	*waren*	*wären*	*werden*	*wurden*	*würden*

Die Perfektformen dieser Verben – *er **hat gehab**t, sie **ist gewesen**, es **ist geworden*** – benutzt man nur selten.

b) Verben mit Vokalwechsel in der 2. und 3. Person Singular

sprechen → *du sprichst – sie/er/es spricht*   *verlassen* → *du verlässt – sie/er/es verlässt*

c) Bei Verben auf *-eln* fällt in der 1. Person Singular das *e* weg.

bügeln → *ich bügle*   *klingeln* → *ich klingle*   *lächeln* → *ich lächle*

▶ In der Umgangssprache sagt man oft auch *ich bügel, ich klingel, ich lächel*.

Perfekt und Präteritum von unregelmäßigen Verben   → § 8 e + f

---

§10 Die Modalverben → § 4 a

TANGRAM 1 In Sätzen mit Modalverben gibt es meistens das Modalverb und ein Verb im Infinitiv. Das Modalverb verändert die Bedeutung des Satzes:

Ich komme morgen.   neutrale Aussage

*Ich **will** morgen kommen.*	Wunsch		***Darf** ich morgen kommen?*	Erlaubnis
*Ich **möchte** morgen kommen.*	„höflicher" Wunsch		*Morgen **darf** ich **nicht** kommen.*	Verbot
*Ich **muss** morgen kommen.*	Notwendigkeit		***Soll** ich morgen kommen?*	Angebot, Vorschlag
*Ich **kann** morgen kommen.*	Erlaubnis, Möglichkeit		*Ich **soll** morgen kommen.*	Auftrag, Notwendigkeit

brauchen

Das Modalverb *brauchen* steht mit *zu + Infinitiv*. Es wird meistens negativ benutzt: *nicht/kein … brauchen (zu)*. Es drückt dann aus, dass etwas nicht notwendig ist.

*Sie **brauchen nicht** lange nach einem Zweitjob **zu** suchen.*
*Jetzt **braucht** er sich um die Finanzierung seiner Weltreise **keine** Sorgen mehr **zu** machen.)*

In Verbindung mit *nur* kann es auch positiv benutzt werden (Notwendigkeit): *nur… brauchen (zu)*.

*Sie **braucht nur** ihren Ausweis **vorzuzeigen**.*
*Du **brauchst** doch **nur** Müsli **hinzustellen**.*

▶ *Brauchen* kann auch als „normales" Verb benutzt werden. Es hat dann eine Akkusativ-Ergänzung und bedeutet „haben wollen/haben müssen".
*Sie **brauchen** den Zusatzverdienst zum Lebensunterhalt.*
*Silke Behrens fehlte einfach was, sie **brauchte** einen Ausgleich.*
*Du, liebe kleine Enkeltochter, bist gestresst, wenn deine Mutter deine Unterstützung **braucht**.*
*Jürgen Kocher hat einfach bei seiner Tankstelle gefragt, ob die nicht eine Aushilfe **brauchen**.*

Formen: Präsens – Präteritum – Konjunktiv II (Gegenwart)

	müssen			können			dürfen		
ich	muss	musste	müsste	kann	konnte	könnte	darf	durfte	dürfte
du	musst	musstest	müsstest	kannst	konntest	könntest	darfst	durftest	dürftest
sie/er/es	kann	musste	müsste	kann	konnte	könnte	darf	durfte	dürfte
wir	müssen	mussten	müssten	können	konnten	könnten	dürfen	durften	dürften
ihr	müsst	musstet	müsstet	könnt	konntet	könntet	dürft	durftet	dürftet
sie	müssen	mussten	müssten	können	konnten	könnten	dürfen	durften	dürften

	brauchen			wollen			sollen		
ich	brauche	brauchte	bräuchte	will	wollte		soll	sollte	
du	brauchst	brauchtest	bräuchtest	willst	wolltest		sollst	solltest	
sie/er/es	braucht	brauchte	bräuchte	will	wollte		soll	sollte	
wir	brauchen	brauchten	bräuchten	wollen	wollten		sollen	sollten	
ihr	braucht	brauchtet	bräuchtet	wollt	wolltet		sollt	solltet	
sie	brauchen	brauchten	bräuchten	wollen	wollten		sollen	sollten	

▶ Bei *müssen, können* und *dürfen* und *brauchen* haben die Formen für den Konjunktiv II einen Umlaut.
Bei *wollen* und *sollen* sind die Formen für Präteritum und Konjunktiv II gleich.

Die Nomengruppe

§11 Artikel und Nomen

TANGRAM 1 *Ehe, Rundgang, Horoskop...* sind Nomen. Nicht nur die **N**amen von **P**ersonen und **O**rten, sondern alle **N**omen beginnen mit einem großen **B**uchstaben.
Bei einem Nomen steht fast immer ein Artikel oder ein Artikelwort.
Nomen haben ein **Genus**: *feminin, maskulin* oder *neutrum*.

▶ Von einigen Nomen gibt es keine Singularform (zum Beispiel: *die Leute, die Eltern, die Geschwister*) oder keine Pluralform (zum Beispiel: *der Charme, die Einsamkeit, das Heimweh*).

▶ Im Deutschen werden oft englische Nomen als Fachbegriffe oder Modeausdrücke benutzt. Nomen aus dem Englischen haben im Deutschen unterschiedliche Artikel, z. B. *die Homepage, der Cursor, das Layout.*

Verben als Nomen → § 19 b

Die meisten Verben können als Nomen benutzt werden. Sie werden dann genauso wie die normalen Nomen großgeschrieben. Sie sind immer *neutrum* und werden oft mit dem bestimmten Artikel verwendet und haben keinen Plural.

*Das **Lesen** war und ist für mich lebensrettend.*
*Wer keine Lust am **Lesen** hat, soll es halt lassen.*
*Beim **Bügeln** sehe ich oft fern.*

§12 Pluralformen von Nomen

TANGRAM 1 Es gibt fünf verschiedene Pluralendungen.

-n/-en   *die Ehe – die Ehen; die Wohnung – die Wohnungen*
-e/-̈e   *das Problem – die Probleme; der Wunsch – die Wünsche*
-s   *der Test – die Tests*
-er/-̈er   *das Kind – die Kinder; das Haus – die Häuser*
-/-̈   *der Partner – die Partner; der Bruder – die Brüder*

▶ Fremdwörter haben manchmal andere Pluralformen: *der Mythos – die Mythen, das Studium – die Studien, das Material – die Materialien, ...*
Nomen aus dem Englischen haben meistens gleiche Endung wie im Englischen *-s (die Layouts)* oder gar keine Pluralendung *(die Provider).*

§13 Die Deklination von Artikel und Nomen

TANGRAM 1 In *Tangram 1* haben Sie den bestimmten, den unbestimmten und den Negativartikel *(die/der/das – eine/ein – keine/kein)*, den bestimmten und den unbestimmten Frageartikel *(welch-, was für ein-)* und die Deklination für Nominativ, Akkusativ und Dativ kennen gelernt.

*Die Wohnung hat einfach **keinen Stil**.*
*Ich habe **kein Kind, kein Tier, keine Gitarre** und **kein Klavier**.*
*1970 bekam ich **den Auftrag, die Bilder** für **ein Kinderbuch** zu malen.*
*Sie geben für **einen Freund, dem** Sie bei **der Partnersuche** helfen wollen, **eine Kontaktanzeige** auf.*
*Aromatherapie wird von **den Kassen** in **der Regel** nicht bezahlt.*

Der Genitiv

▶ Der Genitiv macht Aussagen genauer. Er gehört meistens zu einem Nomen und wird häufig in der Schriftsprache verwendet (z. B. in Wörterbuch-Erklärungen).

Die Genitiv-Signale sind feminin und Plural: *-r*; maskulin und neutrum: *-s*.

Maskuline und neutrale Nomen bekommen im Genitiv Singular fast immer die Endung *-(e)s*.
Aber es gibt Ausnahmen, z. B.: *des Menschen* (= n-Deklination, siehe unten).

Ersatzform für den Genitiv
Steht das Nomen ohne Artikel, dann wird die Ersatzform *von* + DATIV benutzt:

*In Leitungspositionen planen und koordinieren sie die Einsätze **von Schutzpolizei** und **Kripo**.*
*Die Suche nach Fehlern, die Reparatur **von Schäden** und der Austausch **von Teilen** – das sind die Aufgaben des Kfz-Mechanikers.*
*Das gilt sowohl für die Erledigung **von Aufgaben** als auch für die Organisation des Arbeitsplatzes.*
*Anders ist die Entwicklung **von Leistung** nicht möglich.*

Genitiv bei Namen
Genitiv bei Namen drückt oft Zugehörigkeit aus: *Rolfs Wohnung = die Wohnung von Rolf, Gabrieles Talent = das Talent von Gabriele. Er steht vor seinem Bezugswort.*
Hat man den Vornamen und den Nachnamen, kommt das *-s* nur an den Nachnamen: *Gabriele Ostners Talent.*
Nachgestellte Namen werden mit *von* verbunden: *das Talent **von** Gabriele.*

In der gesprochenen Sprache wird der Genitiv bei folgenden Ausdrücken häufig benutzt:
im Laufe (der Zeit/des Tages/der Woche ...)
am Anfang/in der Mitte/am Ende (des Jahres/seiner Ausbildung ...)
ein Teil/zehn Prozent/ein Drittel/die Hälfte (der Deutschen/des Geldes ...)
die schönste Zeit (des Jahres/meines Lebens ...)
der dickste Mann (der Welt/Europas ...)

Präpositionen mit Genitiv: *wegen, trotz, während, innerhalb, außerhalb, unterhalb.*   → § 19

*Das Privatleben mit Partner und Freunden kommt **wegen** der vielen Reisen häufig zu kurz.*
*..., dass die Jugendlichen ihre Aufgaben erledigen, und zwar **trotz** Schwierigkeiten und ohne dauernde Überwachung und Kontrolle.*
*Schon **während** der Lehrzeit sind seine Fähigkeiten und Kenntnisse im Freundeskreis oft sehr gefragt.*
*Polizisten haben als Beamte **innerhalb** des Staatsdienstes einen sicheren Arbeitsplatz.*
***Außerhalb** des Staatsdienstes können Polizisten als Detektive arbeiten.*
***Unterhalb** des Blechs, bei Motor, Vergaser und Auspuff beginnt seine Welt.*

Die n-Deklination

Einige maskuline Nomen folgen der so genannten n-Deklination. Außer im Nominativ Singular sind die Kasus-Endungen immer -n bzw. -en.

	Nominativ	Akkusativ	Dativ	Genitiv
Singular	der/ein Mensch	den/einen Menschen	dem/einem Menschen	des/eines Menschen
	der/ein Nachbar	den/einen Nachbarn	dem/einem Nachbarn	des/eines Nachbarn
Plural	die/– Menschen	die/– Menschen	den/– Menschen	der/– Menschen
	die/– Nachbarn	die/– Nachbarn	den/– Nachbarn	der/– Nachbarn

Nomen der n-Deklination bezeichnen oft Personen – vor allem Berufe (*der Pädagoge, Polizist ...*) und Nationalitäten (*der Deutsche, Pole, Türke ...*) – und Tiere (*der Elefant, Löwe ...*).
Man muss sie extra lernen. Es gibt aber einige Endungen, die anzeigen, dass ein Nomen wahrscheinlich zur n-Deklination gehört: *-ist, -ent/-ant, -e.*

*Wir besuchen den 30-jährigen **Pädagogen** in seiner kleinen Wohnung.*
*Er besucht regelmäßig den **Nachbarn** und benutzt dessen Spülmaschine.*
*Eine unserer Teilnehmerinnen hilft älteren **Menschen** beim Friedhofsbesuch.*
*Es gibt viele **Dirigenten**, die ehrenamtlich arbeiten.*
*Damals wurde sie von **Fürsten** und **Adligen** gemacht.*

Zur n-Deklination gehören
Personen:
*der Mensch, Nachbar, Bauer, Fürst, Stud**ent**, Dirig**ent**, Assist**ent**, Journal**ist**, Poli**zist** ...*
*der Jung**e**, Adlig**e**, Beamt**e**, Angestellt**e**, Expert**e**, Pädagog**e** ...*
*der Deutsch**e**, Pol**e**, Franzos**e**, Chines**e**, Türk**e** ...*
Tiere:
*Elef**ant**, Löw**e**, Aff**e**, Has**e** ...*

Einige Nomen der n-Deklination haben im Genitiv Singular die Endung *-ns,* z. B. *der Friede – des Friedens, der Gedanke – des Gedankens, der Glaube – des Glaubens, der Name – des Namens, der Wille – des Willens.*

§14 Die Possessiv-Artikel

NGRAM 1 Possessiv-Artikel (*mein-, dein-, ihr-, sein-, unser-, euer/eur-, ihr-, Ihr-*) stehen vor einem Nomen und ersetzen andere Artikel. Man dekliniert die Possessiv-Artikel genauso wie die negativen Artikel (*kein-*).

*Ich habe keine Zeit, **meine** Eltern regelmäßig zu besuchen.*
*Kümmert sich **dein** Partner gerne um den Haushalt?*
*Typisch für den Krebs ist **seine** Liebe zur Kunst.*
***Unsere** Stimmung hat Einfluss auf **unsere** Erinnerung.*
*JUNGS!!! Das ist **eure** (letzte?) Chance!*
*Wie bekommen Straßen in **Ihrem** Land **ihre** Namen?*

§15 Die Artikelwörter

NGRAM 1 Artikelwörter ersetzen andere Artikel. Die Artikelwörter *dieser, mancher, jener, jeder, alle* (Plural), *einige* (Plural), *mehrere* (Plural) dekliniert man wie den bestimmten Artikel *der.* Die Artikelwörter *kein* und *irgendein* dekliniert man wie den unbestimmten Artikel *ein.*

***Diese** Nacht war nicht zum Schlafen da.*
*„Schon weg!" – Es fällt mir immer schwerer, **diesen** Spruch zu glauben.*
*An irgendeinem **dieser** Tage entscheiden sich die „Übriggebliebenen" dann für **jenes** letzte Mittel.*
***Jeder** Gast will etwas von mir. Und ich tue, was ich kann.*
***Jedem** Körperteil, **jedem** Organ wird eine Reflexzone zugeordnet.*

Alle Tabletten haben nichts geholfen.
*Die halbe Familie kroch auf dem Flur und in **allen** Zimmern herum.*
*So erfüllte ich mir in den nächsten Tagen **manchen** Wunsch.*
***Manche** Leute schüttelten den Kopf über so viel Fantasie.*
*Wir hätten gerne noch **einige** nähere Informationen.*
*Seit **einiger** Zeit nehme ich Geburtstagseinladungen überhaupt nicht mehr an.*
*Was können Sie mir vermitteln? – Da habe ich **mehrere** Angebote.*

*..., weil wir nach einem Gerät gefragt haben, das **keinen** aktuellen Internet-Browser hat.*
*Ständig kriege ich nur **irgendeine** unfreundliche Antwort.*
***Irgendeinen** Verehrer hat sie ja schließlich immer.*

▶ *Irgend-* bedeutet, dass etwas unbestimmt, nicht konkret ist. Es kann vor dem unbestimmten Artikel stehen: *irgendein*.
Die Pluralform dazu ist: *irgendwelche*.
Es kann aber auch vor Indefinitpronomen (*irgendjemand, irgendetwas*) und vor Fragepronomen (*irgendwie, irgendwann*) etc.) stehen. → § 16 d

§16 Die Pronomen

TANGRAM 1 Pronomen ersetzen bekannte Namen oder Nomen und helfen, Wiederholungen zu vermeiden.

a) Die **Personalpronomen** ersetzen Namen und Personen.

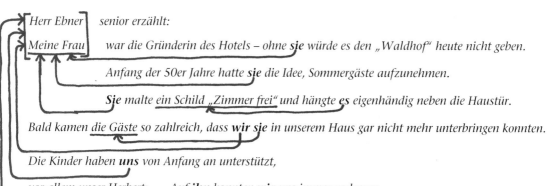

Herr Ebner senior erzählt:
Meine Frau war die Gründerin des Hotels – ohne **sie** würde es den „Waldhof" heute nicht geben.
*Anfang der 50er Jahre hatte **sie** die Idee, Sommergäste aufzunehmen.*
***Sie** malte ein Schild „Zimmer frei" und hängte **es** eigenhändig neben die Haustür.*
*Bald kamen die Gäste so zahlreich, dass **wir sie** in unserem Haus gar nicht mehr unterbringen konnten.*
*Die Kinder haben **uns** von Anfang an unterstützt,*
*vor allem unser Herbert: Auf **ihn** konnten **wir** uns immer verlassen.*
***Er** hat von früh bis spät gearbeitet, ohne Pause, ohne Wochenende.*

	Singular					Plural			Höflichkeitsform
Nominativ	*ich*	*du*	*sie*	*er*	*es*	*wir*	*ihr*	*sie*	*Sie*
Akkusativ	*mich*	*dich*	*sie*	*ihn*	*es*	*uns*	*euch*	*sie*	*Sie*
Dativ	*mir*	*dir*	*ihr*	*ihm*	*ihm*	*uns*	*euch*	*ihnen*	*Ihnen*

b) Die **bestimmten, unbestimmten und negativen Pronomen** ersetzen Artikel und Nomen. Man dekliniert sie genauso wie die Artikel. → § 13

*Ist **die Wohnung** noch frei? – Nein, tut mir Leid. **Die** ist schon weg.*
*Hast du dir eigentlich schon **das Buch** von Ute Ehrhardt gekauft? – Ja, **das** hab' ich schon.*

*Ich war bei **vielen** Ärzten, aber **keiner** konnte mir helfen.*
*Wir machen **ein Fest**, wie's lange **keins** mehr gab.*

▶ Neutrum (NOM + AKK): ein Fest → Pronomen: *eins* oder *keins*
Maskulinum (NOM): kein Arzt → Pronomen: *keiner*

c) Frage- und Artikelwörter als Pronomen

*Wer sich nicht an **Fehler** erinnert, weiß nicht, dass es **welche** waren.*
*Wer auf **Kontaktanzeigen** antwortet oder selber **welche** schreibt, muss zugeben: Liebe ist ein Geschäft.*
*Kaufst du dir **ein neues Kleid** für Evas Hochzeit? – Ja, aber ich weiß nicht **welches**.*

*Bei der Akupunktur werden **Nadeln** in bestimmte Punkte gestochen, **manche** mehrere Zentimeter tief.*
***Manche** meinen, rechts und links kann man nicht verwechseln.*
*Eine Ausstellung ist eine Sammlung von Gemälden oder Fotos, die sich **jeder** ansehen kann.*
*Letztlich entscheidet aber **jeder** selbst, was er aus seiner Erinnerung macht.*
*Heute ist Partytime, wir laden **alle** ein.*
*Wir werden Wege und Lösungen finden, für **alle** Arbeit zu schaffen.*

▶ Das Pronomen *welche* ist der Plural für das unbestimmte Pronomen *ein-*. Vergleichen Sie.
*Wer auf **eine Kontaktanzeige** antwortet oder selber **eine** schreibt, …*
*Wer auf **Kontaktanzeigen** antwortet oder selber **welche** schreibt, …*

d) **Indefinitpronomen** wie *etwas (was, irgendwas), alles, nichts, man, jemand, niemand* stehen für unbekannte oder nicht genau bekannte Personen oder Sachen.

*Wir haben versucht, **etwas** fürs Alter zurückzulegen.*
*Es ist ein schönes Gefühl, so nah beisammen zu sein, falls mal **irgendwas** ist.*
*Ich würde die 6-Zimmer-Wohnung in Uni-Nähe nehmen, weil in Studentenvierteln immer **was** los ist.*
*Mir ist vielleicht **was Verrücktes** passiert!*

*Dann ist **alles** ganz anders gekommen.*
*Wer **nichts** weiß, der muss **alles** glauben.*
*Ich halte **nichts** von Astrologie.*

Das Indefinitpronomen *man* hat im Akkusativ und Dativ die Formen *einen* und *einem*.
Die Indefinitpronomen *jemand* und *niemand* können im Akkusativ und Dativ mit oder ohne Kasusendungen stehen: *jemand(en), jemand(em), niemand(en), niemand(em)*.

***Man** findet für ungeliebte Arbeiten leicht **jemanden**, der das erledigt.*
***Man** verdient Geld mit Tätigkeiten, die **einem** Spaß machen.*
*Die Treppe knarrte leise, wenn **jemand** nach oben ging.*
*Wenn ich **jemanden** traf, sagte ich: „157. Sehr angenehm."*
*Die Rentner sind froh, sich bei **jemandem** unterhaken zu können.*
***Niemand** hatte sich wirklich mit der Mauer abgefunden.*
*Wir laden alle ein, **niemand** bleibt heut' allein.*

Irgend- vor Indefinitpronomen: *irgendjemand, irgendetwas* und vor Fragepronomen: *irgendwie, irgendwann* etc.

***Irgendjemand** hat mir mal erzählt, dass sie private Probleme hat.*
*Na, das kommt mir auch **irgendwie** bekannt vor.*

e) **Reflexivpronomen** zeigen zurück auf das Subjekt des Satzes. Sie haben im Akkusativ und Dativ die gleichen Formen wie die Personalpronomen. Ausnahme: Das Reflexivpronomen für die 3. Person Singular und Plural heißt *sich* → § 7 i + 16 a

*Ich verstehe **mich** gut mit meinen Eltern.*
*Ich denke **mir** ein schönes Geschenk für dich aus.*
*Schön, dass du **dich** meldest! Hast du meine Einladung bekommen?*
*Willst du **dir** ein Flugticket in die Türkei kaufen?*
*Weißt du schon das Neuste? Roman will **sich** von Birke trennen.*
*An schlechten Tagen erinnert man **sich** vor allem an negative Dinge.*
*Wir haben immer gespart. Deshalb konnten wir **uns** auch damals eine Eigentumswohnung kaufen.*
*Habt ihr Lust, **euch** mal mit uns zu treffen?*
*Welche Frauen interessieren **sich** für Kino, Wandern und Tanzen?*
*Woran können Sie **sich** besonders gut erinnern?*

Relativpronomen → § 5 b) 4

f) Pronominaladverbien

Die Pronominaladverbien stehen für <u>etwas (Sache oder Aussage), das schon gesagt wurde</u>. So kann man Wiederholungen vermeiden. Sie ersetzen eine <u>Präpositionalergänzung</u>.

Sätze mit Pronominaladverb	Verb + Präposition
Wir mussten nach dem Tod der Mutter wieder <u>Fuß fassen</u>, und unser Vater hat uns **dabei** sehr geholfen.	helfen **bei**
Faust verkauft dem Teufel Mephisto <u>seine Seele</u> und bekommt **dafür** besondere Fähigkeiten.	bekommen **für**
Fehlt <u>im Toto</u> dir <u>ein Gewinn</u>, geh nur zu Tante Hedwig hin. Sie sagt dir ganz sicher, wann man **damit** rechnen kann.	rechnen **mit**
Nehmen Sie sich vor, sich zu einem ganz bestimmten <u>Thema</u> zu Wort zu melden. Wenn Sie etwas **dazu** sagen möchten oder sogar länger **darüber** sprechen wollen, notieren Sie sich am besten vorher Stichpunkte.	sagen **zu** sprechen **über**
In den Pausen haben die immer <u>derbe Witze</u> erzählt. Am Anfang fand ich das ja noch ganz witzig, aber irgendwann konnte ich nicht mehr **darüber** lachen. Die meisten Sprüche waren ausländerfeindlich. Seit ich einmal **dagegen** protestiert habe, ist es noch schlimmer geworden.	lachen **über** protestieren **gegen**

Die Pronominaladverbien werden gebildet aus *da* + Präposition, z. B. *damit*. Beginnt die Präposition mit einem Vokal, dann wird noch ein *-r-* eingefügt, z. B. *darauf*.

▶ Viele Verben haben eine feste Präposition. → § 7 g

▶ Die Fragepronomen bildet man mit *wo(r)* + Präposition: *womit, worüber* → § 2

Pronominaladverbien können auch einen <u>nachfolgenden Satz oder Text</u> ankündigen.

Eigentlich war ein glücklicher Zufall der Grund **dafür**, <u>dass ich mit dem Schreiben von Kinder- und Jugendliteratur begann</u>.	Grund sein **für**
Wir Kinder erinnern uns noch genau **daran**: <u>Im Juli/August wurden die Schlafzimmer für die „Gäste" geräumt</u>.	sich erinnern **an**
Glauben Sie mir, wenn Sie noch lange **darauf** warten, <u>dass man Ihnen diesen Job von allein anbietet,</u> bekommt ihn irgendjemand anders.	warten **auf**
Und dann ärgern Sie sich nachher **darüber**, <u>dass Sie nicht gleich gehandelt haben</u>.	sich ärgern **über**
Aber wenn ich sie mal freundlich **darum** bitte, <u>das Radio leiser zu stellen</u>, tut sie so, als ob sie nichts hört.	bitten **um**

▶ Für Personen stehen Personalpronomen: → § 16 a
*Dann werden <u>Sie</u> auch gleich merken, dass Ihre Kollegen oder Vorgesetzten beim Sprechen öfter mal Blickkontakt **mit Ihnen** aufnehmen.*

§17   Die Adjektive   → § 13

NGRAM 1 **a)–b)** Nach Adjektiven fragt man mit den Fragewörtern „Wie ...?" oder „Was für ein ...?" Adjektive sind
a) Qualitativergänzungen (dann dekliniert man sie nicht) oder b) zusätzliche Informationen vor Nomen (dann werden sie dekliniert).

*Wenn du **ehrlich, häuslich, naturverbunden, tolerant,** aber nicht **langweilig** bist und genug hast vom Alleinsein, dann schick ein Foto.*
***Humorvolle ältere** Dame träumt von einem **seriösen, niveauvollen** Partner.*

Genitiv
Die Adjektive haben im Genitiv fast immer die Endung *-(e)n*. Ausnahme: Bei *feminin* und *Plural* ohne Artikel trägt das Adjektiv die Genus-Signale des Genitivs: *-r*.

feminin	maskulin	neutrum	Plural
der netten Kollegin	*des teuren Duftes*	*des harmonischen Betriebsklimas*	*der teuren Boutiquen*
einer netten Kollegin	*eines teuren Duftes*	*ihres harmonischen Betriebsklimas*	*ihrer teuren Boutiquen*
*himmlischer Ruhe**	*störenden Kundenverkehrs**	*teuren Parfums**	*teurer Boutiquen*

*Das Adjektiv ohne Artikel im Genitiv wird nur selten benutzt!

c) Adjektive kann man steigern:

*Je tiefer die Gefühle sind, um so **intensiver** und **dauerhafter** ist die Erinnerung.*
*Je **weißer** die Schäfchen am Himmel geh'n, desto **länger** bleibt das Wetter schön.*
*Die Wohnung in Bornheim ist **größer** und **teurer** als die in Fechenheim.*
*Du weißt ja sowieso meistens **besser** als ich, was mir gefällt.*
*Die Nikolaikirche ist die **älteste** Kirche der Stadt. Ihre Orgel ist eine der **größten** in Deutschland.*
*Der **größte** Musiker der Stadt und einer der **bekanntesten** deutschen Komponisten überhaupt lebte im 18. Jahrhundert: Johann Sebastian Bach.*
*Welche Anzeige finden Sie am **interessantesten**, am **witzigsten**, am **langweiligsten**?*

d) **Adjektive als Nomen**

Viele Adjektive kann man auch als Nomen benutzen. Sie stehen dann oft nach *alles* oder *das* (Endung -e) oder nach *etwas* oder *nichts* (Endung -es). Diese Adjektiv-Nomen schreibt man groß, sie können dekliniert werden.

***Alles Gute** kommt von oben.*
*Was ist **das Besondere** an der Uhr des Uhrturms?*
***Etwas Warmes** braucht der Mensch.*
*Es gibt **nichts Gutes** außer: Man tut es.*

e) **Partizipien als Adjektive**

Das Partizip Präsens und das Partizip Perfekt kann man wie Adjektive benutzen. Sie stehen dann links vom Nomen, z. B. *ein **faszinierendes** Buch, die **ausgearbeiteten** Berichte*, und tragen die gleichen Endungen wie ein Adjektiv.

Das Partizip Präsens bildet man aus *Infinitiv + d*. Es hat immer Aktiv-Bedeutung, z. B. *der **passende** Partner = der Partner, der (zu jemandem) **passt**.*

*Die Kunst zu lesen, ein **faszinierendes** Buch zu verschlingen, ...*	= *ein Buch, das **fasziniert***
*Dann kann es eine **glühende** Liebesgeschichte werden – ...*	= *eine Liebesgeschichte, die **glüht***
*..., es ist wie ein nie **endender** Dialog mit sich selbst.*	= *ein Dialog, der nie **endet***

Das Partizip Perfekt hat als Adjektiv meistens Passiv-Bedeutung, z. B. *der **ausgearbeitete** Bericht = der Bericht, der **ausgearbeitet wurde**.*
Bei manchen Verben drückt es ein Resultat oder einen Zustand aus.

*das **eingegangene** Material*	*= das Material, das **eingegangen ist**.*
*... würde er morgens gegen 10 eine packende, genau **recherchierte** und glänzend **formulierte** Reportage vereinbaren.*	*= eine Reportage, die gut **recherchiert ist** und glänzend **formuliert ist***

Oft gehören zu den Partizipien noch weitere Wörter. Durch so eine Konstruktion kann man Nebensätze vermeiden und etwas kurz und bündig ausdrücken: z. B.

*Wie bei einem **aus vielen verschiedenen Einzelteilen zusammengesetzten** Puzzle wird ...*	*= Wie bei einem Puzzle, **das aus vielen verschiedenen Teilen zusammengesetzt ist**, wird ...*

Wenn das Partizip sehr viele Ergänzungen bei sich hat, steht es manchmal zusammen mit seinen Ergänzungen – durch Kommas abgetrennt – rechts vom Nomen. Es steht dann vor seinen Ergänzungen und hat keine Adjektivendung.

*Die **aus 13 Redakteurinnen und Redakteuren bestehende** Nachrichtenredaktion hat die Aufgabe, ...*	*Die Nachrichtenredaktion, **bestehend aus 13 Redakteurinnen und Redakteuren**, hat die Aufgabe, ...*

▶ Einige Partizipien sind echte Adjektive geworden und haben einen eigenen Eintrag im Wörterbuch. Sie stehen oft als Qualitativergänzung bei Verben wie *sein* oder *finden*, z. B. *aufregend (sein), interessiert (sein an DAT).*

§18 Die Zahlwörter

TANGRAM 1 **a)-b)** **Zahlen und Zahl-Adjektive** stehen vor Nomen. Zahlen dekliniert man nicht, Zahl-Adjektive werden dekliniert.

*Mit **neun** Jahren gab sie ihr **erstes** Konzert im Leipziger Gewandhaus. Von **1832** an ging sie mit ihrem Vater auf Konzertreisen. Gegen den Willen ihres Vaters heiratete sie **1840** den Komponisten Robert Schumann. Als Ehefrau und Mutter von **sieben** Kindern blieb ihr nur noch wenig Zeit für ihre künstlerische Arbeit. **14** Jahre ihres Lebens verbrachte sie in Frankfurt am Main. Dort arbeitete sie als **erste** Klavierlehrerin bis wenige Jahre vor ihrem Tod (**1896**) am neugegründeten Hochschen Konservatorium. Clara Schumann war die **erste** Frau, die an dieser Hochschule Klavierunterricht gab. Sie gilt als die bedeutendste Pianistin des **19.** Jahrhunderts.*
*Bei uns kam die Chirotherapie nach dem **Zweiten** Weltkrieg in Mode.*
*Wie komme ich zum Schauspielhaus? – Bis zur Kreuzung, dann rechts und die **zweite** wieder rechts.*
*Jeder **dritte** Deutsche ist nach Schätzungen von Medizinmeteorologen wetterfühlig.*

c) **Zahladverbien** zum Ausdruck der Häufigkeit

*Geputzt wird **einmal** im Monat.*
*Ich sehe meine Eltern ungefähr **zweimal** die Woche.*
***Dreimal** umziehen ist wie **einmal** abbrennen.*

§19 Die Präpositionen

NGRAM 1 Präpositionen verbinden Wörter oder Wortgruppen und beschreiben die Relation zwischen ihnen. Sie stehen fast immer links vom Nomen oder Pronomen und bestimmen den Kasus.

a) Präpositionen für Ort oder Richtung

Birkes Eltern wohnen **im** 100-Quadratmeter-Eigenheim direkt **am** Deich.	*in, an* + Dativ
Rolfs Eltern haben eine Eigentumswohnung **außerhalb** der Stadt. Die Möbel sind **aus** dem Möbelhaus.	*außerhalb* + Genitiv, *aus* + Dativ
Konzentrationsfähigkeit zu entwickeln ist **innerhalb** des Betriebs schwer möglich.	*innerhalb* + Genitiv
Unterhalb des Blechs, bei Motor und Vergaser beginnt seine Welt.	*unterhalb* + Genitiv
Ich kaufe meine Möbel ganz spontan: **auf** einem Flohmarkt **in** Paris oder **in** einem Shop **auf** Bali.	*auf, in* + Dativ
Von der Dachwohnung musste man einen traumhaften Blick **über** die Alster haben.	*von* + Dativ, *über* + Akkusativ
Zwischen 1975 und 1984 reiste ich **nach** Mexiko, Guatemala und **durch** ganz Europa.	*nach* + Dativ, *durch* + Akkusativ
Gehen Sie hier die Herrengasse **entlang**, **bis zur** großen Kreuzung dort hinten. Dann gehen Sie rechts **in** die Sporgasse, und dann die zweite wieder rechts. Dann **über** die Straße und immer geradeaus. Das Schauspielhaus ist **auf** der linken Seite, **gegenüber vom** Dom und **neben** dem Burgtor.	Akkusativ + *entlang*, *bis zu* + Dativ, *in* + Akkusativ, *über* + Akkusativ, *auf* + Dativ, *gegenüber von* + Dativ, *neben* + Dativ
Sie gehen **um das** Rathaus **herum, am** Congresshaus **vorbei** und bis zum Andreas-Hofer-Platz.	*um … herum* + Akkusativ, *am … vorbei* + Dativ

Einige wenige Präpositionen stehen hinter dem Nomen:
*die Herrengasse **entlang**, **um** das Rathaus **herum**, **am** Kongresshaus **vorbei***

b) Präpositionen zur Zeitangabe

Haben Sie **während** der Messe noch ein Zimmer frei?	*während* + Genitiv
Ich habe **seit** meiner Jugend sehr starken Heuschnupfen.	*seit* + Dativ
Bis zu ihrer Heirat konzentrierte sich Clara völlig auf ihre künstlerische Arbeit.	*bis (zu)* + Dativ
Vor seinem Umzug nach Föhr hatte er schon als Lehrer dort gearbeitet.	*vor* + Dativ
Christine Nöstlinger arbeitete **nach** ihrer Ausbildung zur Grafikerin zunächst als Illustratorin.	*nach* + Dativ

▶ *Während, seit* und *bis (zu)* können auch Konjunktionen sein. → § 5b) 2

Die Präposition *bei* wird nur in der Form „beim + Verb als Nomen" zur Zeitangabe benutzt. So wird ausgedrückt, dass zwei Handlungen gleichzeitig geschehen. → § 11

Beim Bügeln sehe ich oft fern.	*bei* + Dativ

c) Präpositionen: andere Informationen

Die Eltern **von** Birke wohnen **mit** ihrem Hund im 100-Quadratmeter-Eigenheim **mit** großem Garten.	*von, mit* + Dativ
Sind Sie **mit** einer Nachfrage **bei** Ihrem jetzigen Vermieter einverstanden?	*mit, bei* + Dativ
Ohne dich, liebe Gaby, würde die Geschichte des Waldhofs anders aussehen.	*ohne* + Akkusativ
Was **für** den einen Partner gilt, das sollte auch **für** den anderen gelten.	*für* + Akkusativ

Die Präposition *statt* benennt eine verneinte Alternative. Sie steht mit dem Genitiv.
*Und ich habe in meiner Küche **statt** zehn stinkender Abfalleimer endlich wieder nur einen.*

In der gesprochenen Sprache wird auch der Dativ benutzt.
***Statt** diesen ganzen umweltfeindlichen Putzmitteln nehme ich nur alternative, die biologisch abbaubar sind.*

▶ Auch die Konjunktion *(an)statt* drückt eine verneinte Alternative aus. → § 5 b) 7

d) Präpositionen für „Grund" und „Gegengrund"

*Ich mag nicht, dass wir uns nur **wegen des** Geburtstags treffen.*

*Ich habe schon immer gewusst, dass du **trotz des** Chemiestudiums in deinem tiefsten Inneren ein Künstler bist.*

In der Umgangssprache formuliert man lieber im Dativ.

*Ich mag nicht, dass wir uns nur **wegen meinem** Geburtstag treffen.*
*Ich habe schon immer gewusst, dass du **trotz deinem** Chemiestudium in deinem tiefsten Inneren ein Künstler bist.*

wegen + Genitiv
trotz + Genitiv

▶ Auch die Präpositionen *aus* und *vor* können einen Grund angeben. Sie stehen dann meistens ohne Artikel.
*Viele Ost-Berliner weinten hemmungslos **vor** Freude und fuhren **aus** Neugier mitten in der Nacht mal eben schnell zum Ku'damm.*

§20   Die Adverbien

 Adverbien geben zusätzliche Informationen, z. B. zu Ort oder Zeit. Sie ergänzen den Satz oder einzelne Satzteile. Adverbien dekliniert man nicht.   → § 6

a) Ortsangaben

*Paula Modersohn-Becker verbrachte viel Zeit im Ausland und fuhr oft nach Paris, um **dort** künstlerisch zu arbeiten.*

*Ich finde, die Frau **oben links** mit dem blonden langen Haar sieht sympathisch aus.*

*Na ja, es geht so. Die Frau **daneben** gefällt mir besser.*

Wissen Sie, wo die Stadtpfarrkirche ist?

*Die ist **ganz in der Nähe**. Sehen Sie die Kirche **dort hinten links**? Das ist die Stadtpfarrkirche.*

b) Zeitangaben

*Man kann sterben. Doch die Welt hat man **einst** mitgebaut.*
*Deshalb konnten wir uns auch **damals** eine Eigentumswohnung kaufen.*
*Ich habe einen Freund, den ich mal **vor Jahren** im Urlaub auf einer Bergtour kennen gelernt habe.*
***Einmal** sind wir sogar zusammen nach Deutschland geflogen.*
*Roman hat mir **neulich** erzählt, dass er sich bis über beide Ohren verliebt hat.*
*Ich will **in Zukunft** mehr auf die Einzelheiten hören.*
*Wie will er denn **später** mit einer Rente seinen jetzigen Lebensstandard finanzieren?*

*Ich kann mir nicht mehr vorstellen, da **mal** gewohnt zu haben.*
*Irgendwo gibt es den einen Menschen, der wirklich zu mir passt, **irgendwann** treffen sich unsere Blicke und es macht „klick".*

***Seitdem** hat sie aufgehört, mir Sachen für die Wohnung zu schenken.*
***Bis heute** haben die beiden Frankfurter von dem Hausbesitzer und „Partner" keine Antwort bekommen.*
***Früher** war ich so verrückt sauber zu machen, bevor sie zu Besuch gekommen sind, aber **inzwischen** kommen sie fast nie mehr in meine Wohnung.*
*Sich erinnern bedeutet immer, die Vergangenheit anzuschauen und sie **gleichzeitig** zu bewerten.*

Zeitangaben sind nicht immer Adverbien:

***Vier Tage** zusammen da oben in den Bergen – das verbindet zwei Menschen.*
*Wir haben dort **ein paar Wochen** Urlaub gemacht.*
*Deutsch und ich, wir kennen uns **seit zehn Jahren**.*

früher	damals			gestern	heute	jetzt	gleich		morgen	
einst	*vor Jahren*	*einmal*	*neulich*						*in Zukunft*	*später*

←――――――――――――――― *mal* ――― *irgendwann* ―――――――――――――→

zuerst	*dann*	*seitdem*	***bis heute***	*inzwischen*	*gleichzeitig*

Wie lange?		***vier Tage***	***ein paar Wochen***	*lang*

Wie lange schon?	***seit zehn Jahren***

c) Häufigkeitsangaben

Ungenaue Angaben:

*Die Nachsilbe hat **fast nie** den Wortakzent.*
***Hin und wieder** passiert es dem Franz auch, dass ihn jemand für ein Mädchen hält.*
*Die Ärzte haben ihr **immer wieder** Beruhigungsmittel und Schlaftabletten verschrieben, aber sie will keine Tabletten mehr nehmen.*
*in Mode kommen – **immer öfter** auftauchen*
*Bei Wörtern mit Vorsilben ist der Wortakzent **fast immer** auf der Vorsilbe.*

nie	selten		manchmal		oft	meistens	immer
fast nie	**hin und wieder**		**immer wieder**	**immer öfter**		**fast immer**	

Genaue Angaben:

***Zweimal** fuhr ich mit einer Luxuslimousine aus, **dreimal** bestellte ich mir Bauchtänzerinnen.*

*Putzfrau **einmal** in der Woche.*   *Keine Putzfrau, putzt **einmal** die Woche.*
*Ich sehe meine Eltern ungefähr **zweimal** die Woche.*

*Geputzt wird **einmal** im Monat.*
*Frauen sind **drei- bis viermal** so oft betroffen **wie** Männer.*
*Bei **einer** Massage **pro** Woche dauert es ungefähr sechs Monate, bis sich ein Erfolg einstellt.*
*Eine Haushaltshilfe kommt **alle** zwei Tage.*

d) Andere Angaben

*Die Speisen und Getränke schmecken **übrigens** auch heute noch teuflisch gut!*
*Einer der bekanntesten deutschen Komponisten **überhaupt** lebte im 18. Jahrhundert: Johann Sebastian Bach.*
*„Die beiden Frauen sehen sich sehr ähnlich." – „Das finde ich **überhaupt nicht**. Armin und Rolf sehen sich viel ähnlicher."*

***Außerdem** war mein Vater viel auf See.*
***Natürlich** kann man hier auch eine Reise beginnen und den Luxus eines modernen Bahnhofs genießen.*
***Allerdings** sollte niemand erwarten, dass es ihm sofort besser geht.*

*Aber die jungen Leute wollen ja **unbedingt** in der Stadt wohnen, koste es, was es wolle.*
*„Wann machst du Urlaub?" – „Wann ich Urlaub mache? … **Wahrscheinlich** erst nächstes Jahr."*
*Die FDP wird den Einzug in den Bundestag **vermutlich** nicht schaffen.*
*Wie ist das Wetter in Mitteleuropa **normalerweise**?*

§21   Die Modalpartikeln

NGRAM 1   Modalpartikeln setzen subjektive Akzente.

Die Wohnung ist günstig. „neutrale" Aussage
*Die Wohnung ist **aber** günstig.* Überraschung, Verwunderung
*Ist die Wohnung **denn** auch günstig?* interessierte, aber auch vorsichtige Frage
*Die Wohnung ist **doch** günstig!* Man erwartet eine positive Antwort.

*Rolf trifft seine Eltern **höchstens** einmal im Monat, weil er wenig Zeit hat.* mehr sicher nicht; vielleicht auch weniger oft

*Außerdem war mein Vater viel auf See – so war **wenigstens** ich bei meiner Mutter.* „Das war besser als gar nichts."
*Trotzdem besuchen wir sie manchmal. Sie ist ja **schließlich** unsere Tochter.* „trotz allem, was uns nicht gefällt"
*Wir hatten **eigentlich** gehofft, ihn überreden zu können, dort einzuziehen – aber er wollte nicht.* Das war die Absicht, aber es kam anders.
*Die Speisen und Getränke schmecken übrigens auch heute **noch** teuflisch gut!* Das hat sich nicht verändert.
*Den üblichen Fragen zur Person folgen dann unter anderem folgende **ebenfalls** bemerkenswerte Fragen:* auch

*Unserer Mutter ist es **jedenfalls** gelungen, dass wir Sommergäste nie störend fanden.* „Ich kann oder will jetzt nicht genau erzählen, wie sie das gemacht hat."
***Besonders** spannend ist es hier ja wirklich nicht.* mehr als normal

TANGRAM1   Konjunktionen verbinden Sätze oder Satzteile.

Alle Objekte, die mir angeboten wurden	*, waren* **entweder** *zu teuer, zu weit draußen* **oder** *irgendwie scheußlich.*	= eine der Möglichkeiten
Bei Europäern habe ich manchmal das Gefühl, sie sind am Bahnhof geboren.	*Sie wissen* **nicht nur** *das Datum,* **sondern** *sogar die genaue Uhrzeit ihrer Geburt.*	= Zusatz (betont)
Rolf hat wenig Zeit.	**Deshalb** *trifft er seine Eltern nur einmal im Monat.*	= Grund
Geschäftsleute haben immer ein Handy dabei	*, man kann sie* **also** *jederzeit telefonisch erreichen.*	= Folge
Die Redaktions-PCs sind online mit den großen Nachrichten-Agenturen verbunden	*,* **so dass** *hier täglich Hunderte von Meldungen einlaufen.*	= Folge
Die insgesamt 20 Auslandsstudios sind **so** *verteilt*	*,* **dass** *unsere Leute schnell überall hinkommen können.*	= Folge
Da *ich annehme, dass Sie mich als treuen Kunden nicht verlieren wollen*	*, hoffe ich sehr, dass Sie Ihren Service in nächster Zeit verbessern.*	= Grund
Er kommt pünktlich zur Arbeit	*,* **denn** *er hat einen Parkplatz in der Nähe des Büros gefunden.*	= Grund
Nachmittags checkt er noch einmal seine E-Mails	*, er erwartet* **nämlich** *eine Nachricht von einem wichtigen Kunden.*	= Grund
Die Wohnung hat einfach keinen Stil.	**Trotzdem** *fühlt Rolf sich dort wohl.*	= „Gegengrund", unerwartete Folge
Können Sie mir sagen	*,* **wann** *Sie ankommen?*	= Indirekte Frage: Zeit
Meine Frau fragte gerade,	*,* **ob** *es auch Hotels mit Swimming-Pool gibt.*	= Indirekte Frage: ja / nein
Essen oder trinken Sie nicht	*,* **während** *Sie am Computer arbeiten.*	= Zeit, gleichzeitig
Wenn *du kommst*	*, gehen wir essen.*	= Zeit, Zukunft
Immer wenn *wir nach Hause kamen*	*, duftete es im ganzen Haus.*	= Zeit, Wiederholung in der Vergangenheit
Schon **als** *ich das erste Mal in die Klasse kam*	*, habe ich mich in sie verliebt.*	= Zeit, einmal in der Vergangenheit
Sie machte eine Ausbildung als Lehrerin	*,* **bevor** *sie an der Kunstakademie studierte.*	= Zeit, vorher
Ich bin am Kontrollpunkt geblieben,	*,* **bis** *es Morgen wurde.*	= Zeit, Ende
Unbeschreibliche Szenen spielten sich ab	*,* **nachdem** *man die Grenze geöffnet hatte.*	= Zeit, nachher
Seit *er arbeitslos ist*	*, hängt er nur noch zu Hause rum.*	= Zeit, Anfang
Martin verließ Freitagabend sein Büro	*,* **um** *aufs Land hinauszufahren.*	= Ziel, Absicht
In meinem Reisepass steht ein Datum	*,* **damit** *die Deutschen nicht meinen, dass ich noch nicht geboren bin.*	= Ziel, Absicht
Zahlreiche Firmen und Versandhäuser haben ganz auf Verpackungen verzichtet	*,* **(an)statt** *die Verpackungen größer, aufwendiger und schöner* **zu** *machen.*	= verneinte Alternative
Ich lebe seit 1960 in Deutschland	*,* **ohne** *schlechte Erfahrungen gemacht* **zu** *haben.*	= verneinte Parallel-Handlung

Die Wortbildung

§23 **Komposita**

Nomen + Nomen	Adjektiv + Nomen	Adverb/Partikel + Nomen	Verb + Nomen
↰ *das Hotel + der Manager* ↳ **der Hotelmanager**	↰ *tief + die Garage* ↳ **die Tiefgarage**	↰ *selbst + die Auskunft* ↳ **die Selbstauskunft**	↰ *wohnen + das Zimmer* ↳ **das Wohnzimmer**
↰ *die Stellen (Pl) + das Angebot* ↳ **das Stellenangebot**		↰ *nicht + der Raucher* ↳ **der Nichtraucher**	↰ *parken + die Möglichkeit* ↳ **die Parkmöglichkeit**
↰ *der Fußball + die Mannschaft* ↳ **die Fußballmannschaft**			↰ *wohnen + die Gemeinschaft* ↳ **die Wohngemeinschaft**
↰ *der Zweck + die Gemeinschaft* ↳ **die Zweckgemeinschaft**			

Nomen + Adjektiv	Adjektiv + Adjektiv	Nomen + Verb
↰ *die Umwelt + freundlich* ↳ umwelt**freundlich**	↰ *sozial + demokratisch* ↳ sozial**demokratisch**	↰ *das Maß + schneidern* ↳ maß**geschneidert**
		↰ *die Natur + verbinden* ↳ natur**verbunden**

Komposita mit Fugen-s: Nomen + s + Nomen

↰ *die Geburt + s + der Tag* ↳ der Geburt**s**tag	↰ *die Wohnung + s + die Einrichtung* ↳ die Wohnung**s**einrichtung	↰ *das Gespräch + s + der Partner* ↳ der Gespräch**s**partner
↰ *die Bereitschaft + s + der Dienst* ↳ der Bereitschaft**s**dienst	↰ *die Gemeinschaft + s + der Raum* ↳ der Gemeinschaft**s**raum	

Komposita aus drei oder mehr Einzelwörtern

mehr + der Wert + die Steuer	➡ **die Mehrwertsteuer**	(Adverb + Nomen + Nomen)
die Welt + die Bevölkerung + die Prognose	➡ **die Weltbevölkerungsprognose**	(Nomen + Nomen + s + Nomen)
die Nuss + der Baum + der Schrank + die Wand	➡ **die Nussbaumschrankwand**	(4 Nomen)

NGRAM1 Das Grundwort steht am Ende und bestimmt den Artikel. Das Bestimmungswort am Anfang hat den Wortakzent.

▶ Keine Komposita: – wenn „falsche" Doppelvokale oder Diphthonge entstehen:

~~der Kameraassistent~~ → der Kamera-Assistent

~~das Goetheinstitut~~ → das Goethe-Institut

– mit Abkürzungen:

~~der ISDNanschluss~~ → der ISDN-Anschluss

§24 **Vorsilben und Nachsilben**

NGRAM1 Mit Vor- und Nachsilben kann man neue Wörter bilden.

a) **Die Wortbildung mit Nachsilben**

-isch, -lich, -ig für Adjektive

energisch, telefonisch, italienisch …
beruflich, herzlich, stündlich, persönlich …
geduldig, ruhig, traurig, vernünftig …

-los, -frei, -arm, -voll, -reich für Adjektive

Die Zusätze *-los* und *-frei* bedeuten beide „ohne". Sie können aber nicht beliebig ausgetauscht werden. So heißt es z. B. *fantasielos*, aber *rezeptfrei*:

arbeitslos, herzlos, sprachlos ...
alkoholfrei, niederschlagsfrei ...

Der Zusatz *-arm* bedeutet „mit wenig".
fantasiearm, kontaktarm

Der Zusatz *-voll* bedeutet „mit viel", der Zusatz; *-reich* bedeutet „mit viel/groß":
wertvoll, liebevoll, sinnvoll ...
erfolgreich, umfangreich ...

Manchmal gibt es kleine Veränderungen beim Nomen: Ein **e** am Ende fällt weg: *Sprache – sprachlos, Hilfe – hilfreich;* man nimmt die Pluralform: *Grenze – grenzenlos, Gebühr – gebührenfrei;* man ergänzt ein **s**: *Rücksicht – rücksichtslos, Tradition – traditionsreich.*

-in für weibliche Berufe und Nationalitäten

der Makler -– die Maklerin, der Vermieter – die Vermieterin, der Optiker – die Optikerin

-heit, -ung, -keit, -tät, -ion, -ie, -ei für Nomen

Nomen mit diesen Endungen sind immer feminin. Der Plural wird mit *-(e)n* gebildet. (Aber: Nicht alle Nomen haben einen Plural, z. B. ~~die Offenheiten, die Ehrlichkeiten.~~)

die Offenheit, die Zufriedenheit, die Persönlichkeit, die Ehrlichkeit, die Aktivität, die Sensibilität, die Kaution, die Infektion, die Biografie, die Fotografie, die Bäckerei, die Wäscherei, die Konditorei, die Freundschaft, die Mannschaft, die Wissenschaft ...

Nomen mit der Endung *-schaft* bezeichnen ein Verhältnis, in dem Menschen zueinander stehen, z. B. *Bekanntschaft*, oder eine Gruppe, z. B. *Gemeinschaft*.

b) **Die Wortbildung mit Vorsilben**

un- als Negation

*ordentlich – **un**ordentlich*   *(= nicht ordentlich)*
*anständig – **un**anständig*   *(= nicht anständig)*

Ge-, Be-, Ver-, Er- für Nomen (mit Verbstamm)

*der **Ge**danke, das **Ge**spräch, das **Ge**sicht, die **Be**sichtigung, die **Be**sprechung, der **Be**such, das **Ver**sprechen, das **Ver**halten, die **Ver**suchung, der **Er**zähler*

Textgrammatische Strukturen

§25 Die Negation

 NGRAM 1 Man kann Sätze oder Satzteile negieren. Wichtige Negationswörter sind *nicht, kein* und *nein*. Eine positive Frage beantwortet man mit *ja* oder *nein*, eine negative Frage mit *doch* oder *nein*.

Ich finde Rolfs Wohnung sehr schön. Sie ist hell und groß.   *Nein, das ist mir alles zu kühl und zu nüchtern.*

In seiner Wohnung gibt es überhaupt nichts Gemütliches.   *Mir gefällt das auch **nicht**. Ich finde die Wohnung von Ute am schönsten, weil …*

*Es muss ja gar **kein** Schloss sein, es muss auch **nicht** sehr groß sein   , eine Villa wär' **nicht** schlecht, doch mir sind auch zwei Zimmer recht.*

Lebst du weiter getrennt von deinem Mann? → ***Ja**, inzwischen sind wir auch geschieden.*
↘ ***Nein**, wir sind wieder zusammen.*

Bist du nicht geschieden? → ***Doch**, seit zwei Jahren.*
↘ ***Nein**, wir haben es noch einmal versucht.*

Weitere Negationswörter: nichts, nie, niemand,

*„Wer **nichts** weiß, der muss alles glauben." (Marie von Ebner-Eschenbach)*
*Wolltest du mir nicht noch was erzählen?   Ich weiß nicht mehr – das war sicher **nichts** Wichtiges.*

*Wir fanden die Sommergäste **nie** störend, im Gegenteil: Wir haben uns immer auf sie gefreut.*

Es war eine Stimmung wie auf einem Volksfest, eine Stadt lag sich in den Armen. Hier zeigte sich:
***Niemand** hatte sich wirklich mit der Mauer abgefunden.*

§26 Referenzwörter

NGRAM 1 Mit Referenzwörtern kann man Namen und Nomen kurz und bequem ersetzen.

a) **Personalpronomen** stehen für Namen und Personen .

*Rolf hatten wir hier ganz in der Nähe auch eine Wohnung gekauft: 40 Quadratmeter mit separater Küche. Wir hatten eigentlich gehofft, **ihn** überreden zu können, dort einzuziehen – aber **er** wollte nicht.*

*Mit 15 oder 16 hatte Ute eine ganz wilde Phase. **Sie** war wie ein Rennpferd. Es war unmöglich, **sie** zu stoppen.*

*Ihr Bruder leidet an Hexenschuss. Die Ärzte geben **ihm** Spritzen, dann geht es eine Zeit lang besser. Und dann passiert es wieder: **Er** kann sich nicht mehr bewegen.*

*Ihre Nachbarin hat regelmäßig Migräne. **Sie** war schon bei vielen Ärzten, aber niemand konnte **ihr** helfen.*

b) **Bestimmte Pronomen** und **unbestimmte Pronomen** stehen für Nomen .

1 **Demonstrativpronomen** stehen für ein Nomen .

So viele Leute,	*Meinst du etwa **die** da?*
auf die ich mich schon freute	***Die** ist ja ganz schön bieder.*
Verwandte, Bekannte,	*Ich glaub, **die** war noch nie da*
'ne alte Tante , die niemand kannte …	*und kommt wohl auch nie wieder.*

2   Reflexivpronomen zeigen zurück auf das Subjekt des Satzes.   → § 7 i + 16 a

*Ich freue **mich** auf deine Post.*

*Möchtest du **dich** auch endlich mal wieder so richtig verlieben?* fall in love

*An schlechten Tagen erinnert man **sich** vor allem an negative Dinge.*

*Wenn wir **uns** treffen, brauchen wir doch keinen Grund.*

*Meldet **euch** ganz schnell unter Chiffre 7712.*

*Wie haben **sich** Ihre Eltern kennen gelernt?*

*Sehen Sie **sich** die Prospekte an und sortieren Sie die Informationen.*

*Hast du **dir** eigentlich schon das Buch von Ute Ehrhardt gekauft?*

*Ja, das hab' ich schon. Ach, eigentlich wünsche ich **mir** nichts Besonderes.*

3   Relativpronomen beziehen sich auf einen Satzteil im Hauptsatz.   → § 5 b) 4

*Sie sagen einem Freund , **den** Sie schon sehr lange kennen, dass Sie seine Verlobte nicht mögen.*

*Sie bedanken sich herzlich für ein Geschenk , **das** Ihnen überhaupt nicht gefällt.*

*Sie zeigen einem Freund ein Foto von früher, auf **dem** seine Frau einen anderen küsst.*

▶ Wenn es im Hauptsatz nur ein allgemeines Bezugswort gibt, wie *alles, nichts, etwas* oder *das*, dann beginnt der Relativsatz oft mit *was*:

*Beim Zuhören ist alles , **was** man hört, gleich wichtig.*

*Wenn man etwas beschreiben will, **was** schon vorher passiert ist, dann benutzt man das Plusquamperfekt.*

*Du bekommst meistens das , **was** du selber bist.*

▶ Relativsätze zu Ortsbezeichnungen oder Länder- und Städtenamen beginnen oft mit *wo*:

*„Ich komme nach Leipzig, an einen Ort , **wo** man die ganze Welt im Kleinen sehen kann." (Lessing)*

*Können Sie sich an eine Stelle in Tangram erinnern, **wo** Sie so gelernt haben?*

*Da hinten rechts, gleich neben dem Aufzug , **wo** das Schild „Frühstücksraum" steht.*

c)   D-Wörter stehen für Satzteile und Sätze .

*Trotzdem fühle ich mich in der Wohnung meiner Eltern wohl. Weil sie **da** wohnen.*

*Und im hohen Alter noch mal umziehen zu müssen – **das** ist doch bitter.*   change/move

*Wir mussten nach dem Tod der Mutter wieder Fuß fassen , und unser Vater hat uns **dabei** sehr geholfen.*

*Faust verkauft dem Teufel Mephisto seine Seele und bekommt **dafür** besondere Fähigkeiten.*

*„Eigentlich war ein glücklicher Zufall der Grund **dafür**, dass ich mit dem Schreiben von Kinder- und Jugendliteratur begann .*

*Fehlt im Toto dir ein Gewinn , geh nur zu Tante Hedwig hin. Sie sagt dir ganz sicher, wann man **damit** rechnen kann.*

*Wir Kinder erinnern uns noch genau **daran**: Im Juli / August wurden die Schlafzimmer für die „Gäste" geräumt .*

*… ein Zimmer braucht es nur zu haben, **dazu** ein Bad und ein WC.*

*„1970 bekam ich den Auftrag, die Bilder für ein Kinderbuch zu malen." Was Christine Nöstlinger damals nicht wusste: Sie musste auch den Text **dazu** selber schreiben.*

Pronominaladverbien   → § 16 f

§27 Kurze Sätze → § 2

In Dialogen gibt es oft kurze Sätze, auch allein stehende Nebensätze.

Wo würden Sie gern wohnen?	**Am liebsten auf dem Land. Und Sie?**
Wie hoch sind die Nebenkosten?	**180 Euro pro Monat.**
Wie hoch ist die Kaution?	**Zwei Monatsmieten.**
Ab wann ist die Wohnung denn frei?	**Ab sofort.**
Wann bist du in die Schule gekommen?	**Mit sechs, das war 1965.**
Woran können Sie sich besonders gut erinnern?	**An meinen ersten Schultag.**
Warum möchtest du lieber auf dem Land leben?	**Weil ich die Natur liebe.**
Wozu besuchst du einen Tanzkurs?	**Um neue Leute kennen zu lernen.**

Mit einer **Echofrage** kann man feststellen, ob man eine Frage richtig verstanden hat, oder Zeit gewinnen, um über die Antwort nachzudenken.

Kannst du mir beim Umzug helfen?	**Ob ich dir beim Umzug helfen kann?** *Das kommt darauf an.*
Was möchten Sie trinken?	**Was ich trinken möchte?** *Ein Bier ... nein, lieber einen Rotwein, bitte.*
Wann machst du Urlaub?	**Wann ich Urlaub mache?** *... Wahrscheinlich erst nächstes Jahr."*

Starke und unregelmäßige Verben

anfangen	du fängst an, sie/er/es fängt an
	fing an, hat angefangen
anschwellen	du schwillst an, sie/er/es schwillt an
	schwoll an, ist angeschwollen
anwenden	du wendest an, sie/er/es wendet an
	wandte an, hat angewandt
backen	du bäckst, sie/er/es bäckt
	buk, hat gebacken
beginnen	begann, hat begonnen
beschwören	beschwor, hat beschworen
betrügen	betrog, hat betrogen
beweisen	bewies, hat bewiesen
bewerben	+ sich du bewirbst, sie/er/es bewirbt
	bewarb, hat beworben
biegen	bog, hat/ist gebogen
bieten	bot, hat geboten
binden	band, hat gebunden
bitten	bat, hat gebeten
bleiben	blieb, ist geblieben
braten	du brätst, sie/er/es brät
	briet, hat gebraten
brennen	brannte, hat gebrannt
bringen	brachte, hat gebracht
denken	dachte, hat gedacht
dürfen	ich darf, du darfst, sie/er/es darf
	durfte, hat gedurft
empfangen	du empfängst, sie/er/es empfängt
	empfing, hat empfangen
empfehlen	du empfiehlst, sie/er/es empfiehlt
	empfahl, hat empfohlen
empfinden	empfand, hat empfunden
entscheiden	+ sich du entscheidest dich, sie/er/es
	entscheidet sich
	entschied, hat entschieden
erschrecken	du erschrickst, sie/er/es erschrickt
	erschrak, ist erschrocken
essen	du isst, sie/er/es isst
	aß, hat gegessen
fahren	du fährst, sie/er/es fährt
	fuhr, ist/hat gefahren
fallen	du fällst, sie/er/es fällt
	fiel, ist gefallen
fangen	du fängst, sie/er/es fängt
	fing, hat gefangen
finden	fand, hat gefunden
fliegen	flog, hat/ist geflogen
fliehen	floh, ist geflohen
fließen	floss, ist geflossen
frieren	fror, hat gefroren
geben	du gibst, sie/er/es gibt
	gab, hat gegeben
gedeihen	gedieh, ist gediehen
gehen	ging, ist gegangen
gelingen	gelang, ist gelungen

gelten	du giltst, sie/er/es gilt
	galt, hat gegolten
genießen	genoss, hat genossen
geschehen	es geschieht
	geschah, ist geschehen
gewinnen	gewann, hat gewonnen
gleichen	glich, hat geglichen
greifen	griff, hat gegriffen
haben	du hast, sie/er/es hat, ihr habt
	hatte, hat gehabt
halten	du hältst, sie/er/es hält
	hielt, hat gehalten
hängen	hing, hat gehangen
heben	hob, hat gehoben
heißen	hieß, hat geheißen
helfen	du hilfst, sie/er/es hilft
	half, hat geholfen
kennen	kannte, hat gekannt
klingen	klang, hat geklungen
kommen	kam, ist gekommen
kriechen	kroch, ist gekrochen
laden	du lädst, sie/er/es lädt
	lud, hat geladen
lassen	ließ, hat gelassen
laufen	du läufst, sie/er/es läuft
	lief, ist gelaufen
leiden	litt, hat gelitten
leihen	lieh, hat geliehen
lesen	du liest, sie/er/es liest
	las, hat gelesen
liegen	lag, hat gelegen
lügen	log, hat gelogen
mögen	ich mag, du magst, sie/er/es mag
	mochte, hat gemocht
nachweisen	du weist nach, wies nach,
	hat nachgewiesen
nehmen	du nimmst, sie/er/es nimmt
	nahm, hat genommen
nennen	nannte, hat genannt
pfeifen	pfiff, hat gepfiffen
raten	du rätst, sie/er/es rät
	riet, hat geraten
reiben	rieb, hat gerieben
reißen	riss, hat/ist gerissen
reiten	ritt, ist geritten
riechen	roch, hat gerochen
rufen	rief, hat gerufen
saufen	du säufst, sie/er/es säuft
	soff, hat gesoffen
scheiden	schied, hat geschieden
scheinen	erschien, ist erschienen
schieben	schob, hat geschoben
schlafen	du schläfst, sie/er/es schläft
	schlief, hat geschlafen

schlagen	du schlägst, sie/er/es schlägt	treffen	du triffst, sie/er/es trifft
	schlug, hat geschlagen		traf, hat getroffen
schließen	schloss, hat geschlossen	treiben	trieb, hat/ist getrieben
schmeißen	schmiss, hat geschmissen	treten	du trittst, sie/er/es tritt
schmelzen	du schmilzt, sie/er/es schmilzt		trat, hat getreten
	schmolz, ist geschmolzen	trinken	trank, hat getrunken
schneiden	du schneidest, sie/er/es schneidet	tun	tat, hat getan
	schnitt, hat geschnitten	überwinden	überwand, hat überwunden
schreiben	schrieb, hat geschrieben	umgraben	du gräbst um, sie/er/es gräbt um
schreien	schrie, hat geschrien		grub um, hat umgegraben
schreiten	schritt, ist geschritten	verbergen	du verbirgst, sie/er/es verbirgt
schwellen	du schwillst, sie/er/es schwillt		verbarg, hat verborgen
	schwoll, ist geschwollen	verbieten	verbot, hat verboten
schwimmen	schwamm, hat/ist geschwommen	verderben	du verdirbst, sie/er/es verdirbt
sehen	du siehst, sie/er/es sieht		verdarb, hat verdorben
	sah, hat gesehen	vergessen	du vergisst, sie/er/es vergisst
sein	ich bin, du bist, sie/er/es ist, wir sind,		vergaß, hat vergessen
	ihr seid, sie sind	verlieren	verlor, hat verloren
	war, ist gewesen	vermeiden	vermied, hat vermieden
singen	sang, hat gesungen	verschlingen	verschlang, hat verschlungen
sinken	sank, ist gesunken	verschmelzen	du verschmilzt, sie/er/es verschmilzt
sitzen	saß, hat gesessen		verschmolz, ist verschmolzen
spinnen	spann, hat gesponnen	verzeihen	verzieh, hat verziehen
sprechen	du sprichst, sie/er/es spricht	wachsen	du wächst, sie/er/es wächst
	sprach, hat gesprochen		wuchs, ist gewachsen
springen	sprang, ist gesprungen	waschen	du wäschst, sie/er/es wäscht
stechen	du stichst, sie/er/es sticht		wusch, hat gewaschen
	stach, hat gestochen	weisen	wies, hat gewiesen
stehen	stand, hat gestanden	wenden	wandte, hat gewandt
steigen	stieg, ist gestiegen	werden	du wirst, sie/er/es wird
sterben	du stirbst, sie/er/es stirbt		wurde, ist geworden
	starb, ist gestorben	werfen	du wirfst, sie/er/es wirft
stinken	stank, hat gestunken		warf, hat geworfen
stoßen	du stößt, sie/er/es stößt	wiegen	wog, hat gewogen
	stieß, hat gestoßen	wissen	ich weiß, du weißt, sie/er/es weiß
streichen	strich, hat gestrichen		wusste, hat gewusst
streiten	stritt, hat gestritten	zerrinnen	zerrann, ist zerronnen
tragen	du trägst, sie/er/es trägt	ziehen	zog, hat/ist gezogen
	trug, hat getragen		

Arbeitsbuch
Lektion 7–12

Wünsche und Träume

A

Auf zu neuen Ufern!

A 1 **Warum gehen Leute in ein anderes Land? Sprechen Sie über die Bilder und Anzeigen.**

Familie in Genf sucht per Sept. 2000–Juni 2001 sportliches, aufgeschlossenes und vielseitig interessiertes

Au-pair-Mädchen

mit Führerschein zur Mithilfe im Haushalt und bei der Kinderbetreuung. Schriftliche Bewerbung mit Lebenslauf und Bild an
ZE 9092 DIE ZEIT, 20079 Hamburg

Sammeln Sie weitere Gründe und schreiben Sie.

Viele Leute gehen in ein anderes Land,
Andere wollen Land und Leute kennen lernen / ...,
Viele hoffen / versuchen ...,

weil ihr Partner dort lebt / ...
deshalb ...
ihre Chancen im Beruf zu verbessern / ...

A 2 **Lesen Sie zuerst die Aufgaben und dann den Text. Markieren Sie.**

1 Wenn man ins Ausland geht,
　 a) ist es wichtig, weit weg zu gehen.
　 ☒ b) spielt die Entfernung keine Rolle.
　 c) sollte man nicht nach Goa gehen.

2 Wer ins Ausland geht,
　 a) hat weniger Chancen im Beruf.
　 ☒ b) hat berufliche Vorteile.
　 c) hat viele Probleme.

3 Die HypoVereinsbank
　 a) will nur Leute, die einen Sprachkurs in Italien gemacht haben.
　 b) stellt nur Personen ein, die gut Englisch sprechen.
　 ☒ c) nimmt lieber Personen, die schon mal im Ausland waren.

4 Im Ausland
　 ☒ a) sammelt man Erfahrungen über sich selbst.
　 b) sollte man sich erst einmal an den Strand legen.
　 c) sollte man Bücher über andere Kulturen lesen.

Ein Jahr ins Ausland –
Was bringt's?

Ins Ausland gehen, um für einige Zeit ganz anders zu leben und zu arbeiten, gibt einem die Chance, sich auszuprobieren, sich in einer neuen Umgebung zu erleben, Spaß zu haben und auch mit ungewohntem Stress klarzukommen. Neugier, Abenteuerlust, persönliche Weiterentwicklung – alles gute Gründe loszuziehen. Dabei ist es ziemlich unwichtig, wie viele Kilometer man zurücklegt. Hauptsache, Ausland. Und:

Hauptsache, man ist offen für das Neue, das Ungewohnte, das Fremde.

Denn Erfahrungen im Ausland sind ja heute nicht nur in den Lebensläufen von Karrierefrauen und -männern ein Muss. In immer mehr Firmen wird Arbeit inzwischen global verteilt; wer dann die Welt schon kennt, zieht leichter einen Joker. Bekennende Nesthocker hingegen haben oft nur schlechte Karten.

„Heute verändert sich die Arbeitswelt sehr schnell. Tätigkeiten in einem Unternehmen verschwinden, dafür werden andere neu geschaffen.", sagt Dr. Isa M., Abteilungsleiterin beim Personalvorstand der HypoVereinsbank. „Also müssen wir schon bei der Einstellung schauen, wo die Bewerberinnen später vielleicht sonst noch eingesetzt werden können." Und da ist es natürlich von Vorteil, wenn sich eine Sekretärin mal bei einer Firma in England durchgebissen und womöglich einen Sprachkurs in Italien gemacht hat.

Karin S., Referatsleiterin bei der Bundesanstalt für Arbeit, nennt noch einen Vorteil nach Auslandsaufenthalten: „Viel wichtiger als das von dort mitgebrachte Wissen ist die Signalwirkung, die davon ausgeht: Die ist beweglich. Die hat sich umgeschaut." Soll heißen: Wer länger im Ausland war, lässt allein dadurch schon eine Persönlichkeitsstruktur erkennen, die in weltweit tätigen Firmen immer stärker gefragt ist. „Gerade bei Führungskräften achten wir darauf," konkretisiert Isa M., „wie sie andere Kulturen wahrnehmen und mit ihnen umgehen können. Außerdem sind Erfahrungen im persönlichen ‚Chaos-Management' immer gut."

Aber wenn es jemand in die Ferne zieht, sollte er zumindest ein Ziel vor Augen haben. Isa M.: „Wenn man ein Jahr nach Goa geht und sich dort an den Strand legt, ist das natürlich zu wenig, um später damit beruflich zu glänzen."

- Im letzten Jahr wurden von der Frankfurter Zentralstelle für Arbeitsvermittlung (ZfA) über 5 300 Frauen und Männern neue Jobs in aller Welt vermittelt – bei über 100 000 Anfragen.
- Jährlich gehen mehr als 11 000 Schülerinnen und Schüler für 12 Monate ins Ausland.
- Über 12 000 Studentinnen , Studenten und Graduierte pro Jahr lassen sich Studien- und Forschungsaufenthalte über den Deutschen Akademischen Austauschdienst (DAAD) vermitteln.
- Und für rund 300 000 Mädchen und Jungen aus Deutschland förderte das Familienministerium im Jahr 1996 einen kürzeren oder längeren Aufenthalt jenseits der Grenzen.

A 3

Was passt zusammen?

1 ein Muss sein	f	a) im Beruf erfolgreich sein
2 einen Joker ziehen		b) ins Ausland gehen
3 Nesthocker sein		c) weniger Chancen haben
4 schlechte Karten haben		d) Glück haben
5 sich durchbeißen		e) am liebsten zu Hause bleiben
6 in die Ferne ziehen		f) eine notwendige Voraussetzung sein
7 beruflich glänzen		g) (in einer schwierigen Situation) nicht aufgeben

Erinnern Sie sich?

In Sätzen mit „um ... zu + Infinitiv" können Sie ein Ziel oder eine Absicht ausdrücken: *Ich fahre nach England,* **um** *mein Englisch* **zu verbessern.**

Aufgaben

Wo steht das Subjekt – im Hauptsatz oder im Nebensatz?
Wo steht „zu" bei trennbaren Verben?
Wozu lernen Sie Deutsch? Bilden Sie Sätze mit „um ... zu + Infinitiv".

A 4

Waren Sie oder Freunde/Bekannte/Verwandte von Ihnen bereits im Ausland? Machen Sie Notizen zu folgenden Punkten und berichten Sie.

Land/Wohnort ◆ Dauer ◆ Gründe ◆ Erfahrungen mit der Arbeit/dem Beruf/Freundschaften/ Bekanntschaften ◆ wichtige Erlebnisse ◆ Unterschiede zur eigenen Kultur

A3-A4

B

Heimat

B 1

Lesen Sie die Texte. Welche Assoziationen gibt es zum Begriff „Heimat"? Machen Sie Notizen.

Heimat ist eine Person.
Heimat kann sein, wo ich wohn.
Heimat ist Erinnerung.
Heimat ist immer jung.
Heimat, die meine Sprache spricht.
Heimat gewohntes Licht.
Heimat liegt im Bauch.
Heimat ist ein Brauch.
Heimat macht Geschichte.
Heimat trägt Gewichte.

Anna Thalbach, 26,
Schauspielerin in Berlin

Hei·mat *die; -; nur Sg;* **1** das Land, die Gegend od. der Ort, wo j-d (geboren u.) aufgewachsen ist od. wo j-d e-e sehr lange Zeit gelebt hat u. wo er sich (wie) zu Hause fühlt ⟨seine H. verlieren; (irgendwo) e-e neue H. finden⟩: *Nach zwanzig Jahren kehrten sie in ihre alte H. zurück* ‖ K-: **Heimat-, -dorf, -land, -liebe, -museum, -ort, -stadt 2 die zweite H.** ein fremdes Land, e-e fremde Gegend, ein fremder Ort, wo man sich nach einiger Zeit sehr wohl fühlt: *Sie stammt aus Hamburg, aber inzwischen ist Würzburg zu ihrer zweiten H. geworden* ‖ -K: **Wahl- 3** das Land, die Gegend od. der Ort, wo etw. seinen Ursprung hat: *Australien ist die H. des Kängurus; Die H. der „Commedia dell' arte" ist Italien* ‖ *zu* 1 **hei·mat·los** *Adj*

Heimat = Person, ...

B 2

Ergänzen Sie. Vergleichen Sie dann im Kurs.

Wenn Heimat eine/ein ... wäre, ...

Farbe ◆ Haus ◆ Kleidungsstück ◆ Lebensmittel ◆ Fahrzeug ◆ Person ◆ Tier ◆ Geräusch

Wenn Heimat eine Farbe wäre, welche Farbe wäre sie?
Für mich wäre Heimat die Farbe grün. Ich komme vom Land. Wenn ich an Heimat denke,
dann sehe ich grüne Wiesen und Bäume und denke an den Frühling, wenn alles grün wird.

...

B2-B4

Arbeitsbuch **89**

Lesen Sie die Statistik und den Text. Ergänzen Sie die Statistik.

Distanz zum Land

Heimatgefühle erzeugt bei 89 Prozent der Deutschen nicht ihr Land, sondern ihre nähere Umwelt: der Ort, an dem sie leben (31 %), der Ort, an dem sie geboren sind (27 %), ihre Familie (25 %), ihre Freunde (6 %). Nur elf Prozent der Bürger verbinden Heimat zuerst mit Deutschland.

Wirkt hier noch die Belastung des deutschen Namens durch die Hitler-Zeit? Erschwert die über 40-jährige Teilung in zwei Staaten das Bekenntnis zu einem vereinten Deutschland? Indizien dafür liefern zwei Zahlen: Nur die ultra-rechte Minderheit denkt bei Heimat zuerst an das Vaterland (64 Prozent der Bürger mit Parteipräferenz für die „Republikaner"). Und die wenigsten Stimmen für Deutschland sind offenbar bei DDR-Nostalgikern zu holen (3 Prozent der PDS-Anhänger).

Auffällig ist auch der niedrige Stellenwert des Landes als Heimat bei den Altersgruppen der 18-24-Jährigen und 25-29-Jährigen: 1 Prozent. Bei den über 60-Jährigen sind es 14 Prozent. Und was immer die Bürger als ihre Heimat betrachten: Für 56 Prozent der Deutschen hat der Begriff im Zeitalter der Globalisierung an Bedeutung gewonnen: Nur 25 Prozent geben an, dass ihnen Heimat heute weniger bedeutet als früher.

Was ist Heimat?

Wohnort — Geburtsort — Freunde — Deutschland — Familie

„Was verbinden Sie am ehesten mit dem Begriff Heimat?"

Wie wichtig ist Heimat heute?

„Die Welt wächst im Zeitalter der Globalisierung immer mehr zusammen. Hat Heimat dabei für Sie an Bedeutung eher gewonnen oder eher verloren?"

eher an Bedeutung gewonnen

eher an Bedeutung verloren

weder noch

Quelle: Emnid; 1007 Befragte; Angaben in Prozent; fehlende zu hundert: „keine Angabe"

Was überrascht Sie? Wie ist das in Ihrem Land? Schreiben Sie.

Lesen Sie die Überschrift und die kurzen Informationen bei den Fotos. Raten Sie: Was haben die Frauen gemacht?

Keine Zeit für Heimweh

Drei junge Frauen berichten über ihre Erfahrungen im Ausland

1 Los Angeles
„Bingo, das ist deine Chance"
Helen Sager, 21

2 Wellingborough
„An einer Schule in Deutschland kann mir nichts mehr passieren"
Susanne Gerler, 24

3 New York
„Hier musst du zugreifen, wenn du nicht untergehen willst"
Petra Wesslein, 30

Hören und markieren Sie: richtig oder falsch?

	richtig	falsch

1 Helen Sager ist nach Kalifornien gegangen, um an einer Zeichentrick-Schule zu studieren.

2 Helen fuhr in die USA, ohne zu wissen, ob sie einen Studienplatz erhält. *obtain*

3 Sie kann als Ausländerin in den USA studieren, ohne Studiengebühren bezahlen zu müssen.

4 Ihre Familie unterstützt Helen, damit sie diese einmalige Chance nutzen kann.

5 Helen will in den USA bleiben, um ihre beruflichen Chancen zu verbessern.

6 Susanne Gerler ist nach Wellingborough gegangen, um einen Englischkurs zu besuchen.

7 Sie war sehr allein in Wellingborough, weil es schwer war Leute kennen zu lernen.

8 Ihr Kollege Rick nahm Susanne mit in seinen Social Club, damit sie neue Leute kennen lernen konnte.

9 Sie ist nach England gefahren, ohne ihren Plan vorher mit ihrem Freund zu besprechen.

10 Das Unterrichten fiel ihr nicht schwer, weil die Schüler sehr motiviert waren. *teaching*

11 Petra Wesslein ist mit 20 nach New York gegangen, um dort als Au-pair-Mädchen zu arbeiten.

12 Sie kam dort an, ohne ein Wort Englisch zu können.

13 In der amerikanischen Familie wurde nur Englisch gesprochen, damit Petra die neue Sprache schnell lernt.

14 Petra hat später in einer Bäckerei gearbeitet, um länger in den USA bleiben zu können.

15 Petra will nicht mehr nach Deutschland zurück.

Vergleichen Sie und ergänzen Sie die Regeln.

Hauptsatz, Aussage 1	Nebensatz (Finalsatz) Aussage 2 → *Ziel/Absicht*	Verb(en)
Helen Sager ist nach Los Angeles gegangen,	**um** an einer Zeichentrick-Schule **zu**	studieren.
Ihre Familie unterstützt Helen,	**damit** sie diese einmalige Chance	nutzen kann.

unterschiedliche Subjekte ◆ damit ◆ um … zu + Infinitiv ◆ kein Subjekt

1 Sätze mit _____ und Sätze mit _____ heißen Finalsätze. So kann man ein Ziel oder eine Absicht ausdrücken.

2 Gibt es im Hauptsatz und im Nebensatz _____ , beginnt der Nebensatz mit „damit".

3 In Sätzen mit „um … zu + Infinitiv" steht _____ . Das Subjekt im Hauptsatz gilt auch für den Nebensatz.

4 In Sätzen mit „ohne … zu + Infinitiv" steht auch kein Subjekt. Das Subjekt im Hauptsatz gilt auch für den Nebensatz. Sie drücken eine Handlung aus, die parallel zur Handlung im Hauptsatz verläuft und verneint wird: *Sie kam dort an, **ohne** ein Wort Englisch **zu** können.*

Was zieht die Menschen in die Ferne, was hält sie zu Hause? Sortieren Sie.

~~Abenteuer~~ / Risiko / Herausforderung / ... suchen ◆ ~~Sicherheit im Beruf nicht aufgeben wollen~~ ◆ Freunde / Partner verlieren ◆ neue Erfahrungen sammeln ◆ Familie / Freunde / Verwandte / ... in nächster Umgebung haben ◆ fremde Sprachen und Kulturen kennen lernen ◆ eigene Grenzen erfahren ◆ Geborgenheit / Sicherheit / ... suchen ◆ Distanz zur eigenen Kultur haben ◆ einen anderen Blick auf die eigene Kultur suchen ◆ bessere Chancen im Beruf haben ◆ mit Menschen in anderen Kulturen zusammenarbeiten ◆ Menschen in anderen Ländern helfen ◆ über andere Länder berichten können ◆ Langeweile haben ◆ Heirat / Freundschaft / Partnerschaft ◆ Selbstbewusstsein stärken ◆ seinen eigenen Horizont erweitern ◆ Angst vor der Einsamkeit / dem Alleinsein / dem Neuen / dem Fremden / dem Ungewohnten / ... haben

– zieht die Menschen in die Ferne
  Abenteuer suchen

– hält die Menschen zu Hause
  Sicherheit im Beruf nicht aufgeben wollen

Sammeln Sie weitere Gründe und schreiben Sie.

Mich zieht es in die Ferne, ...
Viele Menschen gehen ins Ausland, ...
Ich bleibe lieber zu Hause, ...
Manche / Viele bleiben lieber zu Hause, ...

um ... zu
damit
weil

Lesen und markieren Sie.

B5

Lesen Sie zuerst die acht Situationen und dann die zehn Anzeigen. In welcher Anzeige finden Sie das, was Sie suchen? Ergänzen Sie den Buchstaben der passenden Anzeige (a–j).
Sie können jede Anzeige nur einmal verwenden. Es ist auch möglich, dass Sie das, was Sie suchen, nicht finden. In diesem Fall schreiben Sie „0".

Situationen

1   Sie suchen ein Buch für eine Freundin, die gerne kocht.

2   Sie möchten für ein Jahr im deutschsprachigen Ausland arbeiten, am liebsten mit Kindern.

3   Ihre Tochter möchte ein Jahr in Italien zur Schule gehen. Sie suchen Tipps und Informationen.

4   Sie interessieren sich für die Geschichte und Probleme binationaler Ehepaare.

5   Die elfjährige Tochter Ihrer Freunde ist schlecht in Englisch und braucht deshalb noch Unterricht außerhalb der Schule.

6   Sie möchten, dass Ihr Sohn reiten lernt.

7   Sie möchten Ihr Englisch auffrischen und suchen einen passenden Kurs.

8   Sie möchten dieses Jahr in Ägypten Urlaub machen. Sie suchen Informationen.

Kunterbunt

KUNTERBUNTER MARKT

a) **Fremdsprachen-Korrespondentin** erteilt Schülern € 14,–/45 Min. Engl.-Unterr. sowie Erw. Business-Engl. € 18,–/45 Min.
Tel.: 069/77 21 31

b) **Ägypten** ab 350,–
Super-Sonderangebote in den Sommerferien.
Fordern Sie noch heute die ausführlichen Programme beim

Reisesevice

Ihrer lokalen Heimatzeitung an.
Tel.: 069/36 66 66 oder
Fax: 069/36 55 11

c) Buchtipps:
Wenn Sie Lust auf arabische Küche haben oder sich mit ihr vertraut machen wollen – es gibt zwei tolle neue Kochbücher: „Rezepte aus der Kasbah" von Kitty Morse mit wunderschönen Fotos (24,00 Euro). Und „Arabische Rezepte rund ums Mittelmeer" von Claudia Roden (29,90 Euro).

d) Familie in Stuttgart sucht per Sept. 2000 bis Juni 2001 sportliches, aufgeschlossenes und vielseitig interessiertes

Au-pair-Mädchen

mit Führerschein zur Mithilfe im Haushalt und bei der Kinderbetreuung. Schriftliche Bewerbung mit Lebenslauf und Bild an ZE 0194 Die Zeit, 20079 Hamburg

e) **Ausbildung** zur med. Fußpflege und Reflexzonenmassage.
Info: (05175) 9 74 51

f)

Sylvia Englert:

Ein Schuljahr im Ausland

Für alle Jugendlichen und Eltern, die über ein Schuljahr im Ausland nachdenken, ist das Buch zu empfehlen. Es enthält viele Tipps, wichtige Hinweise und ein sehr umfangreiches Adressenverzeichnis. (Reihe campus concret im Campus Verlag; 14,90 Euro)

g) **Lehrerin v. d. Intern. School** erteilt Englischunterr., für Kindergruppe 8–12 J., Info + Anmeld. Tel.: 069/38 99 23

h) **Student gibt Unterricht** in Klavier und Keyboard.
Tel. 06192/2 46 72 und mobil 0171/1 94 63 23

i) **Tagesmutter** nimmt noch ein Kind in liebevolle Pflege auf.
Tel. 089/39 58 12

j)

Renan Demirkan:

Schwarzer Tee
mit drei Stück Zucker

Eine junge Türkin wartet in einer deutschen Klinik auf die Geburt ihres Kindes. Und sie erinnert sich mit Humor und Bitterkeit: an die strengen Großeltern, an die erste Liebe zu einem Deutschen, an die Qual, sich ständig entscheiden zu müssen – türkisch oder deutsch? Sie will beides sein und darf es nicht. Goldmann TB 4,90 €

Barbara Yurtdas:

Wo mein Mann zu Hause ist und Wo auch ich zu Hause bin

Irmgard heiratet einen Türken, zieht mit ihm in seine Heimat. Alle Verwandten und Freunde sind entsetzt. In ihren beiden Romanen beschreibt Barbara Yurtdas den exotischen Alltag der Deutschen Irmgard und die Erfahrung, wie aus Unkenntnis Hass und aus Neugier Verständnis entsteht.
rororo 9,90 € und
Piper 7,40 €

Alice Walker:

Im Tempel meines Herzens

Zwei farbige Paare, vier Schicksale, aber ein kollektives Trauma, das sie liebes- und lebensfähig macht: das Amerika der frühen Jahre, das ihre Urahnen zu Sklaven degradierte. Doch eine alte Frau mit der Begabung, Geschichten zu erzählen, in denen sich Vergangenheit und Gegenwart verknüpfen, kann Seelenwunden heilen.
rororo 7,40 €

C1-C3

Zwischen den Zeilen

Lesen Sie die Sätze und unterstreichen Sie alle Nomen mit Präpositionen.

1 Ich hatte vier Jahre lang <u>Heimweh nach</u> Deutschland und Sehnsucht nach meinen Freunden.
2 Eine junge Türkin erinnert sich an die erste Liebe zu einem Deutschen.
3 Ich habe Angst vor der Abhängigkeit, in die man bei Krankheit gerät.
4 Keine Zeit für Heimweh: Drei junge Frauen berichten über ihre Erfahrungen im Ausland.
5 Wenn Sie Lust auf arabische Küche haben (…) – es gibt zwei tolle neue Kochbücher.
6 Komischerweise bin ich erst in Berlin für meine Herkunft sensibilisiert worden (…) und ich habe heute ein anderes Verständnis für meine Kultur.
7 Ich würde gerne in einem anderen Land leben, weil ich großes Interesse an fremden Kulturen habe.
8 Früher habe ich mich als Münchner gefühlt, heute eher als Gast, trotzdem habe ich die Hoffnung auf einen guten Job noch nicht aufgegeben.

Ergänzen Sie die passenden Nomen und Ergänzungen.

Lerntipp:

Viele Nomen können weitere Ergänzungen mit Präpositionen haben. Nicht alle Nomen und Präpositionen passen zusammen – es gibt feste Kombinationen. Lernen Sie die Nomen immer zusammen mit den passenden Präpositionen und schreiben Sie Beispielsätze auf die Wortkarten.
Beispiel: *Heimweh nach + DAT: Ich hatte vier Jahre lang Heimweh nach Deutschland.*

Präposition	Nomen + Ergänzung
nach + DAT	*Heimweh nach Deutschland*
vor + DAT	
an + DAT	
zu + DAT	
für + AKK	
auf + AKK	

Ergänzen Sie.

Neue Nachricht - Microsoft Outlook

An... Isabella
Cc...
Betreff:

Liebe Isabella,
es tut mir Leid, dass du so lange keine Nachricht von mir erhalten hast. Ich finde momentan kaum die _____ (1) einen Brief, deshalb schicke ich dir schnell eine E-Mail.
Nun bin ich bereits seit zwei Monaten hier in dieser verrückten Millionenstadt Jakarta, vollkommen eingenommen von den neuen Gerüchen, Bildern und Menschen. Abends plagt mich manchmal das _____ (2) unserer kleinen Kneipe, wo wir uns immer kurz auf ein Bier getroffen haben. Diese Abende fehlen mir schrecklich.
Ich habe hier als Frau alleine auch etwas _____ (3) der Dunkelheit, es ist einfach ungewöhnlich, abends „weiße" Frauen alleine auf der Straße zu sehen. Frauen können hier auch nicht alleine in die Kneipe gehen. Aber ich will mich nicht beklagen. Es geht mir gut hier. Ich wohne privat bei einem sehr netten Pärchen, das auch lange Zeit in Deutschland gelebt hat und das viel _____ (4) meinen „Kulturschock" hat. In der ersten Woche lag ich zunächst einmal mit Durchfall im Bett – wegen des scharfen Essens. Und du kennst ja meine _____ (5) scharfem Essen …
Abends im Bett lerne ich wie eine Verrückte Indonesisch. Ich habe die _____ (6) einen guten Indonesischkurs aufgegeben, ich lerne jetzt alleine. Grammatik und Aussprache sind auch gar nicht so schwierig. Aber du musst immer aufpassen, wen du wie ansprichst. Für „schlafen" z. B. gibt es viele verschiedene Wörter, und es hängt vom sozialen Status deines Gesprächspartners ab, welches Wort du nun sagen darfst.
Die Eindrücke sind hier so stark und so faszinierend, dass meine _____ (7) das Reisen und mein _____ _____ (8) fremden Kulturen und Religionen noch gestiegen sind.
Ich schwitze hier bei fast 40 Grad und einer irren Luftfeuchtigkeit – und bei euch ist jetzt Winter. Du kannst dir gar nicht vorstellen, wie groß meine _____ (9) Kälte und Schnee ist. So, nun muss ich aber Schluss machen. Von meiner konkreten Arbeit berichte ich dir ein anderes Mal.
Liebe Grüße
Antonia

D

Einmal im Leben ...

D 1

Was wünschen sich die Leute? Wovon träumen sie? Hören und markieren Sie.

3/4

3   5

1

2   4   6   7

8

9

8 Ich wäre gern Millionär. Dann könnte ich jeden Tag angeln gehen und müsste nicht in die Schule. Und wenn ich Lust auf Spaghetti hätte, müsste meine Mutter das kochen. – Wie bitte? Du tust ja gerade so, als ob ich dir nie Spaghetti machen würde.

5 Ich würde gern einmal mit Boris Becker Tennis spielen. Das wäre einfach ein Traum. Das fände ich toll.

3 Ich hätte gern eine eigene Firma, dann dürfte mir niemand mehr sagen, was ich tun soll.

9 Ach, wenn doch nur endlich Frieden und Freiheit überall auf der Welt wäre, dann müsste niemand mehr seine Heimat verlassen und es gäbe weniger Leid auf der Erde.
Sorrow

4 Ich hätte gern im 19. Jahrhundert gelebt und irgendetwas erfunden, das Telefon zum Beispiel oder so.

2 Ich hätte gern eine Villa im Grünen mit Pool. Das wäre super.

6 Wir würden gern im Lotto gewinnen. Beinahe hätte es ja schon mal geklappt, aber da hat mein Mann vergessen, den Schein abzugeben. – Das klingt gerade so, als ob das nur mein Fehler gewesen wäre. Du hättest ja auch daran denken können.

1 Ich würde unheimlich gern mal mit einer Rakete zum Mond fliegen.

9 Wenn ich Zeit hätte, würde ich mich einfach in meinen Garten legen. Ich müsste in kein Flugzeug mehr steigen und garantiert keinen Computer mehr anschalten.

D 2

Lesen Sie die Beispiele, unterstreichen Sie die Verben und ergänzen Sie die Regeln.

Konjunktiv II: Fantasien, Träume, Wünsche (irreal)	Wirklichkeit (real)	
Wenn ich Zeit <u>hätte</u>, <u>würde</u> ich mich einfach in meinen Garten <u>legen</u>. Ich müsste in kein Flugzeug mehr steigen und garantiert keinen Computer mehr anschalten.	*Gegenwart*	Er <u>hat</u> keine Zeit ...
Ach, wenn doch nur endlich Frieden und Freiheit überall auf der Welt wäre, dann müsste niemand mehr seine Heimat verlassen und es gäbe weniger Leid auf der Erde.	*Gegenwart*	Es gibt keinen Frieden ...
Wir würden gern im Lotto gewinnen. Beinahe hätte es ja schon mal geklappt, aber da hat mein Mann vergessen, den Schein abzugeben. Das klingt gerade so, als ob das nur mein Fehler gewesen wäre. Du hättest ja auch daran denken können.	*Gegenwart* *Vergangenheit* *Vergangenheit*	Sie haben einen Wunsch. Es hat aber nicht geklappt. Es war nicht nur sein Fehler.

◆ Konjunktiv II der Vergangenheit ◆ Fantasien, Träume, Wünsche ◆ würde + Infinitiv

1 Den Konjunktiv II benutzt man, wenn man über _____ spricht.*

2 Den Konjunktiv II der Gegenwart bildet man ähnlich wie das Präteritum, oder man benutzt die Ersatzform _____ .

3 Den _____ bildet man mit dem Konjunktiv II von „haben" oder „sein" und dem Partizip Perfekt.

*Den Konjunktiv II bei höflichen Vorschlägen und Bitten kennen Sie schon: Ich hätte gern ..., Würden Sie bitte ..., Könnten Sie bitte ..., Wir könnten ..., Wir sollten ..., Ich würde lieber ...

Lesen Sie jetzt die Aussagen in D1 noch einmal und ergänzen Sie die Tabelle und die Regeln.

Konjunktiv II	Präteritum
ich, sie/er/es/man	
dürfte	durfte
_____	konnte
_____	musste
sollte	sollte
wollte	wollte

Konjunktiv II	Präteritum
ich, sie/er/es/man	
_____	hatte
_____	war
_____	wurde
_____	fand
_____	gab
käme	kam
wüsste	wusste

◆ **Konjunktiv II - Formen**

e ◆ würde + Infinitiv ◆ Umlaute

1 **Unregelmäßige Verben:** Die Originalformen von Konjunktiv II und Präteritum sind ähnlich, aber: Es gibt oft _____ und immer die Endung _____ bei der 1. und 3. Person Singular. Die Originalformen des Konjunktivs II benutzt man immer bei „haben" und „sein" und den Modalverben und oft bei: *fände, wüsste, ginge, käme, ließe.*

2 **Regelmäßige Verben:** Die Originalformen von Konjunktiv II und Präteritum sind gleich. Deshalb benutzt man fast immer die Ersatzform _____ .

D 3

Bilden Sie Sätze. Vergleichen Sie mit „als ob".

1 oft trainieren / an der Olympiade teilnehmen wollen (du)
2 schön singen / Opernsängerin sein (Sie)
3 so tun/ alles verstanden haben (wir)
4 den Eindruck machen / Bescheid wissen (er)
5 strahlen / im Lotto gewonnen haben (ihr)
6 sich so benehmen / hier zu Hause sein (du)
7 aussehen / uns helfen können (es/sie)
8 dauernd auf die Uhr schauen / gleich gehen müssen (Sie)
9 so leben sollen / kein „Morgen" geben (man/es)

1 Du trainierst so oft, als ob du ...

Wenn das Wörtchen „wenn" nicht wär', wär' mein Vater Millionär.

Ergänzen Sie.

Wenn ich Deutschlehrerin wäre, *hätte ich in Deutschland studiert.* _____ .

Wenn ich Gedanken lesen könnte, _____ .

Wenn ich mein Leben noch einmal leben dürfte, _____ .

Wenn ich so viel wie Albert Einstein wüsste, _____ .

Wenn ich früher Deutsch gelernt hätte, _____ .

Wenn ich als Kind Klavierspielen gelernt hätte, *wäre ich heute vielleicht ein berühmter Pianist.* .

Wenn es im Mittelalter schon Computer gegeben hätte, dann _____

Wenn ich als Vogel auf die Welt gekommen wäre, _____ .

Wenn ich …

Schreiben Sie weitere Sätze mit „wenn".

D4-D6

Hören und sprechen Sie.

D 4
3/5

Sie sind zusammen mit Ihrem Partner Teilnehmer in einer Quizshow. Sie sind getrennt und können nicht hören, was Ihr Partner sagt. Der Quizmaster interviewt Ihren Partner und stellt Ihnen dann die gleichen Fragen. Wie gut kennen Sie Ihren Partner? Wissen Sie, was er tun würde oder getan hätte? Antworten Sie.

● *Und hier die erste Frage: Was würde Ihr Partner machen, wenn er im Lotto gewinnen würde?*

　■ *Ich glaube, er **würde** erst einmal eine Schiffsreise rund um die Welt **machen**.*

● *Bravo! Die Antwort Ihres Partners lautet ebenfalls: Ich würde erst einmal eine Schiffsreise rund um die Welt machen. Frage Nummer 2: Was hätte Ihr Partner anders gemacht, wenn er noch einmal neu entscheiden könnte?*

　■ *Ich denke, er **hätte** keine Stadtwohnung **gekauft** und wäre aufs Land **gezogen**.*

● *Super. Die Antwort Ihres Partners lautet ebenfalls: Ich hätte keine Stadtwohnung gekauft und wäre aufs Land gezogen. Nummer 3: …*

1　eine Schiffsreise rund um die Welt machen
2　keine Stadtwohnung kaufen und aufs Land ziehen
3　gerne Pilot sein
4　gerne 99 Jahre alt werden
5　am liebsten einen Ferrari haben
6　in ein Spielcasino gehen
7　mit dem Musiker tauschen
8　am liebsten in dem Film „Titanic" mitspielen
9　gerne einmal mit Goethe spazieren gehen
10　wieder mich heiraten

E

Der Ton macht die Musik

E

E 1

Hören Sie den Text und markieren Sie die Wortgruppen (|).

Längere Sätze | spricht man im Deutschen | nicht gleichmäßig | und ohne Pausen, sondern in Wortgruppen, mit kleinen Pausen dazwischen | und mit starken Akzenten.

„Ich heiße Ricardo und bin 16 Jahre alt. Ich bin hier in Berlin geboren, auch wenn ich nicht so aussehe. Meine Mutter ist Japanerin und mein Vater Bolivianer. In meiner Klasse sind von 30 Schülern nur vier Deutsche. Meine Freunde beneiden mich, weil ich mehrere Sprachen spreche. Mit meinem Bruder Deutsch, mit meiner Mutter Japanisch und mit meinem Vater Spanisch. Ich bin sehr gern bei meinen Großeltern in Japan: Das Klima ist angenehm und die Menschen sind ruhig. Mir gefallen aber auch die lauten Südamerikaner, die jeden gleich zum Freund haben. Ich möchte später mal für ein Jahr nach England, da war ich noch nie. Und die britische Lebensart, die finde ich irgendwie interessant. Aber meine Heimat, das ist Deutschland."

Hören Sie noch einmal und markieren Sie die Akzentsilben (___) und die Satzakzente (═══).

> Jede Wortgruppe hat einen Ak<u>zent</u>. In <u>län</u>geren Sätzen und bei <u>lang</u>samem Sprechen gibt es deshalb <u>meh</u>rere Akzente. Der <u>Satz</u>akzent, also der <u>Haupt</u>akzent, ist meistens am <u>En</u>de des Satzes.

E 2

Lesen Sie die Regel und ergänzen Sie Beispiele aus E1.

> Jede Wortgruppe hat einen **Akzent**. Betont wird immer die **wichtigste Information**. Den Wortgruppen-Akzent haben deshalb oft **Inhaltswörter**, also:
>
> | | |
> |---|---|
> | Nomen | *in meiner <u>Klasse</u>,* |
> | Verben | |
> | Adjektive | |
> | Adverbien (Ort, Zeit, ...) | *ich bin <u>sehr</u> gern,* |
>
> **Funktionswörter** (Artikel, Präpositionen, Konjunktionen, sein, haben, werden und die Modalverben) haben meistens **keinen Akzent**.

E 3

Hören Sie die Akzentmuster und die Beispiele. Markieren Sie die Akzentsilben.

●**●**
die Welt

●●**●**
mein Glaube

●●**●**
an mein Dorf

●●**●**●
an die Kindheit

●●●**●**
das ist die Welt

●●●**●**●●
das ist mein Elternhaus

●●●●**●**●
an die erste Liebe

E 4

Lesen Sie diese Wortgruppen, markieren Sie die Akzentsilben und sortieren Sie nach den Akzentmustern.

das ist die Familie ◆ meine Stadt ◆ nach Tomaten ◆ das sind meine Freunde ◆
nach frischem Fisch ◆ wo ich geboren bin ◆ mein Land ◆ nach Knoblauch ◆ wo ich lebe ◆
meine Musik ◆ nach dem Meer ◆ wo man mich kennt ◆ meine Sprache ◆ nach Sonne

Hören Sie, sprechen Sie nach und vergleichen Sie.

E 5
Ergänzen Sie das Gedicht, markieren Sie die Akzente und üben Sie.

<u>Hei</u>mat ist für mich ...
Heimat ist <u>auch</u> ...
Heimat, das <u>riecht</u> (nach) / ist der Geruch (von) ...
Heimat, das schmeckt (nach) / ist der Geschmack (von) ...
Heimat ist die Erinnerung (an) ...
Heimat, das ist die Sehnsucht (nach) ...
Heimat ist da, (wo) ...
Meine Heimat, (das ist/sind) ......

F

SCHREIBWERKSTATT

F 1 ✗ **Was/wer/wie möchten Sie sein? Schreiben Sie einen kurzen Text, der so anfängt:**

Ich möchte … sein. Dann …

a) Planen

- Überlegen Sie, was, wer oder wie Sie sein möchten, und sammeln Sie Ideen, Assoziationen, Gedanken zu diesem Begriff.
- Welche Begriffe gehören zusammen, welche sind gegensätzlich? Zeichnen Sie Verbindungslinien, Richtungspfeile, finden Sie Unterthemen, passende Verben usw. Beispiel:

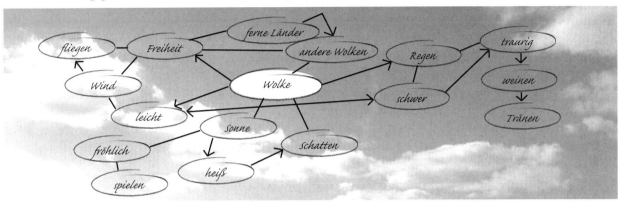

- Ordnen Sie die Notizen eventuell neu:

b) Formulieren

- Schreiben Sie mit Hilfe Ihrer Notizen Sätze.
- Bringen Sie die Sätze in eine richtige Reihenfolge. Verbinden Sie die Sätze mit „dann", „(immer) wenn", „meistens", „manchmal", „deshalb", „denn" usw.
- Geben Sie Ihrem Text einen Titel, z. B. „Freiheit" oder „Frei wie eine Wolke".

So ein Text könnte z.B. so aussehen:

> *Freiheit*
> *Ich möchte eine Wolke sein.. Dann wäre ich unendlich frei. Ich würde mich vom Wind treiben lassen, könnte mir die ganze Welt ansehen und viele andere interessante Wolken aus fernen Ländern kennen lernen. Wir würden uns zusammen tun zu einem riesigen Wolkenberg. Wenn es zu heiß wäre, würden wir den Menschen, Tieren und Pflanzen auf der Erde Schatten geben. Wenn sie Durst hätten, würden wir ihnen zu trinken geben. Meistens wäre ich fröhlich und leicht, und würde mit der Sonne spielen. Manchmal wäre ich aber auch schwer und traurig, und meine Tränen würden auf die Erde fallen und sich mit den Tränen der Menschen vermischen.*

c) Überarbeiten

- Lesen Sie Ihren Text noch einmal oder mehrmals langsam durch und korrigieren Sie mögliche Rechtschreib- und Grammatikfehler (z. B. Stellung des Verbs im Nebensatz, Verben im Konjunktiv II).
- Versetzen Sie sich in die Rolle des Lesers und überprüfen Sie: Ist das, was Sie geschrieben haben, verständlich und klar formuliert?

F 2 **Unterstreichen Sie in Ihrem Text die zehn wichtigsten Wörter und schreiben Sie mit diesen Wörtern ein kleines Gedicht, z.B. so:**

> *Wolken*
> *sich vom Wind treiben lassen*
> *Fröhlich mit der Sonne spielen*
> *Schwere Tränen weinen*
> *Mal fröhlich, mal traurig sein –*
> *Aber frei!*

Wortschatzarbeit

Was passt zu „Ausland", zu „Heimat", zu „Traum"?
Finden Sie ein Wort zu jedem Buchstaben.

P A *ss*	H	T
u	e	r
s	i	a
l	m	u
a	a	m
n	t	
d		

Jemand fragt Sie: Wozu lernen Sie Deutsch? Was antworten Sie?

Meine Regel für die Final-Sätze

damit:

um zu + Infinitiv:

Schreiben Sie.

Wenn es keine Bücher gäbe, …

Wo und wie würden Sie am liebsten wohnen?

Was würden Sie sich wünschen, wenn Sie drei Wünsche frei hätten?

Meine Regel für den Konjunktiv II

Interessante Ausdrücke

Berufe

A

Arbeitsplatz: die ganze Welt

A1

Was bedeuten diese „internationalen Wörter"? Ordnen Sie zu.

1	City *(f)*	a	a)	Personal Computer
2	checken	k	b)	Arbeit, Arbeitsstelle, Beruf
3	E-Mail *(f)*	e	c)	Hauptsitz, Zentrale einer Firma
4	Global Player *(m)*	n	d)	Treffen, bei dem praktisch gearbeitet wird
5	Livesendung *(f)*	l	e)	elektronische Post (wird mit dem Computer verschickt und empfangen)
6	Headquarter *(n)*	c	f)	sich ausruhen, entspannen
7	Job *(m)*	b	g)	Stadt(zentrum)
8	Meeting *(n)*	m	h)	Gruppe von Menschen, die zusammen arbeiten
9	PC *(m)*	a	i)	Öffentlichkeitsarbeit, Werbung
10	Team *(n)*	h	j)	direkt verbunden mit anderen Computern
11	Workshop *(m)*	d	k)	prüfen, kontrollieren
12	Public Relations (PR)	i	l)	Direktübertragung, Originalübertragung
13	relaxen	f	m)	Sitzung mit Arbeitskolleginnen und -kollegen
14	Sandwich *(n)*	o	n)	Firmen, die weltweit arbeiten
15	online	j	o)	Weißbrot oder Brötchen, belegt mit Käse, Schinken, Salat usw.

Kennen Sie weitere „internationale Wörter"? Ergänzen Sie.
Schreiben Sie Sätze mit mindestens zwei „internationalen Wörtern".

In der Pause kaufe ich mir ein Sandwich und relaxe.

...

**KURSBUCH
A1-A4**

A2
3/9

**Sie machen eine Führung beim Zweiten Deutschen Fernsehen (ZDF) in Mainz.
Was wird bei der Führung gesagt? Hören und markieren Sie.**

1 In einer Redaktion
  ☒ a) gibt es Kameras und viel Technik.
  ☐ b) sieht es aus wie in jedem Büro.

2 Die Redakteure
  ☐ a) machen Interviews und Filmberichte.
  ☒ b) wählen die Themen für die Sendung aus.

3 Die ZDF-Auslandskorrespondenten
  ☒ a) leben im Ausland und berichten von dort.
  ☐ b) rufen im Ausland an und fragen, was los ist.

4 Das ZDF hat
  ☒ a) insgesamt 20 Auslandsstudios.
  ☐ b) Auslandsstudios in allen Ländern.

5 Das „auslandsjournal" ist
  ☐ a) ein Treffen aller Auslandskorrespondenten.
  ☒ b) eine wöchentliche Fernsehsendung.

6 Stephan Hallmann ist Leiter
  ☒ a) der deutschen Journalistenschule in München.
  ☐ b) des ZDF-Studios Mexiko.

7 Er hat nach seiner Ausbildung
  ☒ a) als Journalist und Redakteur gearbeitet.
  ☐ b) Urlaub in Lateinamerika gemacht.

A 3 **Lesen Sie die Aussagen und unterstreichen Sie alle „also", „deshalb", „so dass" und „so ..., dass". Ergänzen Sie dann die Regel.**

Die Redaktions-PCs sind online mit den großen Nachrichtenagenturen verbunden, so dass hier täglich Hunderte von Meldungen einlaufen.

Das ist so viel Material, dass für unsere Nachrichtensendungen eine strenge Auswahl nötig ist.

Die Redakteure hier müssen also entscheiden, zu welchen Themen Beiträge gesendet werden.

Die Zuschauer erwarten aktuelle und gründliche Informationen aus erster Hand. Deshalb hat das ZDF seit vielen Jahren auch ein eigenes Korrespondentennetz.

Die insgesamt 20 Auslandsstudios sind so verteilt, dass unsere Leute schnell überall hinkommen können.

Das ZDF-Studio Mexiko ist das Einzige in Mittelamerika, deshalb ist es zuständig für die Berichterstattung aus insgesamt 20 Ländern dieser Region.

Sein Leiter, Stephan Hallmann, war vorher Korrespondent in Caracas, so dass er sich in Lateinamerika schon gut auskannte, als er 1996 die Leitung des Studios Mexiko übernahm.

Die ZDF-Auslandsstudios produzieren über 200 Stunden Sendungen pro Jahr, sie sind also auch quantitativ ein ganz wichtiger Teil der Redaktionsarbeit.

Hauptsatz (3x) ◆ Hauptsätzen ◆ Nebensatz (2x) ◆ Nebensätze

1 Sätze mit „so dass" sind _____ . Sie stehen immer rechts vom _____
_____ .

2 Der _____ nennt den Grund, der _____ betont die Folge.

3 Wenn ein Wort im _____ mit „so" besonders betont wird, beginnt der _____
nur mit „dass".

4 Mit „deshalb" und „also" betont man die Folge in _____ .

A 4 **Schreiben Sie über die Arbeit von ZDF-Auslandskorrespondenten.**

ZDF-Auslandskorrespondenten ...

1	meistens für mehrere Länder zuständig sein	(also)	viel reisen müssen
2	überall ein Handy dabei haben	(so dass)	für die Redaktion immer erreichbar sein
3	regelmäßig über aktuelle Ereignisse berichten	(deshalb)	gute Kontakte zu wichtigen Persönlichkeiten brauchen
4	die politischen Verhältnisse der Gastländer gut kennen müssen	(so ..., dass)	auch über Hintergründe von Ereignissen informieren können
5	in der Regel nur einige Jahre an einem Ort bleiben	(also)	im Laufe des Berufslebens viele Länder kennen lernen
6	meistens in Livesendungen berichten	(so dass)	manchmal auch mitten in der Nacht arbeiten müssen
7	oft im deutschen Fernsehen auftreten	(so ..., dass)	in Deutschland sehr bekannt sein
8	guten Kontakt mit den Kollegen in Deutschland brauchen	(deshalb)	regelmäßig die Zentrale in Mainz besuchen

1 ZDF-Auslandskorrespondenten sind meistens für mehrere Länder zuständig, sie müssen also viel reisen. sie haben überall ein Handy dabei, so dass sie ...

Würden Sie gern als Auslandskorrespondent arbeiten? Warum (nicht)? Diskutieren oder schreiben Sie.

A 5

Lesen Sie die Geschichte von Gerd Glückspilz und unterstreichen Sie alle „weil", „denn" und „nämlich".

Gerd Glückspilz kann heute in aller Ruhe frühstücken, weil er rechtzeitig aufgestanden ist. Er kommt pünktlich zur Arbeit, denn er hat einen Parkplatz in der Nähe des Büros gefunden. Vor dem Meeting kann er noch einen Kaffee trinken, weil er alle Papiere bereits gestern fertig gemacht hat. Beim Meeting wird er vom Chef gelobt, weil er so gute Vorschläge macht. Mittags isst Gerd Glückspilz nur ein Joghurt und einen Apfel, denn er macht eine Diät. Nachmittags checkt er noch einmal seine E-Mails – er erwartet nämlich eine Nachricht von einem wichtigen Kunden. Bingo! Heute kann er früher Feierabend machen, denn er hat den Auftrag bekommen. Weil er so früh nach Hause kommt, kann er noch zwei Stunden ins Sportstudio gehen. Das tut gut! Schon jetzt freut er sich auf einen netten Abend – um acht ist er nämlich mit seiner neuen Freundin zum Kino verabredet.

Schreiben Sie die Geschichte neu und betonen Sie jetzt die Folgen: Benutzen Sie „so dass", „so ..., dass", „deshalb" und „also".

Gerd Glückspilz ist heute so rechtzeitig aufgestanden, dass er in aller Ruhe frühstücken kann. Er hat einen Parkplatz in der Nähe des Büros gefunden und kommt deshalb pünktlich zur Arbeit. Er hat alle Papiere ...

Schreiben Sie jetzt die Geschichte von Petra Pechvogel.

> ... so dass/deshalb/also ...
> ... weil/denn/nämlich ...

1 spät aufwachen – Wecker nicht hören

2 sich beeilen müssen – keine Zeit fürs Frühstück haben

3 keinen Parkplatz finden – zu spät ins Büro kommen

4 Kaffee über wichtige Papiere schütten – alles noch einmal machen müssen

5 beim Meeting vom Chef kritisiert werden – keine guten Ideen haben

6 keine Mittagspause machen – sehr viel zu tun haben

7 sich nicht auf die Arbeit konzentrieren können – erst spät fertig werden

8 auf der Heimfahrt sehr nervös sein – einen Unfall verursachen

9 zu Hause nicht in die Wohnung kommen – den Schlüssel im Büro vergessen haben

10 in ein Restaurant essen gehen wollen – den ganzen Tag noch nichts gegessen haben

11 schon so spät sein – (die Küche) bereits geschlossen sein

KURSBUCH
A5

1 Petra Pechvogel ist heute spät aufgewacht, weil sie den Wecker nicht gehört hat. Sie musste sich beeilen, so dass sie ...

> Statt „deshalb" kann man auch *deswegen, daher* oder *darum* sagen. So vermeidet man Wiederholungen.

Was Chefs sich wünschen

Hier sind 17 Berufe versteckt. Wie viele finden Sie?

```
H  O  T  E  L  F  D  B  Ä  C  K  E  R  E  S
A  H  R  F  R  A  U  I  G  N  E  R  I  N  M
C  A  U  T  O  R  I  N  I  N  L  I  S  T  E
S  U  R  F  U  S  S  G  P  I  L  O  T  A  K
C  S  U  F  R  I  S  E  U  R  N  L  A  L  S
H  F  P  O  L  E  V  N  R  G  E  N  X  O  T
A  R  Z  T  B  R  E  I  O  K  R  A  I  F  U
U  A  R  O  N  N  R  E  F  O  T  O  F  G  D
S  U  F  M  K  A  K  U  M  E  R  M  A  N  E
P  L  K  O  C  H  Ä  R  Z  T  I  N  H  M  N
I  E  R  D  I  N  U  K  Ü  N  S  T  R  A  T
E  S  R  E  L  A  F  M  E  I  S  T  E  L  I
L  E  A  L  M  S  E  K  R  E  T  Ä  R  I  N
E  T  U  L  E  H  R  E  R  I  N  C  I  E  L
R  A  S  S  I  R  E  I  T  S  C  H  I  R  M
```

Welches sind die fünf wichtigsten Eigenschaften für diese Berufe?

anspruchsvoll ◆ attraktiv ◆ charmant ◆ einfühlsam ◆ energisch ◆ flexibel ◆ freundlich ◆
geduldig ◆ großzügig ◆ intelligent ◆ kommunikativ ◆ konsequent ◆ kontaktfreudig ◆
kreativ ◆ offen ◆ ordentlich ◆ pünktlich ◆ selbstbewusst ◆ sorgfältig ◆ tolerant ◆
unbestechlich ◆ verständnisvoll ◆ zuverlässig

Kfz-Mechaniker: _____

_____

Krankenschwester: _____

_____

Friseur: _____

_____

Sekretärin: _____

_____

> Die Endungen „-ant", „-ent", „-an" und „-iv" bei Adjektiven und Nomen haben meistens den Wortakzent.
> *Aber:* Der Wortakzent ist am Anfang bei: *positiv, negativ* und bei „Grammatikwörtern" wie *Adjektiv, Akkusativ, Infinitiv* ...

B 3

Lesen Sie die Texte und ordnen Sie die Überschriften zu.

Ausdauer und Belastbarkeit ◆ Konzentrationsfähigkeit ◆ Lern- und Leistungsbereitschaft
Sorgfalt und Gewissenhaftigkeit ◆ Zuverlässigkeit

Was Chefs von Auszubildenden erwarten

1 _____: Sie wird von 90 % der Unternehmen als Grundbedingung der Zusammenarbeit und Voraussetzung des Ausbildungserfolgs angesehen. Man muss sich darauf verlassen können, dass die Jugendlichen – natürlich unter Berücksichtigung ihrer Leistungsfähigkeit – ihre Aufgaben erledigen, und zwar trotz Schwierigkeiten und ohne dauernde Überwachung und Kontrolle.

2 _____: Eine weitere Basisbedingung für erfolgreiche Ausbildung ist eine Einstellung, die sich am guten Ergebnis und am Erfolg orientiert. Arbeit und Ausbildung, der eigene Beruf, müssen als positive Bestandteile des Lebens gesehen werden und nicht als eine Einschränkung von Möglichkeiten der Freizeitgestaltung. Jugendliche sollten von der Schule Neugier und Lust auf Neues mitbringen und diese während der Ausbildung aktivieren.

3 _____: Erforderlich ist die Fähigkeit, auch da durchzuhalten, wo die Arbeit oder Ausbildung als Belastung angesehen wird. Die Jugendlichen sollten gelernt haben, nicht bei jedem Misserfolgserlebnis oder vorläufigem Ausbleiben des Erfolgs aufzugeben. Diese Fähigkeit wächst zwar im Laufe des Arbeitslebens, aber den Grundstein dafür zu legen ist Aufgabe der Eltern und Lehrer.

4 _____: Die betrieblichen Aufgaben erfordern Genauigkeit und Ernstnehmen der Sache. Man kann nicht immer „fünf gerade sein lassen" und alles „locker angehen", wie es die heutige Jugend gern tut – eine solche Haltung dokumentiert schwerwiegende Versäumnisse des Elternhauses. In diesen Zusammenhang gehören Stichworte wie Selbstdisziplin, Ordnungssinn, Pünktlichkeit und ähnliche Werte, die heute nicht mehr in Mode, im Betrieb aber unabdingbar sind. Das gilt sowohl für die Erledigung von Aufgaben als auch für die Organisation des Arbeitsplatzes.

5 _____: Sie hat nach Klagen der Betroffenen in den letzten Jahrzehnten stark abgenommen. Sie zu entwickeln, ist innerhalb des Betriebs schwer möglich und kann nicht Aufgabe des Unternehmens sein. Die Fähigkeit, sich mit bestimmten Aufgaben länger als fünf bis zehn Minuten konzentriert zu beschäftigen, muss den Jugendlichen bereits in der Schule anerzogen worden sein. Anders ist die Entwicklung von Leistung nicht möglich.

Welches sind die drei nächsten wichtigen Eigenschaften?

Freundlichkeit ◆ Großzügigkeit ◆ Kontaktfreudigkeit ◆ Kreativität
Kritikfähigkeit ◆ Selbstbewusstsein ◆ Selbstständigkeit ◆ Toleranz

B 4

Lesen Sie noch einmal die Texte und ergänzen Sie die Lücken und die Regeln.

Der Genitiv			
Voraussetzung	de**s** Ausbildungserfolgs	*innerhalb*	de**s** Betrieb**s**
Bezugswort	← *Genitiv*	*Präposition* +	*Genitiv*

f	m	n	Pl
Grundbedingung de_ Zusammenarbeit	*Voraussetzung* de_ Ausbildungserfolg_	*positive Bestandteile* de_ Leben_	90 % de_ Unternehmen
unter Berücksichtigung ihre_ Leistungsfähigkeit	*Ausbleiben* de_ Erfolg_	*im Laufe* de_ Arbeitsleben_	*trotz* Schwierigkeiten
Möglichkeiten de_ Freizeitgestaltung	*die Organisation* de_ Arbeitsplatz__	*schwerwiegende Versäumnisse* de_ Elternhaus__	*Aufgabe* de_ Eltern und Lehrer
während de_ Ausbildung	*innerhalb* de_ Betrieb_	*Aufgabe* de_ Unternehmen_	*Klagen* d__ Betroffenen_
Ernstnehmen de_ Sache			

Ersatzform „von" + DAT

eine Einschränkung _____ Möglichkeiten   die Erledigung _____ Aufgaben   die Entwicklung _____ Leistung

1 Der Genitiv beschreibt sein _____ genauer.

Der Genitiv steht nach den Präpositionen *wegen, außerhalb,* _____ .

2 Das Genus-Signal für den Genitiv: _____ und _____ : „r",

_____ und _____ : „s".

Bei *m* und *n* haben die Nomen im Genitiv Singular die Endung _____ .

3 Die Ersatzform für den Genitiv: die Präposition _____ + _____ .

B 5

Wer hat die besten Chancen? Ergänzen Sie die Aussagen der Chefs.

1 Anke Maruschka, HP Employment Hewlett-Packard

„Bei uns sind persönliches Profil, Neugier, Eigeninitiative und ausgeprägte Motivation gefragt. Einsteiger müssen ihre schulischen Leistungen kurz und knackig zusammenfassen und wegen _____ *(die Erreichbarkeit)* möglichst alle Medien – Anrufbeantworter, E-Mail, Handy – benutzen. Die Zeit _____ _____ *(die Bewerbungsmappen)* ist vorbei – wir bevorzugen die Internet-Bewerbung."

2 Barbara Loose, Personalleiterin im Kempinski Hotel Elephant (Weimar)

„Es gibt nichts Schlimmeres als ,gesichtslose' Hotelmitarbeiter. Ich achte deshalb vor allem auf die Persönlichkeit und die Ausstrahlung _____ *(der Bewerber)* oder _____ *(die Bewerberin)*. Die nötigen Qualifikationen sind dann eine Sache _____ *(das Training)*."

3 Petra Roth, Oberbürgermeisterin der Stadt Frankfurt am Main

„Bei uns in der Verwaltung gilt das Leitbild _____ *(der ,Teamplayer')* mit großer Leistungsbereitschaft und ausgeprägtem Servicebewusstsein. Die Stadt Frankfurt sucht dynamische Mitarbeiterinnen und Mitarbeiter, die flexibel und lernbereit sind und offen für die Wünsche _____ *(die Bürger)*."

4 Anja Zapka-Volkmann, Personaldirektorin bei Lancaster/Coty

„Wir brauchen in erster Linie flexible und entscheidungsfreudige Mitarbeiter. Fremdsprachen sind ein Muss – Stichwort Globalisierung. Wer die Zeit _____ *(die Ausbildung)* kurz gehalten hat, hat beim Einstieg bei uns bessere Chancen. Wichtig für den Erfolg _____ *(Bewerbungen)* sind übrigens nach wie vor vernünftige Bewerbungsunterlagen."

5 Dr. Ihno Schneevoigt, Personalvorstand der Allianz Versicherung

„Wir wünschen uns Mitarbeiter, die auf andere Menschen zugehen und sie für sich gewinnen können. Ideale Einsteiger sollten Probleme und Fragen _____ *(der Gesprächspartner)* in ihre Überlegungen aufnehmen und sich konzentriert und knapp ausdrücken können. Für die Bewertung _____ *(das Vorstellungsgespräch)* mitentscheidend ist also, ob jemand gut zuhören und Fragen konkret beantworten kann."

6 Dr. Susanne Pennella, Human Resources, Proctor & Gamble

„Der Wert _____ *(Fachkenntnisse)* ist begrenzt. Es ist mir egal, wer wo was studiert hat – ich will nur wissen, warum und mit welchem Erfolg."

B 6

Wenn Sie Chefin/Chef wären: Welche Eigenschaften der Bewerber wären Ihnen wichtig?

C

C 1

Stress

Wer ist der „Nachwuchs"? Was ist Stress für wen?
Lesen Sie den Brief und machen Sie Notizen.

Werter Nachwuchs!
(nach Christine Nöstlinger)

Ihr alle seid – euren eigenen Aussagen nach – unentwegt und tagaus, tagein sehr gestresst. Jetzt brauche ich mal eure Hilfe. Ich alte Frau rätsle nämlich ziemlich herum, was dieses Wort Stress eigentlich bedeutet. Zuerst habe ich gedacht, dass es so etwas Ähnliches wie Arbeitsüberlastung heißen soll. Aber das kann
5 nicht recht stimmen, denn von Arbeitsüberlastung verstehe ich ja auch ein wenig. Viele, viele Jahre meines Lebens habe ich einen Haushalt geführt, Kinder großgezogen und bin achtundvierzig Stunden pro Woche zur Arbeit gegangen. Außerdem habe ich in diesen Jahren noch für meine Kinder die Kleider genäht und die Pullover gestrickt, meinen alten Kater versorgt und an den Wochenenden im Schrebergarten gearbeitet. Ich brauchte nicht in ein Sportstudio zu gehen, um meine Muskeln zu trainieren.
10 Das war ein Arbeitsalltag, der um fünf Uhr in der Früh begann und oft erst um Mitternacht endete. Wenn ich dann ins Bett sank, war ich erschöpft und hundemüde und manchmal auch recht unzufrieden mit meinem Leben. Aber ein „Stress" kann das anscheinend doch nicht gewesen sein, denn ihr, werter Nachwuchs, habt diesen merkwürdigen Stress in ganz anderen Lebenssituationen.
Du, liebe kleine Enkeltochter, bist gestresst, wenn deine Mutter deine Unterstützung braucht und du
15 zwischen dem Frisörbesuch und dem Rendezvous mit einem Jüngling noch schnell mal zur Milchfrau laufen sollst. Und du, liebe große Enkeltochter, bist sogar total gestresst, wenn du erst im vierten Geschäft das richtige T-Shirt findest.
Du, liebe Tochter, bist gestresst, wenn das Telefon dreimal in einer halben Stunde klingelt und dich vom Bügeln wegholt. Du, lieber Sohn, bist gestresst, wenn der Verkehr am Sonntagabend heftig ist und du zur
20 Heimfahrt vom Schwimmbad zehn Minuten länger als üblich brauchst.
Du, lieber kleiner Enkelsohn, bist gestresst, wenn du zwei Wochen lang nicht einen Tupf gelernt hast und dann an einem Abend alles Versäumte nachholen willst. Und du, lieber großer Enkelsohn, bist sogar gestresst, wenn deine Mutter will, dass du beim Weggehen den Müll in den Hof hinunterträgst.
Wie übersetze ich „gestresst" also richtig? Im Wörterbuch steht: „zu viel Arbeit haben, unter Druck stehen,
25 sich überfordert fühlen". Dreimal ans Telefon gehen, zehn Minuten länger am Lenkrad sitzen, zur Milchfrau laufen, den Müll wegbringen, für eine Prüfung lernen und in vier Läden nach einem T-Shirt fragen, ist sicher nicht angenehm, aber dadurch braucht ihr euch doch nicht „überfordert" zu fühlen. Solche Kleinigkeiten brauchen euch doch nicht „unter Druck" zu setzen. Das ist doch gar nicht möglich! Klärt mich also bitte schnell über den „Stress" auf, sonst muss ich annehmen, dass ihr einfach nur ein
30 Modewort benützt und damit meint, dass euch eine Tätigkeit keinen Spaß macht.

Eure wissbegierige
Oma

Wer?	Stress =
kleine Enkeltochter	...

Was will die Oma mit ihrem Brief sagen?
Diskutieren oder schreiben Sie.

C 2

Was heißt ... ? Suchen Sie die passenden Wörter im Text.

Zeile
2	1 jeden Tag
	tagaus, tagein
8	2 kleiner Garten am Stadtrand
11	3 sehr, sehr müde
12	4 vermutlich; so, wie es aussieht
15	5 Verabredung von zwei Leuten
21	6 überhaupt nichts

22	7 das, was man nicht gemacht hat
25	8 mehr erwarten als möglich ist
25	9 im Auto
29	10 hier: vermuten, glauben
31	11 neugierig, interessiert

Lesen Sie noch einmal, markieren Sie alle „brauchen" im Text und sortieren Sie die Sätze.

> „brauchen" als Verb und Modalverb
>
> **A** Verb „brauchen" + AKK
>
> 1 *Jetzt brauche ich mal eure Hilfe.*
>
> 2 _____
>
> 3 _____
>
> **B** Modalverb „brauchen" + Negation + „Infinitiv mit zu"
>
> 1 *Ich brauchte nicht in ein Sportstudio zu gehen, um meine Muskeln zu trainieren.*
>
> 2 _____
>
> 3 _____

Welche Regel passt für welches „brauchen"? Markieren Sie.

1 „brauchen" hat eine Akkusativ-Ergänzung.   *A*

2 „brauchen" steht mit „Infinitiv mit zu".   _____

3 „brauchen" bedeutet, dass man etwas nicht tun muss. _____

4 „brauchen" bedeutet *haben wollen, haben müssen.*   _____

5 „brauchen" steht immer mit *nicht/kein-/nur.*   _____

6 „brauchen" ist das einzige Verb im Satz.   _____

Vergleichen Sie das Leben der Kinder und Enkel mit dem der Oma.

> alle Haushaltsarbeiten machen ◆ die Kinder alleine großziehen ◆ früh aufstehen ◆
> für Prüfungen lernen ◆ im Garten arbeiten ◆ lange arbeiten ◆ passende Kleider suchen ◆ ...
>
> Auto ◆ Führerschein ◆ modische Kleider ◆ Schrebergarten ◆ Sportstudio ◆ Telefon ◆ ...

Die jungen Leute brauchen heute nicht mehr so lange zu arbeiten ...
Die Oma brauchte keinen Führerschein, sie hatte kein Auto ...

Hören und sprechen Sie.

Ihre Bekannte beklagt sich über den vielen Stress. Beruhigen Sie sie und geben Sie Ratschläge.

● *Oh Gott, ich habe vielleicht einen Stress. Schon morgens geht's los: aufstehen, waschen, anziehen, dann die Kinder wecken und anziehen ...*
  ■ *Mach' dich doch nicht verrückt. Du **brauchst** doch die Kinder **nicht** anzuziehen.*
● *Ich brauche die Kinder nicht anzuziehen? Na ja, vielleicht hast du ja Recht, sie sind ja alt genug. ... Dann Frühstück machen: frische Brötchen, Eier, Schinken, Käse, Kaffee, Kakao ...*
  ■ *Warum machst du dir denn so viel Arbeit? Du **brauchst** doch **nur** Müsli hinzustellen.*
● *Ich brauche nur Müsli hinzustellen? Stimmt eigentlich, viel Zeit fürs Frühstück bleibt ja sowieso nicht. Dann noch schnell das Geschirr abwaschen - das hasse ich vielleicht ...*
  ■ *Das ist doch ganz einfach: Du **brauchst** halt eine Spülmaschine.*

1 die Kinder anziehen	6 einen neuen Job	9 die Hausaufgaben immer
2 Müsli hinstellen	7 jeden Tag kochen	kontrollieren
3 eine Spülmaschine	8 nur einmal pro Woche	10 einen Babysitter
4 die Kinder zur Schule bringen	putzen	11 manchmal etwas Hilfe
5 ein Auto		12 nur anrufen

D

Der Ton macht die Musik

D 1

3/
11-12

Hören Sie, sprechen Sie nach und vergleichen Sie.

In deutschen Wörtern gibt es oft mehrere Konsonanten hintereinander, z.B. *pünktlich* [ŋktl] oder *Arbeitsplatz* [tspl]. Man spricht alle diese Konsonanten **direkt hintereinander** und ergänzt **keine Zwischenvokale**. Es heißt also … Bei Komposita und Vor- oder Nachsilben gibt es oft viele Konsonanten hintereinander.

lpst	selbst	lpstb	selbstbewusst	lpstf	selbstverständlich
ʃpr	Sprache	sʃpr	Aussprache	mtʃpr	Fremdsprache
ʃtr	Stress	tʃtr	Freizeitstress	ksʃtr	Alltagsstress
ŋkt	Punkt	ŋktl	pünktlich	ŋkts	Punktzahl
pf	Kopf	pfl	kopflos	pfʃm	Kopfschmerzen
çt	Recht	çts	rechts	çtʃr	Rechtschreibung
ks	Examen	ksp	Experiment	kstr	extra

> **Erinnern Sie sich?**
> Schreibung und Aussprache sind nicht immer gleich.
> Sprechen Sie:
> *Verb – Verben, Lied – Lieder, Tag – Tage;*
> *Sprech-stunde – Ge-burts-tags-party;*
> *nachts – nichts, Woche – wöchentlich,*
> *sucht – Sicht, auch – euch;*
> *Freizeit – Arbeitsplatz; Alltagsthema –*
> *Volkshochschule – sechs – Fax.*
>
> **Aufgaben**
> Beantworten Sie die Fragen und suchen Sie
> Beispielwörter:
> Wo spricht man „b" als [p], „d" als [t] und „g" als [k]?
> Wo spricht man „sp" als [ʃp] und „st" als [ʃt]?
> Wo spricht man „ch" als [x]?
> Wie schreibt man die Lautverbindungen [ts] und [ks]?

D 2

3/13

Welches Wort hören Sie zweimal? Markieren Sie.

1	sprichst	spricht	7	Nacht	nachts
2	günstig	künstlich	8	schenkst	Schecks
3	gründlich	pünktlich	9	selbst an	seltsam
4	Schreibtisch	Zeitschrift	10	komplett	konkret
5	sechs	Text	11	empfiehlt	enthielt
6	Ausdruck	Ausflug	12	mach mal	manchmal

D 3

3/14

Hören Sie und ergänzen Sie die fehlenden Konsonanten.

a___e____u___eich	A____eiben	A__ei____atz	a_____u___oll
Au__i__u___eruf	Au___ahlung	Beru___e__e___ive	Bewe__u___appe
e_____eidu____eudig	Ha___a____ob	Li___ild	Schula_____uss
Spra_____e___isse	Staa___ie___	Wi____a____eig	

D 4

Üben Sie zu zweit.

> manchmal singen – oft ◆ Fremdsprachen sprechen – sechs ◆ oft mit den Kindern schimpfen – ständig
> ◆ täglich Milch trinken – fast ausschließlich ◆ gerne basteln/kochen – leidenschaftlich gerne ◆
> viel rauchen/qualmen – ständig ◆ oft Geschenke erhalten – dauernd

Singst du manchmal?
  Nein, aber mein Wohnungsnachbar singt oft.

Ich singe oft. Singst du auch manchmal?
  Ja, aber ich denke, du singst mehr als ich.

D 5

3/
15-17

Lesen und üben Sie.

Keine Startprobleme
Entscheidungsfreudige Schulabgänger
mit perfekten Fremdsprachenkenntnissen,
selbstbewusster Ausstrahlung und
ausgeprägter Leistungsbereitschaft,
ohne Rechtschreibschwächen,
Ausdrucksschwierigkeiten
und Persönlichkeitsprobleme
finden langfristige Berufsperspektiven
in verschiedenen Wirtschaftszweigen,
in abwechslungsreichen
Ausbildungsberufen
und anspruchsvollen Aushilfsjobs.

Perfekte Bewerbungsschreiben
Anschreiben ohne Rechtschreibfehler
Bewerbungsmappe mit Lebenslauf
komplett mit Lichtbild und Abschlusszeugnis
und selbstverständlich: Briefmarke drauf!

Doppeljobber
Hauptberuf Staatsdienst Schutzpolizei
Zusatzjob Schichtdienst Sicherheitskraft
Berufsstress Freizeitstress
Schlafstörungen Kopfschmerzen
Gesundheitszustand: geschafft!

E1-E3

Bewerbungen

Tobias Berger bewirbt sich um einen Ausbildungsplatz. Was macht er falsch? Lesen Sie die Regeln und notieren Sie die Fehler.

Falsch

Tobias Berger

Telefonnummer und E-Mail fehlen **1** Rheinstraße 76
65185 Wiesbaden

2 Global Telecommunication
Frankfurter Ring 88
60899 Eschborn

25. Januar 2000

Ihre Anzeige in der „FAZ" **3**

Sehr geehrte Herren,

4 hiermit bewerbe ich mich bei Ihnen als Azubi. Ich mache im Sommer Abitur und wollte eigentlich studieren oder vielleicht ein Jahr im Ausland verbringen. **5**

Als ich Ihre Anzeige las, dachte ich, dass ich ja eigentlich auch eine Lehre machen kann. In der Anzeige steht, dass man auch Fremdsprachen beherrschen muss. Mein Englisch ist ganz gut, mein Französisch geht so und ein bisschen Spanisch habe ich auch drauf.

6 Wie Sie aus meinen Zeugnissen sehen können, habe ich immer ganz gute Noten gehabt.

Ich habe diverse Hobbys und arbeite auch bei Greenpeace mit. Praktika habe ich auch gemacht, auch einmal bei einem ähnlichen Unternehmen wie Global Telecommunication.

7 Es wäre toll, wenn das mit der Lehrstelle bei Ihnen klappt.

Viele Grüße

8 *Tobias Berger*
Tobias Berger

9

1 **Absender:** Geben Sie unbedingt Ihre Telefonnummer und, wenn vorhanden, Ihre E-Mail-Adresse an.
2 **Anschrift und Anrede:** Achten Sie auf die genaue Firmenbezeichnung. Nennen Sie, wenn möglich, in der Anschrift und in der Anrede eine Ansprechpartnerin oder einen Ansprechpartner für Ihre Bewerbung, oder benutzen Sie die „anonyme" Anrede „Sehr geehrte Damen und Herren,".
3 **Betreff-Zeile:** Formulieren Sie kurz und deutlich Anlass (Stellenbewerbung) und Bezug (Anzeige mit Datum) Ihres Schreibens.
4 **Einstieg:** Schreiben Sie gleich nach dem einleitenden Satz, warum Sie sich gerade für diese Stelle interessieren.
5 **Überleitung:** Erwähnen Sie, was Sie zur Zeit machen und wann Sie die Ausbildung beginnen können.
6 **Erläuterung:** Schildern Sie, warum Sie für die Stelle geeignet sind. Benennen Sie Fähigkeiten (möglichst konkret), Aktivitäten (Was?, Wo?) und Interessen mit Bezug zur Firma und zum angestrebten Job.
7 **Ausstieg:** Bitten Sie um eine Einladung zum Vorstellungsgespräch und betonen Sie noch einmal Ihr Interesse an Firma und Job.
8 **Grußformel und Unterschrift:** Verwenden Sie die neutrale Grußformel „Mit freundlichen Grüßen" und unterschreiben Sie den Brief möglichst leserlich.
9 **Anlagen-Hinweise:** Fügen Sie zum Schluss einen Hinweis auf die Anlagen hinzu. Wenn Foto, Lebenslauf und Zeugnisse ordentlich in einem Hefter sortiert sind, genügt der Hinweis „Bewerbungsunterlagen".

Formulieren Sie klar und konkret. Verzichten Sie auf Abkürzungen, auf umgangssprachliche Wörter wie „toll" oder „super" und auf ungenaue Angaben wie „ein bisschen", „ganz gut", „vielleicht" oder „eigentlich".

Das Bewerbungsschreiben ist
die erste Arbeitsprobe.

E 2   **Tobias Berger hat seine Bewerbung noch einmal geschrieben und dabei die Regeln beachtet. Welche Regel passt wo? Ergänzen Sie die Überschriften und unterstreichen Sie die zusätzlichen Informationen im Text.**

Richtig

Absender

Tobias Berger
Rheinstraße 76
65185 Wiesbaden
Tel.: 0611 / 370077

Global Telecommunication GmbH

Anschrift

Frau Dr. Marita Evermann
Frankfurter Ring 88

6 08 99 Eschborn   25. Januar 2000

Ihre Anzeige in der „FAZ" vom 24. 1. 2000: Ausbildung zum Industriekaufmann

Anrede

Sehr geehrte Frau Dr. Evermann,

ich habe Ihre Anzeige in der „FAZ" gelesen und bewerbe mich als Auszubildender bei Ihnen. Mich interessiert neben Sprachen und Computertechnik ganz besonders der Telekommunikationsmarkt. Eine Ausbildung bei Global Telecommunication halte ich für interessant und lehrreich, weil Sie mir als internationales, technisch orientiertes Unternehmen viele Möglichkeiten bieten, meine Sprach- und Computerkenntnisse anzuwenden und auszubauen.

Ich besuche zur Zeit noch das Elly-Heuss-Gymnasium in Wiesbaden und stehe gerade vor dem Abitur. Einen Ausbildungsplatz suche ich zum 1. August 2000.

In den letzten drei Jahren habe ich Praktika in verschiedenen Firmen absolviert. Ganz besonders interessant fand ich das Praktikum bei Interkom in Wiesbaden, die ebenfalls als Netzwerkbetreiber arbeiten und wo ich einen guten Überblick über die Arbeit im Bereich Kundenbetreuung erhalten habe. Mir hat der Kontakt mit Kunden gut gefallen, und ich habe nach ein paar Tagen eigenständige Kundengespräche führen dürfen. Dort konnte ich meine Sprachkenntnisse (Englisch und Französisch) anwenden.

Meine Bewerbungsunterlagen füge ich diesem Brief bei. Bitte laden Sie mich zu einem Vorstellungsgespräch ein, denn ich bin an einem Ausbildungsplatz in Ihrem Unternehmen interessiert.

Mit freundlichen Grüßen

Tobias Berger
Tobias Berger

Anlagen:
Bewerbungsunterlagen

Lerntipp:
Kaufen Sie sich eine deutsche Zeitung mit vielen Stellenanzeigen (am besten die Wochenend-Ausgaben von überregionalen Tageszeitungen oder die Wochenzeitung Die Zeit)) oder suchen Sie deutsche Stellenanzeigen im Internet, z.B. unter <http://www.jobs.zeit.de/>, <http://www.stellenmarkt.de/> oder <http://www.arbeitsamt.de/>.
Suchen Sie eine interessante Anzeige aus und überlegen Sie, warum gerade Sie für diese Stelle geeignet sind. Machen Sie Notizen, schreiben Sie eine Bewerbung und „frisieren" Sie Ihren Lebenslauf: Verändern Sie die Schwerpunkte so, dass Ihr Lebenslauf gut zu der Stelle und den Anforderungen passt.
Sie können die Bewerbung dann auch losschicken – viele Menschen schreiben Bewerbungen „zur Probe", und absagen können Sie immer noch.

E 3   **Schreiben Sie eine Bewerbung.**

Zur Zeit / Seit ... bin ich als ...
bei ... in ... tätig.
Ich möchte mich beruflich
verändern, weil ...

F1–F3

F

Zwischen den Zeilen

F 1

Welche Nomen verstecken sich in diesen Adjektiven?

abwechslungsreich *die Abwechslung*

alkoholfrei _____

autofrei _____

erfolgreich _____

fantasiearm _____

fettarm _____

gebührenfrei _____

hilfreich _____

ideenreich _____

kalorienreich _____

konfliktfrei _____

kontaktarm _____

niederschlagsfrei _____

traditionsreich _____

umfangreich _____

vitaminreich _____

Unterstreichen Sie die Endungen der Adjektive.

F 2

Ergänzen Sie die Regeln.

-reich (2x) ◆ -frei ◆ -arm ◆ Adjektive ◆ wenig ◆ ohne

1 Die Zusätze _____ , _____ und _____ machen aus Nomen

_____ .

2 Der Zusatz _____ bedeutet „viel/groß", der Zusatz „-arm", bedeutet _____ , der

Zusatz „-frei" bedeutet _____ .

Vorsicht: Die Zusätze „-reich", „-arm" und „-frei" können nicht beliebig ausgetauscht werden: *kalorienreich
– kalorienarm – kalorienfrei, ideenreich – ideenarm – ~~ideenfrei~~, umfangreich – ~~umfangarm~~ – ~~umfangfrei~~,
~~abwechslungsfrei~~, ~~kostenreich~~ – ~~kostenarm~~ – kostenfrei.*

Die gebräuchlichsten Kombinationen finden Sie im Wörterbuch, beim Nomen oder als eigenen Eintrag.

F 3

Ergänzen Sie die Stellenangebote und Kleinanzeigen.

Sie sind ein _____ Macher

(viel Erfolg), weder _____ *(wenig Kontakt)* noch
_____ *(ohne Fantasie)* und suchen einen
_____ Job *(viel Abwechslung)* in angenehmer,
_____ Arbeitsatmosphäre *(ohne Konflikte)*. Wir sind eine
_____ PR-Agentur *(großer Einfluss)* und suchen
_____ Kreative *(viele Ideen)* zur Betreuung unserer
_____ namhaften Kunden *(große Zahl)*. Nehmen
Sie Kontakt über unsere Hotline auf – Ihr Anruf ist _____
(ohne Gebühren).

> **Erinnern Sie sich?**
>
> Auch Adjektive auf „-voll" und „-los" kann man von Nomen
> ableiten:
> Sinn – sinn*voll*, Wert – wert*voll*, Rücksicht – rücksichts*voll* ...
> Arbeit – arbeits*los*, Sprache – sprach*los*, Grenze – grenzen*los* ...
>
> *Aufgaben*
>
> Was bedeuten „-voll" und „-los"? Finden Sie je drei weitere
> Adjektive.
> Welche Veränderungen gibt es beim Nomen? Welche
> Veränderungen gibt es auch bei „-reich", „-arm" und „-frei"?
> Finden Sie Beispiele.

Kellner/in gesucht

für _____ Restaurant *(lange Tradition)*,
bekannt für seine _____ Küche *(viel
Abwechslung)* und sein _____
Weinsortiment *(großer Umfang)*. _____
Gäste *(große Zahl)* aus dem Ausland, Fremdsprachenkenntnisse sind deshalb _____
(große Hilfe). Tel. ...

Sie leiden an Stress und Schlaflosigkeit?

Sie essen zu fett und zu _____ *(viele Kalorien)*? Sie sehnen sich
nach Ruhe und Erholung? Bei uns können Sie sich so richtig entspannen!
Wir verwöhnen Sie mit gesunder, _____ , _____ und
_____ Kost
(wenig Fett, wenig Kalorien, viele Vitamine) und leckeren, aber _____
_____ Drinks *(ohne Alkohol)*. Sie genießen die ruhige und
_____ Atmosphäre *(kein Stress)* in einer garantiert
_____ Gegend *(wenig Niederschlag)* auf einer
kleinen, _____ Insel *(ohne Autos)* in der Karibik.
Fordern Sie unseren Prospekt an unter ...

G

SCHREIBWERKSTATT

G 1 **Was für Arten von Briefen gibt es? Über welche freut man sich, über welche nicht? Machen Sie Notizen.**

Urlaubsbriefe, Reklame ...

Lesen Sie den folgenden Text.

Verwirrung (nach Rafik Schami)

Ich bewundere alle Postbotinnen und Postboten der Welt. Und weil viel zu selten jemand eine Hymne auf ihren Beruf anstimmt, will ich es tun. Ich könnte nicht ohne sie leben. Kein Brief aus meiner Heimat, den ich lese, an dem ich rieche und zur Kühlung meiner Wunden in der Hand wedele, würde mich je erreichen. Welche Geduld, welche Ausdauer müssen sie haben! Manchmal bekomme ich Briefe, die wurden offensichtlich von Hühnern im Laufschritt adressiert.

Ich schaue unserer Postbotin nach und bewundere sie, dass sie bei minus 20 Grad immer noch Post für mich austrägt und trotzdem noch gute Laune hat.

Als Kind wollte ich Räuber, Schriftsteller, Schauspieler, Kapitän oder Lokomotivführer, nie aber Postbote werden. Warum eigentlich? Postboten dürfen alles sein: böse und hilfsbereit, unverschämt, freundlich, wütend, geduldig, cholerisch und lieb. Alles, doch niemals dürfen sie neugierig sein. Nicht mal ein bisschen. Sie dürfen nicht einmal ahnen, was in den Briefen steht, die sie verteilen, sonst werden sie ganz schnell verrückt.

So geschah es einmal dem Postboten D. Er begann, sich Gedanken zu machen. Brief um Brief. Täglich. Zu allem, was er zustellen musste. Er überlegte, was der Inhalt sein könnte und beobachtete dann an den folgenden Tagen die Leute, ob sich an ihnen zeigte, dass seine Vermutungen richtig waren. Das tat er fünf Jahre lang. ...

G 2 **Wie könnte es weitergehen? Schreiben Sie ein Ende für die Geschichte.**

a) Planen

● Es ist wichtig, dass Sie bereits eine Idee im Kopf haben, bevor Sie anfangen zu schreiben. Notieren Sie in Stichwörtern, wie die Geschichte weitergehen könnte.

● Schauen Sie noch einmal in den Text: Aus welcher Perspektive wird die Geschichte erzählt? Spielt sie in der Gegenwart oder in der Vergangenheit? Wie müsste sie weitergehen (im Präsens, Perfekt oder Präteritum)?

b) Formulieren

● Schreiben Sie das Ende der Geschichte mit Hilfe Ihrer Notizen. Es sollte nicht zu lang sein.

● Machen Sie kurze, einfache Sätze.

● Verbinden Sie die Sätze mit „dann", „als", „meistens", „manchmal", „deshalb", „aber" usw.

c) Überarbeiten

● Lesen Sie Ihren Text noch einmal oder mehrmals langsam durch und korrigieren Sie mögliche Rechtschreib- und Grammatikfehler (z. B. Stellung des Verbs im Nebensatz, Verben im Präteritum).

● Versetzen Sie sich in die Rolle des Lesers und überprüfen Sie: Ist das, was Sie geschrieben haben, verständlich und klar formuliert?

G 3 **Wenn Sie noch Lust haben, dann schreiben Sie die Geschichte noch einmal, diesmal aber aus der Perspektive einer anderen Person.**

Erzähler/in könnte z. B. sein:

● der Postbote D. selbst

● ein Briefempfänger / eine Briefempfängerin

● die Frau des Postboten D.

● ...?

Beachten Sie auch die Punkte „Planen", „Formulieren" und „Bearbeiten" aus G2.

Kurz & bündig

Wie sieht Ihr Traumberuf aus?

Ich möchte so viel verdienen, dass _____

_____

Ich möchte mich mit den Kollegen so gut verstehen, dass _____

_____

Was ist Ihr Traumberuf? Warum? _____

_____

Welche Eigenschaften braucht man für Ihren Traumberuf? _____

_____

Meine Regel für die Genitiv-Ergänzung

Wie sind die Genus-Signale für den Genitiv?
f = _____ , m = _____ , n = _____ , Pl = _____
Nach welchen Präpositionen steht der Genitiv?

_____

In einem Lied heißt es „Ich brauche keine Millionen. Ich brauche nur Musik." Was brauchen Sie? Was brauchen Sie nicht?

_____

_____

_____

Das brauchst du nicht! Beruhigen Sie Ihren Partner:

Ich mache mir Sorgen! – *Du brauchst dir keine Sorgen zu machen!* _____
Ich stehe jeden Morgen um fünf Uhr auf! _____
Ich arbeite jeden Tag 14 Stunden! _____
Ich habe die E-Mail noch nicht geschrieben. _____
Ich habe den Termin für das Meeting noch nicht abgesagt. _____
Ich muss den Workshop noch organisieren. _____
Ich muss den Tisch für heute Abend noch reservieren. _____
Ich habe jeden Abend ein schlechtes Gewissen, weil ich noch so viele Dinge tun müsste. _____

Sie haben eine Anzeige mit Ihrem Traumjob gesehen und rufen dort an. Was sagen Sie?

_____

_____

Interessante Ausdrücke

_____

_____

KONFLIKTE
UND LÖSUNGEN

A

Beziehungskisten

A 1

Was sind die Gründe für Probleme in einer Partnerschaft? Machen Sie Notizen.

Sprechen oder schreiben Sie Dialoge zu den Zeichnungen.

Private Konflikte

Einleitung

Ist was? / Hast du was?
Was ist denn jetzt schon wieder los?
Was hast du denn bloß immer?

Ärger und Unzufriedenheit ausdrücken

Ich hab' dir doch schon hundert Mal gesagt, dass ...
Musst du denn immer ...?
Kann man denn nicht ein Mal in Ruhe ...?!
Wir wollten doch ...
Gestern/vor einer Woche/... hast du noch gesagt, ...
Wie oft muss ich dir noch sagen, dass ...
Das darf doch wohl nicht wahr sein!
Du hörst mir nie zu.

Reaktionen

Dir kann man aber auch nichts recht machen!
Kannst du nicht endlich mal damit aufhören?!
Immer machst du Probleme, wo gar keine sind.
Jetzt reg dich doch nicht auf.

KURSBUCH
A1–A4

Lesen Sie die Wörterbucherklärungen und ergänzen Sie.

Beziehung, *die*; -, -en; **1** e-e
Beziehung (mit/zu j-m) *mst* sexuelle
Kontakte zu j-m; **2** *mst* Pl;
Beziehungen (mit/zu j-m/etw.)
bestimmte Verbindungen zwischen
Personen, Gruppen, Institutionen od.
Staaten

Kiste, *die*; -, -n; **1** ein rechteckiger
Behälter aus Holz <e-e K. mit
Büchern; etw. in e-e K. tun,
verpacken> **2** ein (altes) Auto
3 Sache, Angelegenheit

Beziehungskiste, _____

_____

_____

Lesen Sie zuerst die Aufgaben und dann den Text. Markieren Sie.

„Was ich dich schon immer mal fragen wollte ..."
Eine *Beziehungs Kiste* für
Beziehungskisten

Beziehungs Kiste®
Die wichtigsten Fragen in der Beziehung
Eine Anleitung für eine bessere Kommunikation
in der Partnerschaft
Begleitbüchlein

Werner Troxler / Frédéric Hirschi
Verlag Hirschi + Troxler

1 Die *Beziehungs Kiste* hilft Menschen,

☐ a) die mit niemandem über ihre Probleme
  sprechen können.

☐ b) die sich von ihrem Partner/ihrer Partnerin
  trennen wollen.

☐ c) die ihre Beziehung zu ihrem Partner/ihrer
  Partnerin verbessern wollen.

2 Die *Beziehungs Kiste* ist

☐ a) eine Sammlung von Gesprächskarten.

☐ b) eine Art Ratgeber für Eheberater.

☐ c) ein Spiel für die ganze Familie.

3 Mit Hilfe der *Beziehungs Kiste*

☐ a) kann man prüfen, ob man den richtigen
  Partner/die richtige Partnerin gewählt hat.

☐ b) sollen Paare lernen, wieder mehr
  miteinander zu sprechen.

☐ c) kann man alle Konflikte in einer Partnerschaft lösen.

Eigentlich ist Ihre Beziehung ganz gut. Eigentlich ..., aber „irgendwie" scheint sie Ihnen festgefahren. Sie stagniert, es findet keine Entwicklung statt. Nein, unglücklich sind Sie nicht, glücklich aber auch nicht.

Wenn Sie sich in solch einer ambivalenten Situation befinden, sollten Sie mal abends den Fernseher aus lassen, sich Zeit mit dem Partner nehmen und sich Ihre *Beziehungs Kiste* vornehmen.

Damit ist nicht gemeint, dass Sie sich nun in endlosen Gesprächen, gegenseitigen Vorwürfen und Anklagen ergehen sollen. Nein, die *Beziehungs Kiste*, von der hier die Rede ist, ist von anderer Qualität. Entwickelt wurde sie von zwei Kommunikationsexperten, die verstummte Paare wieder miteinander ins Gespräch bringen wollen.

Dreißig wichtige und kritische Problembereiche, die wohl in jeder Partnerschaft eine mehr oder weniger große Rolle spielen, haben die Autoren auf Dialogkarten aufgegriffen. Die Paare können es dabei dem Zufall überlassen, welche Karte sie „bearbeiten" wollen, sie können sich aber auch gezielt mit einer Frage befassen, die für ihre Beziehung besonders relevant ist. Ob es um das leidige Thema Geld geht („Was können wir uns finanziell leisten?") oder die liebe Verwandtschaft („Wie beeinflussen unsere Eltern und Verwandten unsere Beziehung?") – alle Dialogkarten führen das Paar durch sorgfältig ausgewählte Unterfragen an das Problem heran.

Wie das Begleitheft verrät, stützen sich die Erfinder der *Beziehungs Kiste* bei der Entwicklung ihrer Idee auf grundlegende Erkenntnisse der Kommunkationsforschung. Dennoch, so betonen die Autoren, sind die Dialogkarten kein Ersatz für professionelle Hilfe durch Eheberater oder Familientherapeuten. Doch überall dort, wo Selbsthilfe möglich und die Beziehung „nur" durch Routine und Alltagsstress festgefahren ist, kann die *Beziehungs Kiste* allzu lahme Beziehungskisten wieder flott machen.

A 3

Welche Fragen passen zu welcher Karte?

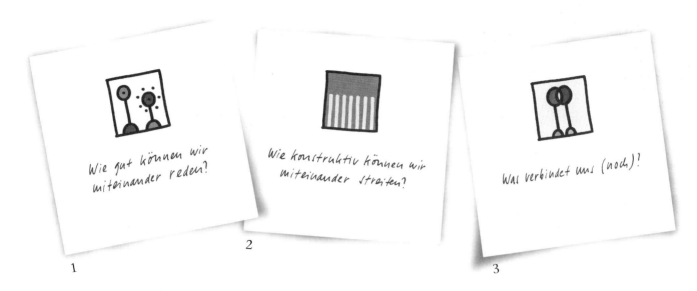

1

2

3

Wie gut können wir miteinander reden?

Wie konstruktiv können wir miteinander streiten?

Was verbindet uns (noch)?

3 a) Wie sehr ist unsere Bindung von äußeren Einflüssen abhängig (Druck von außen, Verlust von Ansehen, Konventionen, religiöse Motive, Verlust von Freunden usw.)?

☐ b) Wie sehr ist unsere Beziehung durch Gewohnheit und Bequemlichkeit „stabilisiert"?

☐ c) Gespräche mit negativem Inhalt rauben Kraft und töten die Gesprächsbereitschaft. Wie sehr sind uns unsere Gespräche Gelegenheiten, uns über andere zu beklagen, zu jammern, andere zu kritisieren oder uns gegenseitig Vorwürfe zu machen?

☐ d) Wie ehrlich und spontan können wir uns nach dem Streiten wieder versöhnen?

☐ e) Was für ein Gesprächsthema haben wir, das uns beide interessiert?

☐ f) Welche gemeinsamen Interessen verbinden uns?

☐ g) Wie verlaufen unsere Diskussionen, wenn wir unterschiedlicher Meinung sind?

☐ h) Falls „Liebe" uns verbindet, wie würde ich diese Liebe aus meiner Sicht beschreiben?

☐ i) Wie wollen wir unsere Zeit gestalten, um die nötige Muße und Ruhe für gute Gespräche zu finden?

☐ j) Wie fest werde ich durch Angst vor materiellen Einschränkungen oder gar dem Verlust in unserer Beziehung gehalten (zum Beispiel Angst vor finanziellen Problemen, Aufgabe von Wohnung usw.)?

☐ k) Wer von uns beiden gibt in einem Streit eher nach?

Wie finden Sie die Idee mit den Dialogkarten? Sammeln Sie Pro und Kontra. Schreiben Sie einen kurzen Text zu diesem Thema.

+	−
viele Ideen / Themen	künstlich
man bleibt sachlich	kontextlos
macht Spaß / ist witzig / ist lustig	lächerlich

KURSBUCH
A5

Probleme am Arbeitsplatz

Hören Sie, was Katharina, Anja und Marco berichten, und machen Sie Notizen.

Name

Alter

Beruf

Kollegen

Problem

Katharina T., 38

Anja S., 19

Marco S., 33

Wie sollte man sich Ihrer Meinung nach in solchen Situationen verhalten? Schreiben Sie Ratschläge auf.

Sie/Er sollte ...
Es ist wichtig, dass ...
An ihrer/seiner Stelle würde ich ...
Das Beste wäre, wenn sie/er ...
Sie/Er sollte auf keinen Fall ...
Ich finde, sie/er sollte ...

> ganz direkt/offen mit der Kollegin/dem Kollegen sprechen ◆
> selbstbewusst reagieren ◆
> klar ihre/seine Meinung sagen ◆
> (nicht) freundlich/aggressiv/... reagieren ◆
> den Arbeitsplatz wechseln ◆
> mit dem Chef/der Chefin reden ◆
> andere Kollegen fragen ◆ ...

Ratschläge für Katharina

An Katharinas Stelle würde ich versuchen, ganz offen mit der Kollegin zu sprechen.
Katharina sollte auf keinen Fall ...

Lesen Sie die Beispielsätze und ergänzen Sie die Präpositionen und Fragepronomen.

	Sätze mit Pronominaladverb	*Verb + Präposition*	*Fragepronomen*
1	Dann ärgere ich mich **darüber**, dass sie bei der Arbeit immer so laut Musik hört.	sich ärgern *über*	*Worüber* ?
2	Aber wenn ich sie mal freundlich **darum** bitte, das Radio leiser zu stellen, tut sie so, als ob sie nichts hört.	bitten _____	Wor_____ ?
3	Ich träume eigentlich schon lange **davon**, zwischen Abi und Studium noch mal so'ne richtig große Reise zu machen.	träumen _____	_____ ?
4	Wenn ich **daran** denke, wie die anderen Kollegen immer hinter meinem Rücken über mich reden ...	denken _____	_____ ?
5	In den Pausen haben die immer derbe Witze erzählt. Am Anfang fand ich das ja noch ganz witzig, aber irgendwann konnte ich wirklich nicht mehr **darüber** lachen.	lachen _____	_____ ?
6	Die meisten Sprüche waren ausländerfeindlich. Seit ich einmal **dagegen** protestiert habe, ist es noch schlimmer geworden.	protestieren _____	_____ ?

> *Aber:* Für Personen stehen Personalpronomen:
> *Aber wenn **ich** sie dann mittags mal gefragt hab, ob sie vielleicht **mit mir** in die Kantine gehen möchte, ...*

Ergänzen Sie die Regeln.

Satz/Text ◆ Fragepronomen ◆ Pronominaladverbien ◆ da- ◆ r

1 In Texten oder Dialogen ersetzen _____ Aussagen oder Sachen.

2 Mit Pronominaladverbien bezieht man sich – genau wie mit Personalpronomen – auf etwas, das gesagt wurde: *Seit ich einmal **dagegen** (= gegen die ausländerfeindlichen Sprüche) protestiert habe, ist es noch schlimmer geworden.*

3 Pronominaladverbien können auch auf den nachfolgenden _____ aufmerksam machen: *Dann ärgere ich mich **darüber, dass sie bei der Arbeit immer so laut Musik hört.***

4 Ein Pronominaladverb bildet man aus _____ + Präposition, das passende _____ aus „wo-"+ Präposition. Wenn die Präposition mit einem Vokal beginnt, wird ein ___ eingefügt: *darüber, worüber*

B 3

Hatten Sie schon einmal Probleme am Arbeitsplatz? Berichten oder schreiben Sie.

sich ärgern über ◆ sich beschweren bei/über ◆ sich aufregen über ◆ sich entschuldigen bei/für ◆ Streit haben mit ◆ sich gewöhnen an ◆ sich entscheiden für/gegen ◆ Probleme haben mit ◆ Mut haben zu ◆ überzeugt sein von ◆ Angst haben vor ◆ achten auf ◆ protestieren gegen ◆ ...

Vor drei Jahren habe ich in einem Restaurant gearbeitet. Ich habe mich immer darüber geärgert, dass meine Kollegen ...

Aufpassen
(von Hans Manz)

Jeder muss lernen,
sich anzupassen,
aber gleichzeitig
aufpassen, dass er nicht verpasst
zu sagen:
Das passt mir nicht!

B5

B 4

3/21

Hören und fragen Sie.

Ihr Chef ist auf Geschäftsreise und ruft Sie im Büro an. Sie sollen verschiedene Dinge für ihn erledigen. Die Telefonverbindung ist sehr schlecht, und manchmal können Sie nicht verstehen, was er sagt. Deshalb müssen Sie nachfragen.

In Rückfragen mit Fragewörtern betont man die Fragewörter stark.
Wie bitte? ↗ *Worum soll ich mich kümmern?* ↗

● *Nächste Woche Montag fliege ich nach Mailand. Sagen Sie, könnten Sie sich bitte um die Hotelreservierung kümmern?*

  ■ *Wie bitte?* ↗ **Worum** *soll ich mich kümmern?* ↗

● *Worum Sie sich kümmern sollen? Um die Hotelreservierung in Mailand. Sie wissen doch, dort ist nächste Woche Messe. Ach ja, und könnten Sie bitte für den kommenden Freitag noch einen Termin mit Frau Spirgatis machen?*

  ■ *Wie bitte?* ↗ **Mit** *wem soll ich einen Termin machen?* ↗

● *Mit wem Sie einen Termin machen sollen? Mit Frau Spirgatis. Sie wissen doch, das ist die Dame von „Multimedia Consult".*

1 sich kümmern um	5 achten auf	9 beginnen mit
2 einen Termin machen mit	6 sich Gedanken machen über	10 nachfragen bei
3 denken an	7 sich erkundigen nach	11 Schluss machen mit
4 eine Kopie schicken an	8 sprechen mit	12 anrufen bei

C1-C2

C

Zwischen den Zeilen

C 1

Unterstreichen Sie alle Wörter mit „irgend-".

1. Ich weiß nicht, Männer, die viel reden, sind mir irgendwie suspekt.
2. Sie wissen nicht genau, was es ist, aber irgendetwas in Ihrer Partnerschaft stimmt nicht.
3. Na, das kommt mir auch irgendwie bekannt vor.
4. Ständig kommt mein Chef mit irgendwelchen Zusatzaufgaben an.
5. Glauben Sie mir, wenn Sie noch lange darauf warten, dass man Ihnen diesen Job von allein anbietet, bekommt ihn irgendjemand anders.
6. Ständig kriege ich nur irgendeine unfreundliche Antwort.
7. Irgendwann sind sogar über Nacht Akten aus meinem Schreibtisch verschwunden.
8. Und wenn irgendwelche Gerichte mal ausverkauft sind, erfahre ich auch nur durch Zufall davon.

C 2

Was ist richtig? Markieren Sie.

1. „Irgend-" bedeutet:
   - ☐ Es ist etwas Unbestimmtes, nichts Konkretes.
   - ☐ Es ist etwas ganz Bestimmtes.

2. „Irgend-" steht ...
   - ☐ vor unbestimmten Artikeln.
   - ☐ vor Indefinitpronomen.
   - ☐ vor Fragepronomen.
   - ☐ ganz allein.

3. Das Artikelwort „irgendein" ...
   - ☐ hat keine Pluralform.
   - ☐ hat die Pluralform „irgendwelche".

C 3

Ergänzen Sie die Sätze.

irgendwelche (2x) ◆ irgendeinen ◆ irgendwie (3x) ◆ irgendjemand (2x) ◆
irgend(et)was ◆ irgendwann ◆ irgendeins

● Sag mal, weißt du, warum die Chefin heute schon wieder so schlechte Laune hat?

■ Ich weiß auch nicht. _____ hat mir mal erzählt, dass sie private Probleme hat.

● Na ja, _____ finde ich das nicht in Ordnung. Ich lasse meine schlechte Laune ja auch nicht an meinen Kollegen aus, wenn ich zu Hause _____ Probleme habe. Weißt du _____ Genaueres darüber?

■ Ich glaube, _____ vor ein paar Wochen hat ihr Mann sie verlassen.

● Wirklich? Na, umso besser! Den fand ich sowieso _____ seltsam. Dann soll sie sich doch _____ netten Kollegen aus der Firma angeln.

■ Ha, Ha! Du glaubst doch nicht im Ernst, dass _____ hier im Hause bei ihr eine Chance hätte. Der müsste doch mindestens eine Million auf dem Konto haben. Und außerdem müsste er ein tolles Auto fahren. Nicht _____ , mindestens einen Mercedes oder einen BMW.

● Meinst du wirklich? Ach nee, _____ glaub ich nicht, dass ihr Geld so wichtig ist.

■ Na, das werden wir ja sehen. _____ Verehrer hat sie ja schließlich immer.

 Hören und vergleichen Sie.

D

Service und Beschwerden

D 1

Machen Sie das Kreuzworträtsel und ergänzen Sie die passenden Wörter.

Bedienung ◆ Beschwerde ◆ Geduld ◆ Höflichkeit ◆ Kompromiss ◆ Kunde ◆
Kundenservice ◆ Personal ◆ Störung ◆ Wunsch

Waagerecht:

2 _____ ist wichtig im Umgang mit
Kunden.

4 Wenn das _____ unzufrieden ist,
stimmt der Service nicht.

5 In diesem Restaurant ist die _____
wirklich langsam!

9 Entschuldigen Sie bitte die _____ !

10 Bei uns ist der _____ König.

Senkrecht:

1 Vielleicht können wir einen _____
finden, um dieses Problem zu lösen.

3 Die Beratung gehört zum _____ .

6 Bitte formulieren Sie Ihre _____
schriftlich.

7 Haben Sie noch irgendeinen _____ ?

8 Bitte haben Sie noch etwas _____ .
Sie werden sofort bedient.

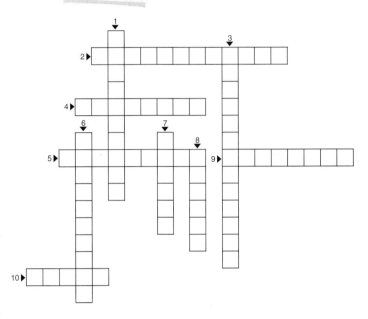

ö = oe

D 2

Was passt nicht? Streichen Sie.

1 sich über die unfreundliche Bedienung	ärgern ◆ beschweren ◆ entschuldigen ◆ aufregen
2 der Gast fühlt sich von dem Lärm	belästigt ◆ gestört ◆ bemüht ◆ genervt
3 einen Vorschlag	ablehnen ◆ machen ◆ annehmen ◆ beschweren
4 jdn. mit lauter Musik	drücken ◆ belästigen ◆ nerven ◆ stören
5 einen Kompromiss	akzeptieren ◆ lösen ◆ finden ◆ eingehen
6 einen guten Service	erwarten ◆ fordern ◆ verlangen ◆ warten
7 eine Beschwerde	vorbringen ◆ formulieren ◆ zeigen ◆ haben
8 einen Kunden	verärgern ◆ vergessen ◆ machen ◆ bedienen
9 einen Wunsch	äußern ◆ haben ◆ verlieren ◆ erfüllen

D2–D6

Erinnern Sie sich?

Adjektive vor Nomen haben eine Endung. Das Genus-Signal
steht entweder am Artikel-Ende oder am Adjektiv-Ende:
der unzufriedene Kunde – ein unzufriedener Kunde

Aufgaben

Wie heißen die Genus-Signale der Adjektive für feminin,
maskulin und neutrum im Nominativ, Akkusativ und Dativ?
Machen Sie eine Tabelle und finden Sie Beispielsätze.
Wie enden die Adjektive nach Artikel im Plural?
Wann sind Nominativ und Akkusativ gleich?

Lesen Sie den Brief und machen Sie Notizen.

Von wem?	An wen?	Was?	Wo?	Wann?	Warum?

1 Werner Grill
Paderborner Str. 14
14678 Berlin

2 An die Geschäftsleitung
des Heimwerkermarktes „Bauland"
Lilienstr. 14
14569 Berlin

3 Berlin, den 24. 05. 2003

4 **Unqualifiziertes Personal**

5 Sehr geehrte Damen und Herren,

nachdem ich mich mehrmals über den schlechten Service bei „Bauland" geärgert habe, wende ich mich nun mit einer schriftlichen Beschwerde an Sie.
Da ich passionierter Hobbybastler bin, freut es mich, einen kleinen, gut sortierten Heimwerkermarkt in meiner direkten Nähe zu haben. Allerdings lässt der Service Ihres sonst gut geführten Betriebes in letzter Zeit zu wünschen übrig. Oder verlange ich zu viel, wenn ich vom Personal eine kompetente Auskunft erwarte?

Wiederholt wurde ich mit der Unwissenheit schüchterner Lehrlinge konfrontiert, die nicht in der Lage waren, auf meine Fragen fachkundig zu antworten. So bekam ich z. B. letzten Montag auf meine einfache Frage „Können Sie mir sagen, ob ich für dieses Schloss 3mm- oder 4mm-Schrauben brauche?" nicht nur eine unfreundliche, sondern auch eine falsche Antwort. Das hat mich natürlich geärgert, denn ich musste die Schrauben am nächsten Tag wieder umtauschen.

Nun können die armen Lehrlinge ja auch nichts dafür, wenn sie von verantwortungslosen Vorgesetzten an Stellen mit besonders regem Kundenverkehr eingesetzt werden, obwohl sie noch gar keine ausreichenden Fachkenntnisse haben. Sie sollten mir aber zumindest sagen können, wer meine Frage richtig beantworten kann.

Als Hobby-Handwerker schätze ich die Vorteile einer fachkundigen Beratung und eines kompetenten Personals. Da ich annehme, dass Sie mich als treuen Kunden nicht verlieren wollen, hoffe ich sehr, dass Sie Ihren Service in nächster Zeit deutlich verbessern werden.

6 Mit freundlichen Grüßen

7 Werner Grill

„da" und „denn"

„da" + Nebensatz
Da ich passionierter Hobbybastler bin, freut es mich, einen kleinen, gut sortierten Heimwerkermarkt in meiner direkten Nähe zu haben.
(= *Weil* ich passionierter Hobbybastler bin, ...)

„denn" + Hauptsatz
Das hat mich natürlich geärgert, *denn* ich musste die Schrauben am nächsten Tag wieder umtauschen. (= Das hat mich natürlich geärgert, *weil* ich die Schrauben am nächsten Tag ...)

„Da" und „denn" verwendet man eher in der Schriftsprache. Der „denn"-Satz steht immer rechts vom Hauptsatz, den er erklärt.

D 4 **Suchen Sie die passenden Adjektive im Brief und ergänzen Sie die Tabelle und die Regeln.**

Genitiv

f	m	n	Pl
der fachkundigen Beratung	des gut geführten Betriebes	des kompetenten Personals	dieser schüchternen Lehrlinge
einer _____ Beratung	Ihres _____ Betriebes	eines _____ Personals	ihrer schüchternen Lehrlinge
fachkundiger Beratung		kompetenten Personals	_____ Lehrlinge

f (2x) ◆ Pl (2x) ◆ m ◆ n ◆ Bezugswort ◆ Adjektive

1 Der Genitiv beschreibt sein _____ genauer.

2 Das Genus-Signal für den Genitiv: _____ und _____: „-r"
       _____ und _____: „-s".

3 Die _____ im Genitiv haben immer die Endung „-en". Das Signal ist am Nomen und/oder am Artikel.
   Ausnahme: Adjektive ohne Artikel bei _____ und _____: „-r".

Worüber kann man sich beim Einkaufen ärgern oder freuen? Ergänzen Sie.

1 das Benehmen dieser arrogant__ Verkäuferin
2 die Unwissenheit picklig__ Lehrlinge
3 die Öffnungszeiten eines klein__ Geschäftes
4 die Arroganz dieses unfreundlich__ Verkäufers
5 der Service des unhöflich__ Personals
6 das Verhalten der unzufrieden__ Kunden

7 die Geduld dieser nett__ Kassiererin
8 das Lächeln des sympathisch__ Kellners
9 die Art einer charmant__ Kundin
10 das Angebot des groß__ Supermarktes
11 die Kompetenz einer neu__ Buchhändlerin
12 das Lachen hilfsbereit__ Verkäuferinnen

Lerntipp:

Wenn Sie einen Beschwerdebrief schreiben, achten Sie darauf, dass er alle wichtigen Informationen enthält. Sie können das z. B. mit den Fragewörtern aus D3 prüfen. Wichtig sind außerdem:

Adresse des Absenders **1** und des Empfängers **2**, Ort und Datum **3**, Thema **4**, höfliche Anrede **5**, Grußformel **6** und Unterschrift **7**.

KURSBUCH D7

D 5 **Schreiben Sie einen Beschwerdebrief.**

neuer Schrank mit Kratzer ◆ Mahnung für eine bereits bezahlte Rechnung ◆ unvollständige Lieferung: Computer ohne Maus / Kaffeeservice ohne Tassen / ... ◆ fehlerhafte Gebrauchsanweisung für das Videogerät / den Fernseher / ...

Haben Sie sich schon einmal beschwert? Mündlich oder schriftlich? Berichten Sie.

KURSBUCH E

Der Ton macht die Musik

Hören Sie, sprechen Sie nach und markieren Sie die Akzentsilben.

Komposita	nominale Ausdrücke	Komposita	nominale Ausdrücke
der Be<u>ruf</u>salltag	der berufliche <u>All</u>tag	Lerntipps	Tipps für das Lernen
die <u>Fremd</u>sprache	die fremde Sprache	Namenskärtchen	Kärtchen mit Namen
Haushaltsgeräte	Geräte im Haushalt	am Nebentisch	am Tisch nebenan
eine Hörübung	eine Übung zum Hören	ein Sprechanlass	ein Anlass zum Sprechen
die Klotür	die Tür zum Klo	Überstunden	zusätzliche Stunden
Kurzgeschichten	kurze Geschichten	eine Wortfamilie	eine Familie von Wörtern

Erinnern Sie sich?

Komposita aus Nomen
Viele deutsche Wörter sind Komposita (= zusammen-
gesetzte Wörter).
Viele Komposita sind aus zwei Nomen gebildet:
Arbeitsplatz = Arbeit (+s) + Platz.

Aufgaben

Beantworten Sie die Fragen und suchen Sie Beispielwörter:
Wie nennt man diese beiden Wörter?
Welches Wort bestimmt den Artikel?
Welches Wort hat den Wortakzent?
Wo findet man Komposita im Wörterbuch?
Welche Buchstaben werden manchmal als Verbindung zwischen den
Nomen ergänzt?

Wo ist der Akzent: links oder rechts? Ergänzen Sie die Beispiele und die Regeln.

1 Bei Komposita mit Nomen ist der Wortakzent immer _____ :

   Nomen + Nomen   *Berufsalltag,* _____

   Adjektiv + Nomen   *Fremdsprache,* _____

   Verb(stamm) + Nomen   _____

   Präposition + Nomen   _____

2 Bei nominalen Ausdrücken ist der Wortgruppenakzent immer _____ :

   der berufliche <u>All</u>tag, _____

Markieren Sie die Akzentsilben.

Hellseher ◆ keine Erfolgsgarantie ◆ Experten für Kommunikation ◆ Fachkenntnisse ◆ im Streitfall ◆
Schnapsideen ◆ mehr Erfolg beim Lernen ◆ Kopfkissen ◆ Auskünfte über Preise ◆
Sendungen im Radio ◆ Schreibaktivitäten ◆ zusätzliche Aufgaben ◆ beim Lernen der fremden Sprache

Jetzt hören und vergleichen Sie.

Markieren Sie die Akzentsilben und üben Sie.

_____ = Wortgruppenakzent   _____ = Hauptakzent, Satzakzent

Verrückte <u>I</u>deen, um mehr Erfolg beim <u>Ler</u>nen zu haben
Tipps für das <u>Ler</u>nen an die Tür zum <u>Klo</u> hängen,
Wörterbücher als Kissen unter den <u>Kopf</u> legen,
mit Familien von <u>Wör</u>tern <u>Ra</u>tespiele machen
und Kärtchen mit den Namen an die Geräte im Haushalt kleben,
Auskünfte über Preise als Anlass zum Sprechen nehmen,
Sendungen im Radio als Übungen zum Hören nutzen,
mit Artikeln aus der Zeitung Hellseher spielen
und kurze Geschichten als Aktivitäten zum Schreiben nutzen.
Kurz gesagt: sich verrückte Ideen als zusätzliche Aufgaben ausdenken,
um beim Lernen der fremden Sprache mehr Erfolg zu haben.

Mehr <u>Ler</u>nerfolg mit <u>Schnaps</u>ideen
<u>Lern</u>tipps an der <u>Klo</u>tür,
Wörterbücher als <u>Kopf</u>kissen,
<u>Ra</u>tespiele mit <u>Wort</u>familien
und Namenskärtchen an Haushaltsgeräten,
Preisauskünfte als Sprechanlässe,
Radiosendungen als Hörübungen,
Hellseher spielen mit Zeitungsartikeln
und Kurzgeschichten als Schreibaktivitäten.
Kurz: Schnapsideen als Zusatzaufgaben,
um beim Fremdsprachenlernen
mehr Lernerfolg zu haben.

F

SCHREIBWERKSTATT

Stellen Sie sich folgende Situation vor und schreiben Sie einen Dialog.

Herr Konrad trägt meistens einen Cowboy-Hut, Westernstiefel und hört immer laute Country-Musik, sogar im Büro. Nicht jeder ist begeistert. Folgende Personen unterhalten sich über Herrn Konrad.

> Die Kollegin Frau Häuser, die mit Herrn Konrad in einem Büro sitzt, spricht mit dem Chef.

> Eine Nachbarin von Herrn Konrad und der Hausmeister unterhalten sich.

> Eine Kollegin, die in Herrn Konrad verliebt ist, spricht mit ihrer Freundin.

> Ein Kollege unterhält sich mit der Frau von Herrn Konrad.

> Der Sohn von Herrn Konrad und sein Freund unterhalten sich.

> ???

a) Planen
- Wählen Sie eine Situation oder denken Sie sich eine neue aus.
- Machen Sie Notizen zum möglichen Verlauf des Dialogs.

b) Formulieren
- Schreiben Sie den Dialog (allein oder in Partnerarbeit), ohne darin die Namen der Personen zu nennen.
- Beachten Sie, wer miteinander spricht: Sagen die Personen „Sie" oder „du"? Sind sie ärgerlich, höflich etc.?
- Benutzen Sie auch Ausrufe wie „Ach!", „Oh!", „Hm", „Ach so!", „Klar!", „Was?!", „Toll!" usw. Dann wirkt der Dialog besonders lebhaft und echt. Meistens stehen diese Ausrufe am Anfang von Sätzen.

Frau Häuser: *Entschuldigen Sie bitte, hätten Sie vielleicht einen Moment Zeit?*
Herr Leitner: *Aber immer doch. Na, was gibt's denn?*
Frau Häuser: *Ach, wissen Sie, es geht um Herrn Konrad.*
Herr Leitner: ...

c) Überarbeiten
- Korrigieren Sie mögliche Rechtschreib- und Grammatikfehler (z. B. Großschreibung nach dem Doppelpunkt. Die Zeichen für die direkte Rede stehen im Deutschen am Anfang unten und am Ende oben: „Dialog").
- Lesen Sie den Dialog mehrmals laut und überprüfen Sie: Hört er sich an wie gesprochene Sprache? Lesen Sie Ihren Dialog im Kurs laut vor, am besten zusammen mit einem Partner. Die anderen raten, um welche Personen es sich handelt.

d) Erweitern
- Wer sagt was wie? Charakterisieren Sie die Aussagen der Personen, z. B.:
  „Entschuldigen Sie bitte, Herr Leitner", sagte Frau Häuser nervös zu ihrem Chef. „Hätten Sie vielleicht einen Moment Zeit?" „Aber immer doch, Frau Häuser," antwortete Herr Leitner und lächelte freundlich. „Na, was gibt's denn?" „Ach, wissen Sie, es geht um Herrn Konrad." usw.
- Machen Sie aus dem ergänzten Dialog eine kleine Erzählung. Beschreiben Sie auch, was die Personen machen, und verbinden Sie die Sätze z.B. mit „als", „dann", „da", „und", „aber", „deshalb" usw.

  Leise klopfte Frau Häuser an die Bürotür von Herrn Leitner und öffnete sie. „Entschuldigen Sie bitte, Herr Leitner", sagte sie nervös, ohne ihren Chef dabei anzusehen, „Hätten Sie vielleicht einen Moment Zeit?"

Welchen Rat geben Sie?

Eine Freundin hat Probleme mit ihrem Partner, weil er abends immer nur fernsehen will.

_____

Ihre Schwester hat Probleme, weil ihre Kollegen hinter ihrem Rücken schlecht über sie reden.

_____

Ihr Sohn will nicht mehr in die Schule gehen, weil er sich mit den Jungen aus seiner Klasse nicht versteht.

_____

Ein Freund hat sich geärgert, weil er in einem Restaurant sehr unfreundlich bedient wurde.

_____

Ergänzen Sie.

Wovor	haben Sie Angst?	_Davor_ , dass	_ich die ganze Arbeit nicht schaffe._
_____	ärgern Sie sich?	_____ , dass	_____
_____	erinnern Sie sich?	_____ , dass	_____
_____	möchten Sie sprechen?	_____ , dass	_____
_____	liegt das?	_____ , dass	_____
_____	haben Sie Probleme?	_____ , dass	_____
_____	träumen Sie?	_____ , dass	_____
_____	achten Sie?	_____ , dass	_____

Meine Regel für die Pronominaladverbien

_____

_____

Was schätzen Sie besonders beim Einkaufen? Ergänzen Sie.

Ich schätze besonders die Höflichkeit netter Verkäufer, die Kompetenz eines _____

_____

_____

Meine Regel für die Adjektivdeklination im Genitiv

_____

_____

Schreiben Sie einen Satz mit den Wörtern „irgendjemand", „irgendwann" und „irgendwo".

_____

_____

Interessante Ausdrücke

_____

_____

A

A 1

Der Weg ist das Ziel!

Ergänzen Sie.

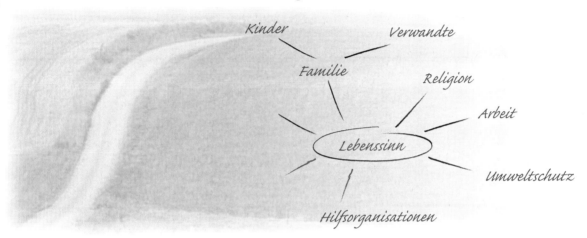

A 2

Ergänzen Sie die passenden Begriffe.

KURSBUCH
A1-A4

Engagement *(n)* ◆ Gleichgültigkeit ◆ Lebenskrise ◆ Lebenssinn *(m)* ◆ Pubertät ◆ Sekte ◆ Selbsthilfegruppe ◆ Umbruch *(m)*

1

_____

Die Zeit zwischen Kindheit und Erwachsensein.

2

_____

Das ist das Zentrum meines Lebens, das ist mir wichtig.

3

_____

Eine sehr plötzliche und große Veränderung im Leben.

4

_____

Eine Zeit, in der man viel über sich und das Leben nachdenkt, in der man sich nicht wohl fühlt, in der man etwas in seinem Leben ändern will oder muss.

5

_____

Eine Gruppe von Menschen, die das gleiche glauben, die aber nicht zu den großen Religionen gehören.

6

_____

Man arbeitet für eine Hilfsorganisation, man handelt statt zuzuschauen.

7

_____

Man empfindet nicht mit anderen mit, alles ist egal.

8

_____

Eine Gruppe von Menschen, die das gleiche Problem haben, z.B. Alkoholiker sind. Sie treffen sich regelmäßig und versuchen sich gegenseitig zu helfen, ihr Problem zu lösen.

Lesen Sie die Überschriften und ordnen Sie sie den Abschnitten zu.

Sinnsuche früher und heute ◆ Der Mensch auf Sinnsuche ◆
Zufriedenheit ohne Sinnsuche ◆ Der richtige Weg

1

Der kleine dicke Hund, der da in der Sonne liegt und friedlich schläft, hat es gut: Jemand hat ihm zu fressen gegeben, er ist satt. Jemand hat ihn gestreichelt, er ist zufrieden. Die Sonne wärmt ihn. Mehr braucht er nicht. Er macht sich keine Gedanken über den nächsten Tag oder das nächste Jahr. Er fragt sich nie, ob es richtig und sinnvoll ist, gerade jetzt zu schlafen oder was der ganze Zirkus mit seinem Hundeleben eigentlich soll. Wir Menschen mit dem größeren Gehirn können noch so viel nachdenken, studieren, meditieren oder die Sterne befragen – sich so satt und wohl fühlen im Hier und Jetzt, das erreichen wir nie.

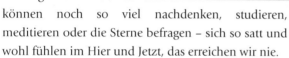

2

Der Mensch ist, jedenfalls soweit wir wissen, das einzige Wesen, das sich mit der Frage nach dem Sinn seines Tuns und seines Lebens beschäftigt. Auch wenn viele große Geister in den vergangenen Jahrtausenden viele Antworten gefunden haben, stolpert jeder Mensch irgendwann ganz für sich allein in den Dschungel der Sinnsuche. Selten in glücklichen Zeiten, meistens in Umbrüchen und Lebenskrisen, zum ersten Mal spätestens in der Pubertät, wenn an der Schwelle zum Erwachsenen-Leben alles möglich und doch nichts mehr klar und sicher erscheint.

3

Die traditionellen Sinngeber – Familie, Gemeinschaft, Gott, Vaterland – haben an Bedeutung verloren. Zwar sehen noch 91 Prozent der Befragten einer Forsa-Umfrage im Familienleben Lebenssinn. Die Realität sieht aber anders aus: Jede dritte, in den Großstädten gar jede zweite Ehe wird heute geschieden. Und es leben 4,5 Millionen Deutsche im „Familienalter" zwischen 25 und 64 allein.

Viele Jahrhunderte glaubten die Menschen daran, von einer göttlichen Kraft zum Leben mit all seinen Höhen und Tiefen bestimmt zu sein und nach dem Tod in die Ewigkeit aufgenommen zu werden. Ende des 19. Jahrhunderts ersetzte in der westlichen Welt Technik, Naturwissenschaft und Rationalität das Ur-Vertrauen in Religionen und Mythen.

Heute scheint vielen Deutschen der Glaube verloren gegangen zu sein: Nur noch etwa 42 Prozent der über 14-Jährigen glauben an den Gott des Christentums. Etwa 24 Prozent glauben an eine göttliche Kraft „unabhängig von allen Religionen" und der Rest – jeder dritte – an gar keinen Gott.

Etwa zwei Millionen Menschen suchen Halt und Lebensinhalt in einer Sekte. Die Anhänger der New Age- und Esoterik-Welle sind ungezählt.

4

Aber liegt der Sinn nicht doch im Handeln? Im aktiven Engagement mit und für Menschen, gegen die Gleichgültigkeit?

Immerhin sind in Deutschland allein 150 000 Menschen Mitglied in einer Umweltschutz-Organisation. Das ist nur die Spitze des Eisbergs, denn da sind noch die vielen anderen, die Flüchtlinge oder Obdachlose betreuen, sich in Selbsthilfegruppen engagieren, für einen Kindergarten oder gegen eine sinnlose Schnellstraße vor ihrer Haustür kämpfen. Oder der Müllmann, der aus dem Abfall des Überflusses Spielzeug sortiert und für Flüchtlingskinder repariert.

Der Sinn ist wohl nur in der paradoxen Maxime „Der Weg ist das Ziel" zu verwirklichen. Sinn kann nicht gegeben, sondern muss gefunden werden. Auf welchem Weg, zu welchem Ziel, kann nur jeder für sich selbst herausfinden.

A 4　　**Machen Sie eine Textzusammenfassung: Sortieren Sie die Sätze.**

☐ Familie, Gemeinschaft, Gott und Vaterland sind heute nicht mehr so wichtig wie früher.

☐ Jeder Mensch muss selbst nach dem Sinn seines Lebens suchen.

☐ Spätestens mit der Pubertät kommen die Fragen nach dem Sinn des Lebens.

☐ Lange Zeit fanden die Menschen den Sinn des Lebens in Gott.

☐ *1* Der Mensch kann nie so selbstzufrieden sein wie ein Tier, weil er über den Sinn seines Lebens nachdenkt.

☐ Den Sinn des Lebens finden heute viele eher darin, sich zu engagieren, anderen zu helfen.

Wie ist das in Ihrem Land? Schreiben oder diskutieren Sie.

KURSBUCH
A5

B　　　　　　　　　　　# Alles Ehrensache!

KURSBUCH
B1-B5

B 1　　　**Was passt zusammen? Markieren Sie.**

1 das Ehrenamt ☐
2 der Ehrendoktor ☐
3 der Ehrenplatz ☐
4 der Ehrengast ☐
5 das Ehrenmitglied ☐
6 Das ist doch Ehrensache! ☐
7 der Ehrentag ☐
8 jdm. sein Ehrenwort geben ☐

a) etwas fest versichern oder versprechen
b) etwas ist ganz selbstverständlich
c) besonders wichtiger Gast bei einer Veranstaltung oder bei einer Feier
d) akademischer Titel ohne Dissertation für spezielle Leistungen, von einer Universität verliehen
e) Aufgabe oder Arbeit, die man ausführt, ohne dafür bezahlt zu werden
f) besonderer Tag, an dem jemand Geburtstag oder ein Jubiläum hat
g) Mitglied in einem Verein, einer Partei o. ä., der keinen Beitrag dafür zahlen muss
h) ganz besonderer Platz, an den man etwas stellt oder an dem man sitzt

Suchen Sie im Wörterbuch weitere Komposita mit „Ehren-".

B 2　　**Was meinen Sie? Wo arbeiten die Leute ehrenamtlich? Hören und markieren Sie.**
4/1

> **eh·ren·amt·lich** *Adj*; so, dass die Person, die die Tätigkeit ausübt, nicht dafür bezahlt wird ⟨e-e Funktion⟩: *Sie arbeitet als ehrenamtliche Helferin für das Rote Kreuz* ‖ hierzu **Eh·ren·amt** *das*

☐ bei der Freiwilligen Feuerwehr　　☐ bei Stadtführungen　　☐ im Sportverein
☐ bei der Polizei　　　　　　　　　☐ beim Arzt　　　　　　☐ bei Banken
☐ in der Bahnhofsmission　　　　　☐ in öffentlichen Parks　☐ im Gesangsverein
☐ im Supermarkt　　　　　　　　　☐ bei Ämtern und Behörden　☐ bei der Telefonseelsorge

B 3　　**Warum engagieren sich die Leute ehrenamtlich?**
4/1　　**Hören Sie noch einmal und machen Sie Notizen.**

– weil der Großvater und der Vater auch schon dabei waren
– um anderen Menschen zu helfen
– ...

Lesen und ergänzen Sie die Tabelle und die Regeln.

In Deutschland engagieren sich etwa <u>sechs Millionen Menschen</u> ehrenamtlich: bei der Freiwilligen Feuerwehr oder in der Bahnhofsmission, im Verein oder bei der Telefonseelsorge. Ehrenamtliche bringen <u>kranke Menschen</u> zum Arzt oder ins Krankenhaus, helfen <u>ausländischen Nachbarn</u> bei Behördengängen und <u>alten Menschen</u> beim Einkaufen, pflegen öffentliche Parks und Grünanlagen, arbeiten als <u>Dirigent</u> beim Gesangsverein oder organisieren Stadtführungen. Oft machen sie die gleichen Arbeiten wie <u>ihre hauptamtlichen Kollegen</u>, aber sie erhalten dafür keinen Cent. Ihr einziger Lohn sind die Artikel, die Journalisten über sie schreiben, und die Dankbarkeit <u>der Menschen</u>, denen sie geholfen haben.

Die n-Deklination

Singular

NOM	AKK	DAT	GEN
der Mensch			
	den Dirigenten		
		dem Kollegen	
			des Journalisten

Plural

NOM	AKK	DAT	GEN
(die) Menschen			*der Menschen*
	(die) Dirigenten		
		(den) Kollegen	
			der Journalisten

Nominativ Singular ◆ -ist, -ent/-ant, -e ◆ Nationalitäten ◆ Nomen

1 Einige maskuline _____ folgen der „n-Deklination": Außer im _____ sind die Kasus-Endungen immer „-n" bzw. „-en".

2 Die Wörter der „n-Deklination" bezeichnen oft Berufe (Journalist, Dirigent, Psychologe), _____ _____ (Franzose, Chinese) oder Tiere (Affe, Hase).

3 Man muss die Wörter der „n-Deklination" extra lernen. Es gibt aber auch einige Endungen (_____ _____), die anzeigen, dass das Nomen zur „n-Deklination" gehört.

Haben Sie schon ehrenamtlich gearbeitet, würden Sie ehrenamtlich arbeiten? Warum? Wo?

B 6

Was passt für wen? Lesen und sortieren Sie.

1 Beate G., 45 Jahre, arbeitet als Musiklehrerin und möchte gerne einen Chor oder ein Orchester leiten.

2 Hildegard Z., 58 Jahre, ist von Beruf Erzieherin und möchte gerne im Garten arbeiten.

3 Karlheinz M., 51 Jahre, ist Lehrer und möchte gerne noch mehr unterrichten.

4 Ursula R., 62 Jahre, ist Hausfrau und möchte gerne noch zusätzlich in einem gemeinnützigen Büro arbeiten.

5 Monika F., 39, ist Hausfrau und würde gerne bei der Organisation und Vorbereitung von Tombolas und gemeinnützigen Veranstaltungen mithelfen.

Anruf genügt!

98 45 61 38/39

a) **Fahrradwerkstatt für Schule**
Überprüfen der Fahrrad-Funktionstüchtigkeit
Voraussetzung: Handwerkliche Fähigkeiten
Ort: Ostend

b) **Kontakte für Seniorenorchester**
Organisation/Veranstaltung von Konzerten
Voraussetzung: Musikalische Kenntnisse, Kontaktfähigkeit und Redegewandtheit
Ort: eigene Wohnung

c) **Deutschunterricht**
Hilfe im Unterricht für ausländische MitarbeiterInnen im Altenzentrum
Voraussetzung: Gutes Deutsch, Einfühlungsvermögen
Ort: Hausen

d) **Büroarbeit/Archivierung/Telefon**
Briefe/Manuskripte schreiben, Archivierungsarbeiten, Telefon
Voraussetzung: Positive Einstellung zu Flüchtlingen/Ausländern
Ort: Nordend

e) **Helfen per Telefon**
Dame mit netter, verbindlicher Art für Telefonzentrale eines Vereins gesucht
Voraussetzung: Erfahrung mit Büro- und Telefondienst
Ort: Bockenheim

Mehr dazu unter

98 45 61 38/39

f) **Arbeitskreis Weihnachtsbasar**
Strümpfe, Schals o. ä. stricken
Voraussetzung: Gute Handarbeitskenntnisse
Ort: eigene Wohnung

g) **Garten für betreute Anwohner**
Mit Bewohnerinnen einmal wöchentlich den Garten pflegen
Voraussetzung: Liebe zum Garten
Ort: Sachsenhausen

KURSBUCH
C1-C2

C

Zwischen den Zeilen

C 1

Machen Sie Nomen mit der Endung „-schaft".

1 der Freund   *die Freundschaft, -en*
2 der Bekannte   *die Bekanntschaft, -en*
3 der Partner   _____
4 der Verwandte   _____
5 der Mann   _____

6 der Nachbar   _____
7 der Kamerad   _____
8 bereit   _____
9 gemein   _____
10 wissen/das Wissen   _____

 Nomen mit der Endung „-schaft" haben immer den Artikel _____ . Der _____ wird immer mit „-en" gebildet. Nomen mit „-schaft" bezeichnen ein Verhältnis, in dem Menschen zueinander stehen (Freundschaft, _____) oder ein Gruppe (Mannschaft, _____).

C 2

Lesen Sie die Definitionen und bilden Sie passende Komposita.

der Ball ◆ die Bereitschaft ◆ der Dienst ◆ der Fuß ◆ die Gemeinschaft (3x) ◆
◆ die Mannschaft ◆ der Raum ◆ der Zweck ◆ Wohnen

1 Auch nachts oder sonntags ist jemand da, bekommt man Hilfe, z.B. im Krankenhaus oder bei der Feuerwehr. *der Bereitschaftsdienst*

2 Mehrere Leute leben zusammen, sind aber keine Familie. _____

3 Ein Zimmer für viele Leute, z.B. die Küche im Studentenwohnheim _____

4 22 Leute spielen mit einem Ball. *zwei* _____

5 Menschen bilden eine Gruppe, weil sie das Gleiche wollen. _____

C 3

Ergänzen Sie die passenden Nomen.

Bereitschaftsdienst ◆ Fußballmannschaft ◆ Freundschaften ◆ Gemeinschaftsräume ◆ Nachbarschaft ◆
Partnerschaft ◆ Verwandtschaft ◆ Wohngemeinschaft ◆ Zweckgemeinschaft

Zeitung in der Schule

In Düsseldorf gibt es das „Don Bosco-Haus". Das ist ein Haus für Obdachlose, die nicht mehr auf der Straße leben wollen. Schüler der Klasse 9b des Cecilien-Gymnasiums haben sich im „Don Bosco-Haus" umgesehen und mit dem Leiter und einem Bewohner ein Interview gemacht.

Als das „Don Bosco-Haus" gegründet wurde, gab es Probleme mit den Bewohnern des Viertels. Sie wollten keine Probleme in ihrer direkten _____ (1) haben. Sie hatten viele Ängste, z.B. dass die Obdachlosen stehlen und auf der Straße Alkohol trinken und so einen schlechten Einfluss auf die Kinder ausüben könnten. Das hat sich aber schnell geändert.

Im „Don Bosco-Haus" gibt es 72 Plätze in Ein- und Zweibettzimmern und eine _____ (2) von fünf Frauen. Sozialarbeiter betreuen die Bewohner von 7 bis 21 Uhr montags bis freitags und zusätzlich gibt es einen _____ (3), der außerhalb dieser Zeiten zur Verfügung steht. Den Hausbewohnern stehen folgende _____ (4) zur Verfügung: ein Café und eine Bücherei. Vor kurzem wurde sogar die erste _____ _____ (5) gegründet. Seitdem wird jeden Samstag auf dem Sportplatz hinter dem Haus trainiert.

Die Gründe, warum Menschen obdachlos werden, sind sehr verschieden, aber oft fängt alles mit einem privaten Schicksalsschlag an: Zum Beispiel mit dem Tod des Partners oder mit dem plötzlichen Ende einer langjährigen _____ (6).

Auch bei Herrn Hansen war das so. Nach der Trennung von seiner Familie konnte er kein normales Leben mehr führen. Weder in der _____ (7) noch im Freundeskreis gab es jemanden, der ihm half. Herr Hansen sagt, dass die Obdachlosen sich auf der Straße zwar zusammentun, dass sie eine _____ (8) bilden, aber dass auf der Straße keine _____ (9) entstehen können. Herr Hansen ist seit einem Jahr im „Don Bosco-Haus". Er hat gerade eine Lehre beendet und möchte sich jetzt eine Arbeit suchen und dann eine Wohnung mieten. Er hofft, dass er bald wieder ein normales Leben führen kann.

Hören und vergleichen Sie.

KURSBUCH
D

D

Der Ton macht die Musik

D 1 **Hören Sie, sprechen Sie nach und markieren Sie den Wortgruppenakzent.**

Bei Konsonantenhäufungen spricht man alle Konsonanten ohne Zwischenvokale. Dies gilt auch bei Wortgrenzen: Wörter werden miteinander verbunden und klingen **wie ein Wort**.

zum Beispiel   kein Problem   falls nötig
viel wert   alles Gute   Moment mal!
am liebsten   ziemlich verrückt   Urlaub machen
nach Paris   nach Berlin   in Rom
nicht fließend   jeden Tag trainieren das klingt gut
nimm dein Buch   ein paar Vokabeln   was mich nervt

Erinnern Sie sich?
Die Konsonanten „b", „d", „g" und „s" spricht man unterschiedlich. Vergleichen Sie: *Brief – Job, Deutsch – und, Glück – Dialog, Sinn – Glas.*

Aufgaben
Wann spricht man diese Konsonanten weich als [b], [d], [g] und [z]?
Wann spricht man sie hart als [p], [t], [k] und [s]? Sortieren Sie die Wörter in Gruppen und finden Sie für jede Gruppe mindestens drei Beispiele.
Wie spricht man „v", „st" und „sp" am Wortanfang und am Wortende?
Bilden Sie Gruppen und finden Sie Beispielwörter.

D 2 **Lesen Sie und ergänzen Sie die fehlenden Buchstaben.**

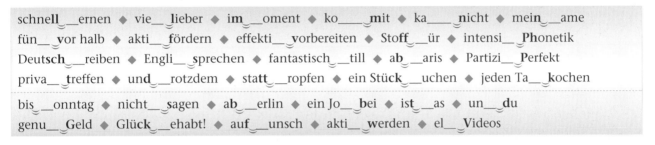

schnell__ernen ◆ vie__ lieber ◆ im__oment ◆ ko____mit ◆ ka____nicht ◆ mein__ame
fün__ vor halb ◆ akti__ fördern ◆ effekti__ vorbereiten ◆ Stoff__ür ◆ intensi__ Phonetik
Deutsch__reiben ◆ Engli__ sprechen ◆ fantastisch__till ◆ ab__aris ◆ Partizi__ Perfekt
priva__ treffen ◆ und__rotzdem ◆ statt__ropfen ◆ ein Stück__uchen ◆ jeden Ta__ kochen

bis__onntag ◆ nicht__sagen ◆ ab__erlin ◆ ein Jo__ bei ◆ ist__as ◆ un__du
genu__ Geld ◆ Glück__ehabt! ◆ auf__unsch ◆ akti__ werden ◆ el__ Videos

> Gleiche Konsonanten an Wortgrenzen spricht man **wie einen Laut**: *fünf=vor, ab=Paris, und=trotzdem.*
> Ist der zweite Konsonant weich, spricht man **Kompromiss-Laute***): *auf=Wunsch, ab=Berlin, und=du.*
> *„Kompromiss-Laute": nicht so hart wie [s], [p], [t], [k], [f] – nicht so weich wie [z], [b], [d], [g], [v].

Jetzt hören Sie und sprechen Sie nach.

D 3 **Lesen Sie die Dialoge und markieren Sie Bindungen (‿ oder ⌣) und Neueinsätze (|).**

● Was | ist denn deine Lieblingsfarbe?
   ■ Ich mag Gelb besonders gern. Und du?
● Ich finde Grün nicht schlecht,
   und Rot | ist | auch | okay.
      ■ Ich werde | an | uns denken,
         wenn | ich | an 'ner | Ampel steh.

● Fahrt ihr mit dem Auto oder mit der Bahn in Urlaub?
      ■ Ich will fliegen, aber Ralf will lieber mit der Bahn nach Rom fahren, und Tom möchte nicht nach Rom, sondern nach Paris.
● Und was soll jetzt passieren? Worauf wollt ihr euch verständigen? Wie sieht da ein Kompromiss aus?
      ■ Im Moment ziemlich verrückt: Wir fahren erst mit dem Auto nach Berlin, nehmen ab Berlin die Bahn nach Paris, fliegen ab Paris und fahren in Rom mit Mietwagen. Und was mich am meisten nervt: Jeden Tag kommt ein neuer Vorschlag! Ich mag gar keinen Urlaub mehr machen …

● Ich kann noch nicht fließend Deutsch sprechen. Was soll ich tun? Was rätst du mir?
      ■ Dir fehlt Training! Du musst täglich üben: ein paar Vokabeln, ein Stück Grammatik und intensiv Phonetik.
      Jeden Tag gezielt trainieren? Viel Deutsch sprechen? … Am besten zu zweit! …
      Sich privat treffen? Fantastisch schnell lernen?
      Bei Kaffee und Kuchen? Das klingt doch gut!
      Wann fangen wir an? Wann soll es losgehen?
      Wo treffen wir uns? Bei mir oder dir?
● Moment mal! … Was soll das? … Nein, ich kann nicht. … Nun mal langsam.
   Du kannst doch auch allein aktiv werden. Nimm dein Buch und lern mit Tangram!

Erinnern Sie sich?
Vokale oder Diphthonge am Wort- oder Silbenanfang spricht man mit **Neueinsatz**:
Rot | ist | auch | okay.
„H" am Wort- oder Silbenanfang hört man als **Hauchlaut**.
Um Punkt halb fährt die Bahn.

E1-E5

Jetzt hören, vergleichen und üben Sie.

Umweltschutz

Lesen Sie den Text und erklären Sie dann folgende Begriffe.

Biotonne ◆ Der Grüne Punkt / Gelber Sack ◆ Glascontainer ◆ Müll trennen ◆
Recycling-Hof ◆ Restmüll ◆ Verpackungsmüll

In welche Tonne mit dem Müll?

In Deutschland gibt es für den Müll einen gelben Sack und verschiedene Tonnen, dazu Glascontainer und erst seit relativ kurzer Zeit Biotonnen. Es ist nicht immer leicht zu wissen, was in welche Tonne

kommt. Und es ist nicht immer leicht, Müll zu trennen, wenn man nur eine Mini-Küche hat, in der man dann vier oder fünf Mülleimer unterbringen muss. Es gibt regionale Unterschiede, welche Tonnen vor der Haustür stehen und welchen Müll man zum Container oder zu einem so genannten Recycling-Hof bringen muss.
Der gelbe Sack ist für Verpackungsmüll. Alle Lebensmittelverpackungen, die einen

grünen Punkt tragen, dürfen dort entsorgt werden. Es gibt eine Tonne für Altpapier. Aber sie ist nur für unbeschichtetes Papier, also z. B. nicht für Milchtüten – die gehören in den gelben Sack. Eine Tonne ist für den so genannten Restmüll da. Alles, was man nicht wieder verwerten kann, wandert in diese Tonne und wird verbrannt. Glascontainer stehen in jedem Viertel. Man hat keine allzu langen Wege dorthin. Die Biotonne ist für Küchenabfälle, also Essensreste, Kartoffelschalen etc. Diese Abfälle werden zu Erde.

Wie ist das in Ihrem Land? Schreiben oder berichten Sie.

Lesen und markieren Sie. Welcher Text antwortet auf welches Vorurteil?

Die häufigsten Vorurteile über Mülltrennung:

Vorurteil 1
„Wir haben die Arbeit und die Gebühren steigen."

Vorurteil 4
„Alles zu verbrennen wäre billiger und einfacher."

Vorurteil 2
„Zum Müllsparen sind doch alle zu faul."

Vorurteil 5
„Wenn ich schon für den Grünen Punkt zahle, kann ich ruhig Dosen kaufen."

Vorurteil 3
„Wir sortieren, und hinterher wird wieder alles zusammengeworfen."

Vorurteil 6
„Der Einzelne hat sowieso keinen Einfluss."

Die häufigsten Vorurteile über Mülltrennung

A

Billiger schon. Eine Tonne Kunststoff zu verbrennen kostet 200 Euro, sie wieder zu verwerten 900 Euro. Verbrennen ist auch nicht grundsätzlich schlechter als verwerten. Technisch wäre es kein Problem, neue Müllverbrennungsanlagen so zu bauen, dass kaum Schadstoffe austreten. Das wesentliche Argument von Experten gegen die Verbrennung: Sie ist nicht zukunftsweisend. Anstatt Ressourcen zu verbrauchen, sollte man in ihre Rückgewinnung investieren. Neue Technologien zu entwickeln, das ist zwar zunächst teuer, auf die Dauer macht es sich aber bezahlt.

B

Stimmt. Die Müllgebühren haben sich seit Einführung des Grünen Punktes vor acht Jahren mehr als verdoppelt. Der Grund dafür: Dank Mülltrennung wandert weniger Abfall in die Verbrennungsanlagen – die sind deshalb nicht mehr ausgelastet. Um wirtschaftlich arbeiten zu können, haben die Betreiber die Preise erhöht. Anstatt den Kunden, der Müll sortiert, zu belohnen, weil er Ressourcen schont, bitten ihn die Firmen zur Kasse.

C

Offenbar ein Gerücht. Um das „Duale System Deutschland" (DSD) zu überprüfen, haben die Bundesländer zwei unabhängige Firmen beauftragt. Die Mitarbeiter besuchen jährlich etwa 100 Sortieranlagen vor Ort, kontrollieren auch die Datenbanken des DSD. Was stimmt: 62 Prozent der Kunststoffabfälle wie zum Beispiel Bonbontüten oder kleine Joghurtbecher können nicht recycelt werden – sie werden stattdessen verbrannt. Verwenden kann man für neue Produkte beispielsweise Plastiktaschen, aus denen Rohre und Säcke entstehen.

D

Gerade das Beispiel Bierdosen zeigt, dass das nicht stimmt: Gäbe es keine große Nachfrage, würden sie gar nicht erst produziert. Beim Umweltproblem Müll gilt: Es gibt nicht den großen Wurf, sondern viele kleine Schritte. Der beste Müll ist der, der gar nicht erst entsteht. Zugegeben: Das ist unbequem. Wer das Mehrwegsystem unterstützen will, muss Pfandflaschen statt Plastikflaschen nach Hause tragen. Wer unnötige Verpackungen sparen will, muss Taschen oder Körbe zum Einkauf mitnehmen und Wurst und Käse lose an der Theke kaufen statt verpackt in Folie. Aber nur so können die Verbraucher der Industrie zeigen, was sie wollen.

E

Im Gegenteil. Die Bundesbürger verbrauchen pro Kopf 13 Prozent weniger Verpackungsmüll als Anfang der neunziger Jahre. Zahlreiche Firmen und Versandhäuser haben ganz auf Verpackungen verzichtet, statt die Verpackungen größer, aufwendiger und schöner zu machen.

F

Vor allem Bier in Dosen ist konkurrenzlos billig, seit einige große Brauereien Deutschlands Supermärkte damit beliefern. Deshalb werden jedes Jahr mehr Dosen und weniger Mehrwegflaschen verkauft. Hält der Trend an, wird laut Verpackungsverordnung bald ein Zwangspfand von 25 Cent auf jede Einwegflasche, jede Dose und jeden Milchkarton fällig. Dann müssen Verbraucher, wenn sie ihr Geld wiederhaben wollen, die Dosen in den Supermarkt zurückbringen, statt sie einfach wegzuwerfen. Ob diese Androhung das umweltfreundliche Mehrwegsystem retten kann, ist allerdings zweifelhaft. Denn die Supermärkte könnten mit dem Pfand sogar Profit machen: Wenn nur zehn Prozent der Verbraucher die leeren Verpackungen einfach wegwerfen, statt sie zurückzubringen, bleiben den Supermärkten mehrere Millionen Euro Gewinn. Der Effekt davon? Sie bestellen gewinnbringende Dosen statt platzfressender Pfandflaschen.

Lesen Sie die Beispiele und ergänzen Sie die Regeln.

1 **Anstatt** Ressourcen **zu verbrauchen**, sollte man in ihre Rückgewinnung investieren.
2 Sie bestellen gewinnbringende Dosen **statt** platzfressender Pfandflaschen.
3 Wer das Mehrwegsystem unterstützen will, muss Pfandflaschen **statt** Plastikflaschen nach Hause tragen.

> einen Gegensatz ◆ Konjunktion ◆ Präposition
>
> 1 Die Konjunktion „(an)statt" und die Präposition „statt" drücken _____ aus: Sie nennen eine Alternative, die gleichzeitig verneint wird.
>
> 2 Die _____ „(an)statt" leitet einen Nebensatz ein. Sie wird meistens mit „Infinitiv mit zu" benutzt. Dann gilt das Subjekt des Hauptsatzes auch für den Nebensatz.
>
> 3 Die _____ „statt" steht mit dem Genitiv (*platzfressender Pfandflaschen*).

Suchen Sie im Text oben nach weiteren Beispielsätzen.

> Mit „(an)statt" betont man die verneinte Alternative, mit „stattdessen" die reale Alternative. Vergleichen Sie:
>
> *Bonbontüten verbrennt man, statt sie zu recyceln. (= Man recycelt sie nicht.)*
> *Bonbontüten können nicht recycelt werden – sie werden stattdessen verbrannt.*

Was passt zusammen? Markieren Sie.

1 Anstatt sich um den Müll so viel Gedanken zu machen, ▨
2 Ich werde immer Dosen ▨
3 Ich habe keine Lust, statt einem Mülleimer ▨
4 Alle Leute sollten bei der Mülltrennung mitmachen, ▨

a) fünf in der Küche zu haben.
b) statt Pfandflaschen kaufen. Die sind so leicht.
c) statt gedankenlos alles in eine Tonne zu werfen.
d) sollte man sich lieber um arme Menschen kümmern.

Was halten Sie von Mülltrennung? Trennen Sie Ihren Müll?

E6

Hören und antworten Sie.

4/8

Ihr Partner wartet vor dem Theater auf Sie. Sie sind wie immer zu spät. Ihr Partner ist sehr wütend und wirft Ihnen alle Ihre Fehler vor. Sie haben ein schlechtes Gewissen.

● *Ich halte das nicht mehr aus. Egal, wann und wo wir uns treffen, immer kommst du zu spät. Im Restaurant muss ich auf dich warten, zum Kino kommst du zu spät und jetzt auch noch zum Theater. Warum musst du denn immer bis zur letzten Minute im Büro bleiben?*

■ *Entschuldige bitte.* **Statt** *immer zu spät* **zu kommen**, *sollte ich lieber früher mit der Arbeit aufhören.*

● *Ja, genau, statt immer zu spät zu kommen, solltest du lieber früher mit der Arbeit aufhören. Aber es ist ja nicht nur deine Unpünktlichkeit! Heute musste ich noch bügeln und spülen, obwohl du mir vor einer Woche versprochen hattest, das alles zu machen. Aber du hast ja nur dein Skatspielen im Kopf.*

■ *Entschuldige bitte.* **Statt** *des Skatabends sollte ich vielleicht besser meine Haushaltsarbeiten machen.*

1	immer zu spät kommen	lieber früher mit der Arbeit aufhören
2	Skatabend	vielleicht besser meine Haushaltsarbeiten machen
3	so lange im Bett liegen bleiben	vielleicht mal den Hund Gassi führen
4	Lottoschein	besser die Überweisung ausfüllen
5	die Post immer in die Schublade legen	sie vielleicht mal lesen und beantworten
6	deine Mutter verärgern	schnell das Paket abholen und ihr antworten
7	Geschäftstermine	lieber unsere privaten Termine notieren
8	Überstunden machen	mit dir ausgehen

E7

SCHREIBWERKSTATT

Suchen Sie im Mülleimer nach einem Gegenstand (z. B. eine Getränkedose) und lassen Sie ihn erzählen.

a) Planen

- Was für Gegenstände findet man in einem Mülleimer? Sammeln Sie Ideen und wählen Sie einen Gegenstand aus, der eine interessante „Lebensgeschichte" haben könnte.
- Machen Sie sich Notizen zu folgenden Fragen:
  - Was denkt und fühlt dieser Gegenstand, wenn er sich an seine Vergangenheit erinnert, wenn er die traurige Gegenwart und die mögliche Zukunft betrachtet?
  - Wovor hat er Angst?
  - Was wünscht er sich?

b) Formulieren

- Stellen Sie sich vor, der Gegenstand spricht leise vor sich hin. Schreiben Sie eine Art „inneren Monolog" in der Ich-Form.
- Machen Sie kurze, einfache Sätze.
- Verbinden Sie die Sätze mit „als", „meistens", „manchmal", „deshalb", „aber", „jetzt" usw.
- Benutzen Sie Perfekt oder Präteritum, wenn der Gegenstand von seiner Vergangenheit erzählt. Benutzen Sie Präsens für die Gegenwart und Präsens oder Futur für die Zukunft.
- Versuchen Sie, den Gegenstand mit viel Gefühl sprechen zu lassen. Ist er z. B. traurig, wütend oder hoffnungsvoll?
- Geben Sie Ihrem Text einen Titel.

Jetzt liege ich schon seit mindestens zwei Tagen hier herum und niemand beachtet mich. Es ist schrecklich dunkel und mir tut alles weh. Ich bin doch noch gar nicht so alt. Soll das schon alles gewesen sein? Früher war ich eine wunderschöne, glänzende Dose und stand stolz im Supermarkt im Regal ...

c) Überarbeiten

- Lesen Sie Ihren Text noch einmal oder mehrmals langsam durch und korrigieren Sie mögliche Rechtschreib- und Grammatikfehler (z. B. beim Tempusgebrauch).
- Versetzen Sie sich in die Rolle des Lesers und überprüfen Sie: Ist das, was Sie geschrieben haben, verständlich und klar formuliert? Hört es sich an wie gesprochene Sprache?

Variante
Schreiben Sie einen Dialog zwischen zwei Gegenständen in einem Mülleimer. Sie könnten sich z. B. solche Fragen stellen:
- Wie bist du hierher gekommen?
- Wovon träumst du?
- Was ist für dich der Sinn des Lebens?

Kurz & bündig

Wortschatzarbeit

Was passt zu „Lebenssinn", zu „Ehrenamt", zu „Umweltschutz"?
Finden Sie ein Wort zu jedem Buchstaben.

_____ L _iebe_						_____ U _____	
_____ e _____						_____ m _____	
_____ b _____		_____ E _____				_____ w _____	
_____ e _____		_____ h _____				_____ e _____	
_____ n _____		_____ r _____				_____ l _____	
_____ s _____		_____ e _____				_____ t _____	
_____ s _____		_____ n _____				_____ s _____	
Fam i _lie_		_____ a _____				_____ c _____	
_____ n _____		_____ m _____				_____ h _____	
_____ n _____		_____ t _____				_____ u _____	
						_____ t _____	
						_____ z _____	

Jemand fragt Sie: „Was gibt Ihrem Leben Sinn?" Was antworten Sie?

_____

Meine Regel für die n-Deklination

_____

_____

Antworten Sie.

Jemand fragt Sie, ob es auch in Ihrem Heimatland Menschen gibt, die ehrenamtlich arbeiten.
Was antworten Sie?

_____

_____

Was machen Sie für die Umwelt?

_____

_____

Ein Freund von Ihnen trennt seinen Müll nicht, sondern wirft alles in eine Tonne. Sie möchten, dass er das ändert. Was sagen Sie zu ihm?

_____

_____

Meine Regel für die „(an)statt"-Sätze

_____

_____

Interessante Wörter und Ausdrücke

_____

_____

Medienwelten

A

A 1

Ferngesehen – gern gesehen

Schreiben Sie Wortkarten für folgende Medien.

Zeitschrift ◆ Film ◆ Internet ◆ Brief ◆ Fernsehen ◆ Computer ◆ Buch ◆ Fax ◆
Radio ◆ Zeitung ◆ Telefon ◆ E-Mail ◆ Handy

die Zeitschrift, –en
der Film, -e

Sortieren Sie die Wortkarten in Gruppen.

Man liest es:
die Zeitschrift

Man hört und/oder sieht es:
der Film

elektronische
Medien
der Film

Printmedien*
die Zeitschrift

Unterhaltung/
Information
die Zeitschrift

Kommunikation
das Internet

*to print = engl. „drucken"

Lesen Sie die Wort-Gruppen ohne Überschriften vor.
Die anderen raten die Überschriften.

Welche Medien benutzen Sie am meisten? Wie informieren Sie sich?
Berichten oder schreiben Sie.

KURSBUCH
A1-A2

A 2

Kombinieren Sie diese Wörter mit „Fernseh-" oder „-fernsehen" und
vergleichen Sie mit dem Wörterbuch.

Antenne ◆ Farbe ◆ Gebühren ◆ Gerät/Apparat ◆ Kabel ◆ Konsum ◆ privat ◆
Programm ◆ Sender ◆ Sendung ◆ Zeitschrift ◆ Zuschauer

Fernseh-
8 *die Fernsehantenne*

-fernsehen
4 *das Farbfernsehen*

Was passt wo? Ergänzen Sie.

1 kommerzielle Sender, die sich hauptsächlich
  durch Werbung finanzieren
2 ein abgeschlossener Teil im Fernsehen
3 kauft man, um zu wissen, was im Fernsehen läuft
4 gibt es in Deutschland seit 1967
5 alles, was im Fernsehen läuft
6 anderes Wort für „Fernseher"

7 bietet über 30 verschiedene Programme
8 wichtig, wenn man keinen Kabelanschluss hat
9 jemand, der fernsieht
10 die Zeit, die man vor dem Fernseher verbringt
11 muss man bezahlen, um fernsehen zu dürfen
12 produziert ein Programm und strahlt es aus

Wer steht „vor" und wer steht „hinter" der Kamera? Sortieren Sie.

Moderator/in ◆ Regisseur/in ◆ Nachrichtensprecher/in ◆ Schauspieler/in ◆ Ansager/in ◆
Kameramann/frau ◆ Showmaster/in ◆ Reporter/in

„vor" der Kamera	„hinter" der Kamera
Moderator/in	

Was macht eine Moderatorin, ein Regisseur …? Berichten oder schreiben Sie.

sprechen ◆ ansagen ◆ berichten über ◆ filmen ◆ spielen ◆ moderieren ◆ drehen ◆ Regie führen ◆ berichten aus ◆ machen	eine Rolle ◆ eine Sendung ◆ das Programm ◆ ein Spielfilm ◆ eine Quizsendung ◆ das Ausland ◆ Interviews ◆ die Nachrichten ◆ eine Talkshow ◆ aktuelle Ereignisse

Eine Moderatorin moderiert eine bestimmte Sendung, z.B. eine Talkshow. Sie spricht mit den Gästen und stellt Fragen zum Thema.

A3–A6

Lesen Sie den Text und ordnen Sie die Überschriften 1–5 den Abschnitten A–E zu.

1 Fernsehen – immer mehr gesehen
2 Mehr Unterhaltung, weniger Information
3 Die Qual der Wahl *A*

4 Fernsehen – bald nicht mehr so wichtig?
5 Zwei ungleiche Gegner

A Wer in Deutschland die Fernbedienung des Fernsehers in die Hand nimmt und unentschlossen durch die Angebote der verschiedenen Sender zappt, hat die Wahl zwischen mehr als 30 Programmen – wenn sein Haushalt verkabelt ist. Noch größer ist die Auswahl für Besitzer einer privaten Satellitenschüssel: Allein über das Satellitensystem Astra können 60 Programme aus ganz Europa empfangen werden. Diese Vielzahl von Angeboten gibt es seit 1984, als zum ersten Mal in der Geschichte der Bundesrepublik Deutschland privatwirtschaftlich organisiertes Fernsehen zugelassen wurde.

B Bis dahin waren Fernsehprogramme nur vom öffentlich-rechtlichen Rundfunk angeboten worden. Durch eine politische Entscheidung konnte nun auch der privat-kommerzielle Rundfunk „auf Sendung gehen" und es entstand eine Rundfunk- und Fernsehlandschaft, die mit dem freundlichen Begriff „duales System" nicht sehr treffend charakterisiert ist. Der schnelle Tod des öffentlich-rechtlichen Rundfunks, der von einigen vorausgesagt worden ist, ist zwar nicht eingetreten, aber zwischen den „Partnern" herrscht ein scharfer Wettbewerb, der das Rundfunksystem insgesamt bereits heute stark verändert hat und weiter verändern wird. Dabei folgen die Konkurrenten einer unterschiedlichen Logik: Öffentlich-rechtlicher Rundfunk braucht Geld, um Programm zu machen. Privatfernsehen braucht Programm, um Geld zu machen.

TV in Deutschland

C Aber nicht nur das Fernsehen, auch die Fernsehzuschauer haben sich verändert. Vor allen Dingen sehen sie mehr fern. Von öffentlich-rechtlich bis Pay-TV: An einem normalen Wochentag sind in 88% aller deutschen Haushalte die Fernsehgeräte eingeschaltet. Und von Jahr zu Jahr wird länger zugeschaut. In den vergangenen zehn Jahren stieg die Zeit, die die Deutschen durchschnittlich vor dem Fernseher verbrachten, um fast eine Dreiviertelstunde. Schon die 3- bis 13-Jährigen sehen täglich 100 Minuten fern.

D Doch die Entwicklung der neuen Medien wird auch für das Fernsehen Folgen haben. Noch ist es am Abend die liebste Beschäftigung der Deutschen. Immer stärker in den Vordergrund rückt aber das Fernsehen „nebenbei" – beim Essen, bei der Hausarbeit, beim Surfen im Internet. Und bald wird abends vielleicht nicht mehr automatisch der Fernseher eingeschaltet werden, denn das Leitmedium der Zukunft steht schon bereit: der Computer – wenn es ihm gelingt, alle bisher getrennten Medien zusammenwachsen zu lassen.

E Der Fernsehmarkt der Zukunft zeigt deutliche Tendenzen: mehr spezialisierte Programme für mehr Geld, die sich an noch differenziertere Zielgruppen wenden. Information wird noch mehr als bisher hinter Unterhaltung zurücktreten. Einschaltquote und Marktanteil entscheiden über Wohl und Wehe der Sender. Es sei denn, der Zuschauer entdeckt, dass er mehr vom Fernsehen will als Marktstrategen ihm zutrauen. Die Diskussion um die Fernsehzukunft in Deutschland ist noch nicht beendet.

Das Passiv in Perfekt, Plusquamperfekt und Futur I
Das Passiv im Präteritum bildet man mit **wurde-** + Partizip Perfekt:
*1984 **wurde** zum ersten Mal privatwirtschaftlich organisiertes Fernsehen **zugelassen**.*
Das Passiv im Perfekt und Plusquamperfekt bildet man mit **ist/war** + Partizip Perfekt + **worden**:
*Bis 1984 **waren** Fernsehprogramme nur vom öffentlich-rechtlichen Rundfunk **angeboten worden**.*
*Der Tod des öffentlich-rechtlichen Rundfunks, der von einigen **vorausgesagt worden ist**, ist nicht eingetreten.*
Das Passiv im Futur I bildet man mit **werden** + Partizip Perfekt + **werden**:
*Bald **wird** abends vielleicht nicht mehr automatisch der Fernseher **eingeschaltet werden**, sondern der Computer.*

Lesen Sie die Erklärungen, suchen Sie die Wörter im Text und ergänzen Sie.

A 1 _____ = Institution, die Radio- und Fernsehprogramme sendet
  2 _____ = zwischen verschiedenen Programmen immer hin und herschalten
  3 _____ = einen Kabelanschluss für viele verschiedene Programme haben
  4 _____ = Antenne, mit der man Fernsehprogramme über Satellit empfangen kann
  5 _____ ≈ erlauben
B 6 _____ = am Gewinn orientiert
  7 _____ ≈ beschreiben, bezeichnen
  8 _____ ≈ Konkurrenz
  9 _____ = *hier:* Art des Denkens, Denkweise
C 10 _____ = spezielle Privat-Sender, für die man extra bezahlen muss
D 11 _____ = das wichtigste Medium
E 12 _____ ≈ Trend
  13 _____ = Anzahl der Zuschauer einer Sendung
  14 _____ = *hier:* Erfolg oder Misserfolg

Machen Sie eine Textzusammenfassung: Sortieren Sie die Sätze.

☐ Insgesamt zeigen die aktuellen Trends, dass die meisten Fernsehzuschauer lieber unterhalten als informiert werden wollen.

☐ Der öffentlich-rechtliche Rundfunk ist seitdem mit einer harten Konkurrenz konfrontiert.

☐ Parallel zur Erweiterung des Programmangebots hat auch der Fernsehkonsum der Deutschen zugenommen.

1 Seit 1984 sind in der Bundesrepublik Deutschland private Fernsehsender erlaubt.

☐ Allerdings wird das Fernsehen heute von neuen Medien wie Computer und Internet immer mehr in den Hintergrund gedrängt.

Was machen Sie beim Fernsehen? Berichten oder schreiben Sie.

TV-Konsum im Wandel
Beschäftigungen während des Fernsehens

Von je 100 Befragten, die »gestern ferngesehen haben«, nannten als Nebenbeschäftigung:

1996 Essen	21
1999	24
1996 Lesen	16
1999	18
1996 Telefonieren	12
1999	17

beim + Verb als Nomen
Wenn man zwei Dinge gleichzeitig tut, benutzt man „beim + Verb".
Das Verb wird dann groß geschrieben wie ein Nomen, weil ein Artikel davor steht (beim = bei + dem).
*Ich bügle oft **beim Fernsehen. Beim Bügeln** sehe ich oft fern.*

Lerntipp:

Nehmen Sie mit dem Videorecorder eine deutsche Fernsehsendung auf (z. B. eine Serie oder einen Spielfilm), schauen Sie sich den Anfang der Sendung (ca. fünf Minuten) **ohne Ton** an und überlegen Sie: Worum geht es hier? Die W-Fragen (Wer? Was? Wann? Wo? Warum? ...) helfen Ihnen dabei. Schauen Sie sich die Szene dann noch einmal **mit Ton** an und überprüfen Sie dabei Ihre Vermutungen.
Wählen Sie eine Person aus, die Ihnen sympathisch ist. Schauen Sie sich die Szene ein drittes Mal an und drücken Sie jedes Mal die **Pausentaste**, wenn „Ihre" Person zu sprechen beginnt. Formulieren Sie, was „Ihre" Person sagen wird, und vergleichen Sie dann mit dem Original.
Üben Sie mit Hilfe der Pausentaste und der „Ton aus"-Taste, bis Sie „Ihre" Person gut synchronisieren können. Achten Sie dabei auch auf die Sprechweise (Lautstärke, Rhythmus, Betonung, Melodie).
Wenn Sie in Kleingruppen arbeiten, können Sie die Sprecherrollen verteilen und eine Szene komplett synchronisieren.

**Lesen Sie den Text und die Textzusammenfassung noch einmal.
Ergänzen Sie die Passiv-Formen und die Regeln.**

werden-PASSIV (Handlung/Prozess)

1 Wer in Deutschland die Wahl zwischen mehr als 30 Programmen haben will, muss dafür sorgen, dass sein Haushalt <u>verkabelt</u> <u>wird</u>.

2 Diese Vielzahl von Angeboten gibt es seit 1984, als zum ersten Mal ... privatwirtschaftlich organisiertes Fernsehen _____ _____ .

3 Der öffentlich-rechtliche Rundfunk <u>wurde</u> damals mit einer harten Konkurrenz <u>konfrontiert</u>.

4 Heute _____ das Fernsehen von neuen Medien immer mehr in den Hintergrund _____ .

5 Es <u>wird</u> zur Zeit um die Fernsehzukunft in Deutschland <u>diskutiert</u>.

sein-PASSIV (Zustand/Resultat)

→ Wer in Deutschland die Fernbedienung des Fernsehers in die Hand nimmt ..., hat die Wahl zwischen mehr als 30 Programmen – wenn sein Haushalt _____ _____ .

→ Seit 1984 <u>ist</u> in der Bundesrepublik Deutschland privatwirtschaftlich organisiertes Fernsehen <u>zugelassen</u>.

→ Seitdem _____ der öffentlich-rechtliche Rundfunk mit einer harten Konkurrenz _____ _____ .

→ Bald <u>wird</u> das Fernsehen von neuen Medien in den Hintergrund <u>gedrängt</u> <u>sein</u>.

→ Die Diskussion um die Fernsehzukunft in Deutschland _____ noch nicht _____ .

An einem normalen Wochentag <u>werden</u> in 88% aller deutschen Haushalte die Fernsehgeräte <u>eingeschaltet</u>.	→ An einem normalen Wochentag <u>sind</u> in 88% aller deutschen Haushalte die Fernsehgeräte <u>eingeschaltet</u>.

Adjektiv ◆ Partizip Perfekt ◆ sein ◆ Zustand

1 Das Passiv bildet man normalerweise mit „werden" und _____ . Es beschreibt Handlungen oder Prozesse: *Die Fernsehgeräte **werden eingeschaltet**. = Die Menschen schalten die Fernsehgeräte ein.* → Handlung.

2 Um einen _____ oder ein Resultat zu beschreiben, kann man das Passiv auch mit _____ und Partizip Perfekt bilden. Das Partizip Perfekt hat dann dieselbe Funktion wie ein _____ : *Die Fernsehgeräte **sind eingeschaltet**.* → *die **eingeschalteten** Fernsehgeräte* → Zustand.

Hören und sprechen Sie.

Sie wollen sich zu zweit einen gemütlichen Fernsehabend machen. Ihrem Partner fallen dauernd noch Dinge ein, die erledigt werden müssen – aber Sie haben natürlich an alles gedacht.

● *Schatzi! Vergiss bitte nicht, die Haustür abzuschließen, bevor wir es uns hier gemütlich machen.*
  ■ *Aber Schatz! Die Haustür **ist** schon längst **abgeschlossen**.*
● *Die ist schon abgeschlossen? Na, dann ist ja gut. ...*

1 die Haustür abschließen	5 die Vorhänge zuziehen	9 das Geschenk einpacken
2 Brote machen	6 den Videorekorder programmieren	10 die Rechnung bezahlen
3 den Wein aufmachen	7 die Videocassette einlegen	11 die Wäsche aufhängen
4 die Spülmaschine ausräumen	8 das Abo verlängern	12 den Fernseher einschalten

KURSBUCH
A7

Berichten oder schreiben Sie über das Fernsehen in Ihrem Land. Benutzen Sie dabei möglichst viele dieser Verben im Passiv mit „werden" oder „sein".

abonnieren ◆ anbieten ◆ ausschalten ◆ diskutieren ◆ einschalten ◆ empfangen ◆ finanzieren ◆
informieren ◆ organisieren ◆ senden ◆ verbieten ◆ verkabeln ◆ zulassen (erlauben) ◆ ...

In meiner Heimat ist das Fernsehen staatlich organisiert. Es gibt zehn Programme ...

KURSBUCH
B1

B

Wer liest, sieht mehr

B 1

Was passt? Ergänzen Sie.

> Wochenzeitungen ◆ Nachrichtenmagazine ◆ Tageszeitungen ◆ Fachzeitschriften ◆
> Boulevardzeitungen (Regenbogenpresse)

1 _____ berichten genau über Aktuelles aus
Politik, Wirtschaft, Kultur und Sport. Überregionale _____
_____ werden auch an anderen Orten gelesen, regionale und lokale
_____ berichten vor allem über die Region.

2 _____ illustrieren
geschriebene Berichte und Kommentare mit vielen
Fotos und erscheinen meistens wöchentlich.

3 _____ sind auffällig bunt.
Sie bieten Skandalgeschichten, Prominenten-Klatsch
und „Geschichten fürs Herz".

4 _____ befassen sich wegen ihrer
Erscheinungsweise mehr mit den Hintergründen von Ereignissen
und beleuchten wichtige Themen von verschiedenen Seiten.

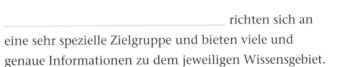

5 _____ richten sich an
eine sehr spezielle Zielgruppe und bieten viele und
genaue Informationen zu dem jeweiligen Wissensgebiet.

Welche Rubriken gibt es normalerweise in einer Tageszeitung? Markieren Sie.

▢ Garten	▢ Nachrichten	▢ Kontakte	▢ Wirtschaft	▢ Psychologie
▢ Feuilleton/Kultur	▢ Fernsehprogramm	▢ Horoskop	▢ Vermischtes	▢ Wetter
▢ Sport	▢ Ernährung	▢ Lokalnachrichten	▢ Medien	▢ Leserbriefe

KURSBUCH
B2-B5

B 2

Was passt wo? Markieren Sie.

1 Büro, in dem Nachrichten aus aller Welt gesammelt und an Presse, Rundfunk
und Fernsehen weitergegeben werden ▢

2 anderes Wort für „Zeitung" ▢

3 jemand, der Artikel für die Veröffentlichung (in Zeitungen, Zeitschriften usw.)
bearbeitet oder eigene Artikel schreibt ▢

4 Tätigkeit des Redakteurs; Gesamtheit der Redakteure; Arbeitsräume der
Redakteure

5 Journalist, der regelmäßig (aus dem In- oder Ausland) aktuelle Berichte für
Presse, Rundfunk oder Fernsehen liefert ▢

6 von einem Reporter vor Ort hergestellter Bericht über ein aktuelles Ereignis ▢

7 Geschäftsbereich, Aufgabengebiet ▢

a) Reportage

b) Redakteur

c) Ressort

d) Korrespondent

e) Nachrichtenagentur

f) Redaktion

g) Blatt

Lesen Sie den Anfang des Artikels und markieren Sie: Worum geht es hier?

☐ um eine Wochenzeitung   ☐ um ein Nachrichtenmagazin   ☐ um eine Tageszeitung

☐ um eine Fachzeitschrift   ☐ um eine Boulevardzeitung

Aus dem Leben eines Nachrichtenredakteurs

Verfolgt vom Lauf der Welt

Kaum ist das Blatt gemacht, bringt eine Eilmeldung alles durcheinander

Sdt. München (Eigener Bericht) – Manchmal hat der Nachrichtenredakteur einen Traum: Nur ein einziges Mal möchte er der Kollege von Seite Drei* sein. Mit dem besten Schreiber des Hauses würde er morgens gegen 10 eine packende, genau recherchierte und glänzend formulierte Reportage vereinbaren, 350 Zeilen und keine mehr, höchstens einen kurzen, zum Thema passenden Artikel des Chefredakteurs würde er noch akzeptieren. (Fast) nichts könnte ihn aus der Ruhe bringen, kein Attentat, kein Flugzeugabsturz, keine Wahl. Und abends ginge er zufrieden heim.

Wie anders das reale Leben des Nachrichtenmannes. Immer verfolgt ihn der rasende Lauf der Welt, und wenn er einmal glaubt, endlich fertig zu sein, kommen Eilmeldungen rein und alles fängt von vorne an. Nicht selten muss er innerhalb weniger Minuten mühsam ausgearbeitete Berichte wieder rausschmeißen, weil Platz für wichtigere oder neuere Ereignisse gemacht werden muss. Was eben noch auf Seite 1 stand, wandert auf eine der hinteren Seiten, wo dann ein anderer Artikel gekürzt oder ganz aus dem Blatt genommen wird.

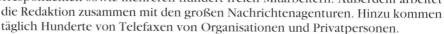

Lesen Sie jetzt den ganzen Artikel und lösen Sie die Aufgaben 1–7.

Wie in kaum einem anderen Ressort sind in der Nachrichtenredaktion Flexibilität, spontane Entscheidungen und schnelles Reagieren notwendig – und das unter großem Zeitdruck. Der Zeitfaktor entscheidet, ob eine Nachricht den Leser noch erreicht. Immer schneller werdende Kommunikationsmittel bringen den Korrespondentenbericht auch aus der entferntesten Ecke der Welt in Minutenschnelle auf den Bildschirm der Zentrale. Trotzdem ist immer noch das *Können* des Redakteurs das alles entscheidende Kriterium: Er muss ein sicheres Gespür bei der Auswahl der Nachrichten haben und das Handwerk des Schreibens verstehen. Schnell wechselnde Technologien bestimmen immer mehr den Arbeitsalltag des Redakteurs. Schon lange sind große Teile der technischen Zeitungsproduktion in die Redaktion verlagert. Ganze Zeitungsseiten, inklusive Fotos und anderer grafischer Elemente, werden am Bildschirm gestaltet.

Täglich produziert die Nachrichtenredaktion bis zu fünf Seiten. Ihre Informationen bekommt sie von den fast 30 Auslands- und den 40 Inlandskorrespondenten sowie mehreren hundert freien Mitarbeitern. Außerdem arbeitet die Redaktion zusammen mit den großen Nachrichtenagenturen. Hinzu kommen täglich Hunderte von Telefaxen von Organisationen und Privatpersonen.

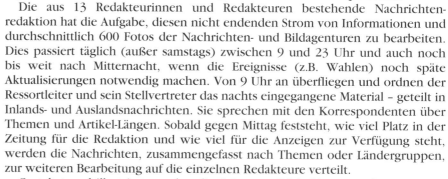

Die aus 13 Redakteurinnen und Redakteuren bestehende Nachrichtenredaktion hat die Aufgabe, diesen nicht endenden Strom von Informationen und durchschnittlich 600 Fotos der Nachrichten- und Bildagenturen zu bearbeiten. Dies passiert täglich (außer samstags) zwischen 9 und 23 Uhr und auch noch bis weit nach Mitternacht, wenn die Ereignisse (z.B. Wahlen) noch späte Aktualisierungen notwendig machen. Von 9 Uhr an überfliegen und ordnen der Ressortleiter und sein Stellvertreter das nachts eingegangene Material – geteilt in Inlands- und Auslandsnachrichten. Sie sprechen mit den Korrespondenten über Themen und Artikel-Längen. Sobald gegen Mittag feststeht, wie viel Platz in der Zeitung für die Redaktion und wie viel für die Anzeigen zur Verfügung steht, werden die Nachrichten, zusammengefasst nach Themen oder Ländergruppen, zur weiteren Bearbeitung auf die einzelnen Redakteure verteilt.

Gestaltet und illustriert werden die Seiten am Bildschirm jeweils von einem verantwortlichen Redakteur und auf der Grundlage eines weitgehend gleich bleibenden Seitenlayouts. Wie bei einem aus vielen verschiedenen Einzelteilen zusammengesetzten Puzzle wird die Seite so in wenigen Stunden zu einem Ganzen, wobei es bis zum Redaktionsschluss um 17 Uhr möglich ist, Inhalt und Form noch zu verändern.

---

* Die „Seite Drei" ist eine besondere Rubrik der Süddeutschen Zeitung. Hier findet der Leser immer eine lange Reportage zu einem wichtigen Thema.

Was steht im Text? Markieren Sie die richtige Lösung: a, b oder c.

1 Nachrichtenredakteure
   - a) können immer genau nach Plan arbeiten.
   - b) müssen sehr flexibel sein.
   - c) haben keine festen Arbeitszeiten.

2 Die Nachrichtenredaktion bekommt ihr Material
   - a) nur von den Korrespondenten im In- und Ausland.
   - b) ausschließlich über die großen Nachrichtenagenturen
   - c) aus vielen verschiedenen Quellen.

3 Das Team der Nachrichtenredaktion besteht aus
   - a) mehreren hundert Mitarbeitern.
   - b) dem Ressortleiter und seinem Stellvertreter.
   - c) 13 Redakteurinnen und Redakteuren im Haus.

4 Die Nachrichtenredaktion bekommt ihr Material
   - a) ständig.
   - b) zwischen 9 und 23 Uhr.
   - c) bis 17 Uhr.

5 Über welche Ereignisse berichtet wird,
   - a) entscheiden die einzelnen Redakteure.
   - b) entscheidet das Redaktionsteam gemeinsam.
   - c) entscheiden der Ressortleiter und sein Stellvertreter.

6 Die Gestaltung und Illustration der Zeitungsseiten
   - a) übernimmt ein Grafiker.
   - b) übernimmt ein Redakteur.
   - c) übernehmen freie Mitarbeiter.

7 Eine neue, wichtige Nachricht erreicht den Leser nur,
   - a) wenn auf den Seiten noch genug Platz ist.
   - b) wenn sie rechtzeitig vor Redaktionsschluss eintrifft.
   - c) wenn sie vom Chefredakteur kommt.

B 4 **Suchen Sie die passende Stelle im Text. Ergänzen Sie die Partizipien und die Regeln.**

	Partizip Präsens	Partizip Perfekt	
1 eine	*packende* ,		
genau		*recherchierte*	und
glänzend			Reportage
2 einen kurzen, zum Thema	_____		Artikel des Chefredakteurs
3 der	_____		Lauf der Welt
4 mühsam		_____	Berichte
5 immer schneller	_____		Kommunikationsmittel
6 das alles	_____		Kriterium
7 schnell	_____		Technologien
8 die aus 13 Redakteurinnen und Redakteuren	_____		Nachrichtenredaktion
9 diesen nicht	_____		Strom von Informationen
10 das nachts		_____	Material
11 auf der Grundlage eines weitgehend gleich	_____		Seitenlayouts
12 bei einem aus vielen verschiedenen Einzelteilen		_____	Puzzle

1 Das _____ und das Partizip Perfekt kann man wie ein Adjektiv benutzen. Es steht

dann immer links vom _____ . So kann man komplizierte Zusammenhänge

_____ ausdrücken. *(immer schneller **werdende** Kommunikationsmittel =*

*Kommunikationsmittel, die immer schneller **werden**; mühsam **ausgearbeitete** Berichte = Berichte, die müh-*

*sam **ausgearbeitet worden sind**)*

2 Das Partizip Präsens hat immer Aktiv-Bedeutung *(eine **packende** Reportage = eine Reportage, die den Leser*

*„**packt**")*. Es wird gebildet aus: _____ + -d- + _____ .

3 Das Partizip Perfekt hat als Adjektiv meistens _____-Bedeutung *(eine genau **recherchierte***

*Reportage = eine Reportage, die genau **recherchiert worden ist**)*.

4 Einige Partizipien sind echte _____ geworden und haben einen eigenen Eintrag im

Wörterbuch.

wech·seln·d *Adj; nur attr, ohne Steigerung, nicht*
adv; einmal so u. einmal anders ≈ unterschiedlich:
mit wechselndem Erfolg

pa·ckend 1 *Partizip Präsens;* ↑ **packen** 2 *Adj;* ⟨ein
Roman, ein Film⟩ *so, dass man nicht aufhören*
kann, sie zu lesen od. anzusehen ≈ fesselnd

Partizipien rechts vom Nomen
Bei sehr langen nominalen Ausdrücken steht das Partizip
mit seinen Ergänzungen, abgetrennt mit Kommas und
ohne Adjektiv-Endung, manchmal rechts vom Nomen.
*Mittags werden **die nach Themen und Ländern***
***zusammengefassten Nachrichten** auf die einzelnen*
Redakteure verteilt.
*→ Mittags werden **die Nachrichten, zusammengefasst nach***
***Themen und Ländern**, auf die einzelnen Redakteure verteilt.*

Verben als Nomen
Man kann Verben auch als Nomen benutzen. Sie werden dann
großgeschrieben, sind *neutrum* und stehen häufig mit Artikel.
In der Nachrichtenredaktion sind Flexibilität, spontane Entschei-
*dungen und schnelles **Reagieren** notwendig.*
*Trotzdem ist immer noch **das Können** des Redakteurs das alles ent-*
scheidende Kriterium.
*Er muss das Handwerk **des Schreibens** verstehen.*

B 5 **Bilden Sie Partizipien und formulieren Sie die Sätze neu.**

Kleiner Leitfaden für angehende Redakteure

Eine Reportage, die den Leser **packt** und **fasziniert**, muss schon durch ein Layout, das **anspricht**, und durch Fotos,
die **auffallen** und **zum Inhalt passen**, das Interesse des Lesers wecken. Ein Titel, der **viel verspricht**, und ein paar
Sätze, die **gut formuliert sind** und **neugierig machen**, sind die Voraussetzungen, die **entscheiden**. Der Artikel selbst
sollte nur Informationen enthalten, die **gut recherchiert worden sind** und **zum Thema gehören**. Auf unwichtige
Informationen, die **niemand interessieren**, auf unklare Formulierungen, die **verwirren** und auf Wiederholungen,
die **ermüden**, sollte man verzichten. Eine Reportage, die **beeindrucken** soll, enthält immer auch Aspekte, die
überraschen, und glänzt mit Formulierungen, die **treffen** und **gut gewählt worden sind**.

Eine packende und faszinierende Reportage muss schon durch ein ansprechendes Layout und durch auffallende,
zum Inhalt passende Fotos das Interesse des Lesers wecken. ...

B6

B 6 **Beschreiben Sie eine Zeitung oder Zeitschrift, die Sie gern lesen.**

täglich ◆
wöchentlich ◆
regelmäßig ◆
gut ◆ schlecht ◆
besonders ◆
schön ◆
interessant ◆
...

faszinierend ◆ passend ◆
wechselnd ◆ packend ◆
entscheidend ◆ geschrieben ◆
gestaltet ◆ schockierend ◆
aufregend ◆ beeindruckend ◆
umfassend ◆ ausreichend ◆
auffallend ◆ glänzend ◆
ansprechend ◆ erscheinend ◆
illustriert ◆ störend ◆
überraschend ◆ verwirrend ◆ ...

Zeitung/Zeitschrift ◆
Geschichte/n ◆
Artikel ◆ Rubrik/en ◆
Foto/s ◆ Reportage/n
◆ Nachrichten ◆
Informationen
Anzeige/n ◆ Layout
...

Ich lese regelmäßig „Die Woche". Das ist eine wöchentlich erscheinende Zeitung mit einem ansprechenden Layout und
interessanten Artikeln. Sie bietet umfassende Informationen zu interessanten Themen. ...

C

Unterwegs auf dem Daten-Highway

Was passt? Markieren Sie.

1 der Computer	4 die Diskette	7 die Maus	10 das Kabel
2 der Monitor / der Bildschirm	5 die Tastatur	8 die CD-Rom	11 das Laufwerk
3 der Drucker	6 das Modem	9 der Lautsprecher	12 die Festplatte

C 2

Was passt nicht? Streichen Sie.

1 den Computer   (aus)drucken ◆ ausschalten ◆ installieren ◆ einschalten
2 die Daten   eingeben ◆ löschen ◆ einschalten ◆ speichern
3 eine Diskette   einlegen ◆ formatieren ◆ zappen ◆ herausnehmen
4 einen Text   speichern ◆ chatten ◆ (aus)drucken ◆ kopieren
5 das Programm   installieren ◆ kopieren ◆ surfen ◆ schließen
6 im Internet   suchen ◆ surfen ◆ chatten ◆ zappen
7 eine E-Mail   verschicken ◆ abstürzen ◆ schreiben ◆ lesen

C 3
4/10

Lesen Sie die Aufgaben 1–11, dann hören Sie. Markieren Sie: richtig oder falsch.

richtig   falsch

1 Isabel Fehsenfeld hat sich zum Geburtstag einen PC gewünscht.
2 Sie hat zum Geburtstag von ihren Söhnen einen PC bekommen.
3 Sie nutzt ihren Computer zum Spielen und Briefe schreiben.
4 Ingeborg Dietsche findet, dass das Internet Männersache bleiben sollte.
5 Im Internet hat sie einen Studenten kennen gelernt und ihm ein Foto geschickt.
6 Sie möchte eine Homepage für Hausfrauen einrichten.
7 Rosmarie Ottolinger arbeitet beruflich viel mit dem Computer.
8 Sie besucht Internet-Adressen, die sie in der Zeitung findet.
9 Sie findet es gut, dass sich die Leute in den Chatrooms mit „du" ansprechen.
10 Seit einigen Jahren gibt es Seniorentreffs, die Computerkurse anbieten.
11 Isabel Fehsenfeld hat ihren Computer ihrer Enkelin geschenkt.

C 4

Ergänzen Sie „seit", „bis", „während" oder „bevor".

Isabel Fehsenfeld:

1 _____ sie das Paket öffnen durfte, musste sie erst einmal raten, was es sein könnte.

2 Abends spielt sie noch ein paar Runden Solitaire oder Backgammon am PC, _____ sie ins Bett geht.

3 _____ ich das Ding zum ersten Mal angestellt habe, bin ich davon fasziniert.

4 Oft probiere ich stundenlang, _____ etwas richtig funktioniert.

Ingeborg Dietsche:

5 _____ ich einen Internet-Anschluss habe, entdecke ich jeden Tag aufs Neue, was für tolle Möglichkeiten das Internet bietet.

6 Der hat mir mein Alter nicht geglaubt, _____ ich ihm ein Foto von mir geschickt habe.

7 _____ wir hier reden, habe ich wahrscheinlich schon wieder ein paar Mails im Briefkasten.

Rosmarie Ottolinger:

8 _____ sie keine Arbeit mehr hat, ist der Computer ihr Hobby.

9 Ich sitze täglich mindestens einmal dran, z.B. mittags, _____ ich darauf warte, dass die Kartoffeln gar werden.

10 _____ ich regelmäßig ins Internet ging, war ich immer sehr förmlich mit neuen Bekannten.

🔊 **4/10** **Hören Sie noch einmal und vergleichen Sie. Ergänzen Sie die Regeln.**

◆	am Anfang ◆ bis ◆ gleichzeitig ◆ nacheinander ◆ seit ◆ temporale

„Seit", „bis", „während" und „bevor" sind _____ Konjunktionen. Sie stehen _____

_____ von Nebensätzen. Die Bedeutungen sind:

- zwei Handlungen geschehen _____ : *während*
- zwei Handlungen geschehen _____ : *bevor*
- eine Handlung hat zu einem festen Zeitpunkt begonnen: _____
- eine Handlung endet zu einem festen Zeitpunkt: _____

◆ **Erinnern Sie sich?**

Seit, während und **bis** können auch Präpositionen sein:

Seit einigen Jahren ...
Während dieser Zeit ...
... **bis** 1946 ...

Aufgaben

Welchen Kasus brauchen **seit**, **während** und **bis**?
Welche anderen Präpositionen zur Zeitangabe kennen Sie?
Machen Sie Beispielsätze mit **seit**, **während** und **bis**
als Präpositionen und als Konjunktionen.
Welche anderen temporalen Konjunktionen kennen Sie?
Machen Sie eine Liste und Beispielsätze.

C 5

Welche Konjunktion passt? Ergänzen Sie.

Auch der vierundsechzigjährige Werner Ludwig hatte nie daran gedacht, sich einen Computer zu kaufen, _____ (1) *(während/bis/wenn)* er eines Tages ein entscheidendes Erlebnis hatte. _____ (2) *(Bevor/Seit/Als)* er plötzlich nicht mehr mit dem Katalog in der Stadtbibliothek umgehen konnte, erkannte er, dass er etwas ändern musste. _____ (3) *(Seit/Bis/Wenn)* er dieses Erlebnis hatte, verbindet ihn eine Art „Hassliebe" mit dem PC. Der Hass kommt aber immer nur dann, _____ (4) *(nachdem/wenn/seit)* wieder mal irgendwas nicht klappt. _____ (5) *(Seit/Wenn/Bevor)* er sich um einen Internet-Anschluss kümmerte, besuchte er erst einmal einen Internet-Einführungskurs für Senioren.

Der Computer – das ist für Werner Ludwig auch ein Mittel, sich in die Politik einzumischen. So wie neulich, _____ (6) *(bevor/als/wenn)* es um die Rentenreform ging. _____ (7) *(Seit/Bis/Nachdem)* er der Berliner Zeitung eine „Leser-Mail" geschrieben hatte, hat er gleich eine Kopie davon an www.bundestag.de weitergeleitet. Doch viel häufiger kommt es vor, dass er private E-Mails verschickt – an seinen Sohn in den USA zum Beispiel. _____ (8) *(Bevor/Während/Seit)* er einen Internet-Anschluss hat, ist der Kontakt viel intensiver geworden.

C 6

Surfen Sie oder Ihre Freunde im Internet? Schreiben Sie E-Mails?
Und wie hat alles angefangen? Berichten oder schreiben Sie.

Zwischen den Zeilen

D

D 1

Was passt? Markieren Sie.

1 Vor allem wenn die Kinder sich langweilen oder frustriert sind, schalten sie die **Glotze** ein. ☐

2 Als wir dann in dieses Haus zogen, haben wir den **Kasten** rausgeschmissen. ☐

3 Die Kinder waren einverstanden. Fast alle sind begeisterte **Leseratten** geworden. ☐

4 Das hat mir eine Lebensqualität beschert, die ich mir immer gewünscht habe: z.B. Zeit, mal wieder so einen richtigen **Schmöker** zu lesen. ☐

5 Es dauert ewig, bis ich mal jemanden **an der Strippe habe**. ☐

6 Wie war das noch? Ein Computer ist auch nur ein Mensch? Also versuche ich es **auf die nette Tour**. ☐

7 Tipps für **Computerfreaks** ☐

8 Während ich **nach x Versuchen** noch immer auf die Tasten haue und merke, wie sich meine gute Laune langsam verabschiedet, habe ich endlich DIE Idee. ☐

a) auf eine freundliche Art und Weise

b) mit jemand telefonieren, jemand telefonisch erreichen

c) jemand, der sich sehr für Computer interessiert

d) der Fernseher (2x)

e) jemand, der sehr viel und gern liest

f) nach vielen Versuchen

g) ein spannendes und dickes Buch

D 2

Ergänzen Sie die umgangssprachlichen Begriffe aus D1.

● Sag mal, hast du gestern „Lindenstraße" gesehen?

■ Ne, ich hab keine Lust, ständig vor _____ zu sitzen. Ich lese lieber so einen richtigen _____ . Außerdem haben meine Eltern _____ vor ein paar Wochen abgeschafft.

● Echt? Na dann ... Du bist eigentlich schon immer eine _____ gewesen.
  Immer noch besser als Steffen. Den hatte ich gestern Abend _____ endlich mal wieder _____ . Wir sehen uns ja kaum noch. Er sitzt nur noch zu Hause rum. Seit Neuestem ist er zum _____ geworden, und das nervt mich total.

■ Das kann ich verstehen. Aber ich glaube, bei dem musst du's echt _____ versuchen. Sonst erreichst du gar nichts.

● Ja, wahrscheinlich hast du Recht ...

 Hören und vergleichen Sie.

D 3

Was ist richtig? Markieren Sie.

Umgangssprache ...	Umgangssprache ...
☐ sollte man vorsichtig benutzen.	☐ wird meistens von Geschäftsleuten verwendet.
☐ kann man immer benutzen.	☐ wird meistens von jungen Menschen verwendet.
☐ sollten nur Muttersprachler benutzen.	☐ wird meistens von älteren Menschen verwendet.

Der Ton macht die Musik

E 1
Hören Sie, sprechen Sie nach und markieren Sie die Akzentsilben (_) und die Satzakzente (＿).

Normalakzente

Wer nicht liest, ist doof.
Das Lesen ist für mich lebenserklärend.

Kontrastakzente

Wer nicht liest, ist trotzdem doof.
Das Lesen ist für mich lebenserklärend.
Das Lesen war und ist für mich lebenserklärend.
Das Lesen ist nicht nur für mich lebenserklärend.
Das Lesen ist für mich lebenserklärend, ja sogar
  lebensrettend.

Ich habe das Leben kennen gelernt.

In den Büchern habe ich das Leben kennen gelernt.
In den Büchern habe ich das Leben kennen gelernt,
  das die Schule vor mir versteckt hatte.

In Büchern zeigt sich mir eine andere Realität.

In Büchern zeigt sich mir eine andere Realität.
In Büchern zeigt sich mir eine andere Realität als die,
  in die meine Eltern mich pressen wollten.

Die Fernsehprogramme haben sich verändert.
Die Fernsehzuschauer haben sich verändert.

Nicht nur die Fernsehprogramme, auch die
  Fernsehzuschauer haben sich verändert.

Wenn Sie einen Telefonanschluss haben, können Sie im
  Internet surfen.

Wenn Sie nur einen Telefonanschluss haben, können
  Sie nicht telefonieren, wenn Sie im Internet surfen.

E 2
Ergänzen Sie die Regeln und Beispiele aus E1.

1 _____ sind stärker als _____ (= man spricht lauter und deutlicher).
  Sie zeigen Gefühle oder betonen besonders wichtige Informationen und Gegensätze.
2 Mit Kontrastakzenten betont man auch:
  Funktionswörter*) (= normalerweise kein Akzent) _____
  sonst unbetonte Silben (in längeren Wörtern) _____

  *) zum Akzent bei Inhaltswörtern und Funktionswörtern vgl. S. 98

E 3
Lesen Sie die Sätze laut und markieren Sie alle Akzente.

Früher habe ich mich als Münchner gefühlt, heute eher als Gast.
Überall gibt es Menschen, die mich nicht akzeptieren, aber auch solche, mit denen ich mich nicht identifizieren kann.
In Deutschland muss man sich für eine Staatsangehörigkeit entscheiden. Das finde ich schade.
Mir macht es nichts aus, älter zu werden. Im Gegenteil, ich freue mich darauf.
Ich habe ein fantastisches Leben: Ich verzichte auf wenig und bekomme unglaublich viel.
Eigentlich ist Ihre Beziehung ganz gut. Eigentlich ..., aber „irgendwie" scheint sie Ihnen festgefahren. Nein, unglücklich
sind Sie nicht, glücklich aber auch nicht.
Für die einen sind Polizisten „Freunde und Helfer", für die anderen Vertreter der Staatsmacht.
Ich bin abends fix und fertig, ich kann nicht mal mehr „mu" sagen. Und er will sich unterhalten.
Mit der Zahl der Internetsurfer ist auch die Zahl der Internetsüchtigen rapide gestiegen.

Jetzt hören und vergleichen Sie.

E 4
Ergänzen Sie die Sätze, markieren Sie die Akzente und üben Sie.

Früher habe ich mich ... gefühlt, heute fühle ich mich ...
Überall gibt es ..., die ..., aber auch solche, die ...
Mir macht es nichts aus, ... Im Gegenteil: ...
Ich ... (zu) wenig und ... (zu) viel.
... bin/will ich nicht, aber ... bin/will ich auch nicht.

Eigentlich ..., aber ...
Für die einen ..., für die anderen ... .
Nicht nur die ..., auch die ... haben sich verändert.
Mit der Zahl der ... ist auch die Zahl der ... rapide
  gestiegen/gesunken.

F

SCHREIBWERKSTATT

Schreiben Sie eine Kritik über ein Buch oder einen Film.

a) Planen

- Wählen Sie ein Buch/einen Film aus, das/den Sie besonders interessant finden, z. B. Ihr/-en Lieblingsbuch/-film. Es/Er kann gut oder schlecht, ein Krimi oder ein Klassiker sein.
- Machen Sie sich Gedanken und Notizen zu folgenden Punkten:
  - Für wen schreibe ich die Kritik? Was könnte meine Leser interessieren?
  - Welche Informationen sind wirklich wichtig?
  - Wie kann ich meine Leser neugierig machen auf das Buch / den Film?
  - Warum habe ich dieses Buch / diesen Film ausgewählt?
  - Will ich auch erzählen, wie die Geschichte ausgeht?

b) Formulieren

- Sammeln Sie Adjektive und Partizipien, die dieses Buch/diesen Film oder Personen, die darin vorkommen, gut beschreiben, z. B.: lustig, spannend, langweilig, faszinierend, anstrengend, beeindruckend ...
- Sammeln Sie Formulierungen, die für die Zusammenfassung des Inhalts wichtig sind, z. B.:

Dieses Buch Diese Geschichte Dieser Text Dieser Film	handelt von ... beginnt mit ... erzählt von ... spielt ... beschreibt ...	Es handelt sich um ... Es geht um ... Zunächst .../ Zuerst .../ Dann ... / Schließlich .../ Am Ende ... Die Hauptpersonen/-figuren/-darsteller sind ...

- Schreiben Sie dann mit Hilfe Ihrer Notizen eine Buchkritik oder eine Filmkritik. Die Vorlagen unten helfen Ihnen dabei.
- Machen Sie kurze, einfache Sätze.

c) Überarbeiten

- Lesen Sie Ihren Text noch einmal langsam durch und korrigieren Sie Rechtschreib- und Grammatikfehler.
- Versetzen Sie sich in die Rolle des Lesers und überprüfen Sie: Ist das, was Sie geschrieben haben, verständlich und klar formuliert?

Buchkritik

Titel:		Erscheinungsort/-jahr:	
Autor/in:		Seitenzahl:	
Verlag:		Preis:	
Genre:	[ ] Roman [ ] Krimi	[ ] Sachbuch [ ] Biografie [ ]
Sprache:	[ ] leicht [ ] gerade richtig	[ ] schwer

Inhaltsangabe:

Die Figuren:

Warum ich dieses Buch gewählt habe:

Was mir am besten gefiel:

Was mir nicht gefiel:

Schlussbeurteilung
[ ] sehr empfehlenswert
[ ] empfehlenswert
[ ] annehmbar
[ ] nicht zu empfehlen

Name des Kritikers/der Kritikerin:

Filmkritik

Titel:		Land und Jahr:	
Regisseur:		Hauptdarsteller:	
[ ] Fernsehen [ ] Kino		für [ ] Kinder [ ] Jugendliche [ ] Erwachsene
Genre:	[ ] Spielfilm [ ] Krimi	[ ] Dokumentation [ ] Komödie [ ] Western
	[ ] Actionfilm [ ] Sciencefiction	[ ]
Sprache:	[ ] leicht [ ] gerade richtig	[ ] schwer

Handlung:

Die Hauptdarsteller:

Warum ich diesen Film gewählt habe:

Was mir am besten gefiel:

Was mir nicht gefiel:

Schlussbeurteilung
[ ] sehr empfehlenswert
[ ] empfehlenswert
[ ] annehmbar
[ ] nicht zu empfehlen

Name des Kritikers/der Kritikerin:

Wortschatzarbeit

Was passt zu „Computer" und „Medien"?
Finden Sie ein Wort zu jedem Buchstaben.

_____ C _____	_____ M _____
_____ O _____	_____ E _____
_____ M _____	_____ D _____
_____ P _____	_____ I _____
_____ U _____	_____ E _____
_____ T _____	_____ N _____
_____ E _____	
_____ R _____	

Finden Sie Wörter mit „FERNSEH-":

Farb	-FERNSEH-	*en*
_____	-FERNSEH-	_____
_____	-FERNSEH-	_____
_____	-FERNSEH-	_____
_____	-FERNSEH-	_____
_____	-FERNSEH-	_____
_____	-FERNSEH-	_____

Sie wollen einem Freund mit seinem neuen Computer helfen. Als Sie dort ankommen, ist schon alles fertig. Beschreiben Sie.

Computer aufstellen ◆ Kabel in die Steckdose stecken ◆ Monitor einschalten ◆
verschiedene Programme installieren ◆ Diskette einlegen ◆ Text tippen ◆ Daten speichern ◆
Internet anschließen ◆ erste E-Mails verschicken

Der Computer ist schon aufgestellt. _____

_____

_____

Meine Regel für das Passiv mit „sein"

_____

Was braucht eine gute Zeitung?

Bilden Sie passende Adjektive aus den Verben und ergänzen Sie.

faszinieren ◆ passen ◆ wechseln ◆ packen ◆ gestalten ◆ beeindrucken ◆ umfassen ◆
ansprechen ◆ schreiben

• eine _____ Reportage		• gut _____ Artikel	
• ein _____ Layout		• _____ Überschriften	
• _____ Themen		• _____ Informationen	
• _____ Fotos		• schön _____ Seiten	

Meine Regel für das Partizip I und II als Adjektiv

_____

Ergänzen Sie die Temporalsätze.

Bevor _____, muss ich mir einen Internet-Anschluss besorgen.

Seit _____, kann ich besser und schneller arbeiten.

Während _____, läuft meistens der Fernseher.

Ich werde so lange im Internet surfen, **bis** _____.

Interessante Ausdrücke

_____

A

A 1   Was ist richtig: a, b oder c? Markieren Sie.

Beispiel: ● Wie heißen Sie?
   ■ Mein Name _____ Schneider.
   ☐ a) hat
   ☒ b) ist
   ☐ c) heißt

1   ● Du arbeitest seit einem halben Jahr als Au-pair in Deutschland. Warum?
   ■ Meine Eltern wollten das, _____ ich etwas selbstständiger werde.
   ☐ a) obwohl
   ☐ b) damit
   ☐ c) weil

2   ● Sie sind Türke und leben in Deutschland. Wünschen Sie sich als Schwiegertochter eine Türkin oder eine Deutsche?
   ■ Das ist mir eigentlich egal. _____ , sie macht meinen Sohn glücklich!
   ☐ a) Hauptsache
   ☐ b) Hauptsächlich
   ☐ c) Hochzeit

3   ● Durch Ihren Beruf können Sie keine Familie haben, keine Freunde. Tut Ihnen das nicht Leid?
   ■ Ja schon, doch ich habe die Hoffnung _____ ein Zuhause noch nicht aufgegeben.
   ☐ a) um
   ☐ b) auf
   ☐ c) von

4   ● Wann hast du Isabella das letzte Mal geschrieben?
   ■ Ach, ich habe kaum Zeit, deshalb bekommt sie jetzt nur eine kurze _____ .
   ☐ a) Brief
   ☐ b) E-Mail
   ☐ c) Anruf

5   ● Und nach der Schule sind Sie drei Jahre um die Welt gefahren?
   ■ Ich war jung und hatte nichts zu verlieren. Was _____ Sie an meiner Stelle _____ ?
   ☐ a) hatten – zu tun
   ☐ b) haben – getan
   ☐ c) hätten – getan

6   ● Wenn ich mehr Geld _____ _____ , _____ ich mehrere Jahre durch die Welt _____ .
   ■ Na, dann musst du deinen Job wechseln.
   ☐ a) verdienen würde – würde reisen
   ☐ b) verdient hätte – wäre gereist
   ☐ c) verdient habe – würde reisen

7   ● Was machst du in deiner Freizeit?
   ■ Freizeit? Ich arbeite _____ lange, _____ ich danach nur noch müde ins Bett falle.
   ☐ a) um – zu
   ☐ b) so – weil
   ☐ c) so – dass

8   ● Die Ausbildung zum Bürokaufmann interessiert mich. Wie ist da der Abschluss?
   ■ Am Ende _____ findet eine Prüfung der Industrie- und Handelskammer statt.
   ☐ a) der Ausbildung
   ☐ b) die Ausbildungen
   ☐ c) die Ausbildung

9   ● Und was sind die Nachteile?
   ■ Nun ja, als Reiseleiter haben Sie _____ der vielen Reisen wenig Zeit für die Familie.
   ☐ a) trotz
   ☐ b) wegen
   ☐ c) innerhalb

10   ● Wie hat sich der Arbeitstag verändert seit du jung warst, Oma?
   ■ Die jungen Leute heute _____ nicht mehr so lange ___ arbeiten.
   ☐ a) brauchen – um zu
   ☐ b) brauchen – zu
   ☐ c) müssen – zu

11   ● Warum arbeiten Sie abends noch in einer Kneipe?
   ■ Ich _____ das Geld für meine Reisen.
   ☐ a) kann
   ☐ b) brauche
   ☐ c) muss

12   ● Sie möchten sich also bei uns bewerben?
   ■ Ja, als ich Ihre _____ las, hatte ich gleich Interesse.
   ☐ a) Zeugnisse
   ☐ b) Bewerbung
   ☐ c) Anzeige

13   ● Wer von uns beiden gibt bei einem _____ _____ eher nach?
   ■ Ich natürlich!
   ☐ a) Streit
   ☐ b) Besuch
   ☐ c) Dialog

14   ● Was hast du gegen deine neue Kollegin?
   ■ Ich ärgere mich _____ , dass sie bei der Arbeit immer so laut Musik hört.
   ☐ a) weil
   ☐ b) über
   ☐ c) darüber

15 ● Können Sie sich bitte um die Hotelreservierung kümmern?
　■ Wie bitte? _____ soll ich mich kümmern?
　　a) Worum
　　b) Wann
　　c) Was

16 ● Weißt du, warum die Chefin heute so schlechte Laune hat?
　■ _____ hat mir erzählt, dass sie private Probleme hat.
　　a) Irgendwie
　　b) Irgendetwas
　　c) Irgendjemand

17 ● Wo bleibt denn das Essen? Wir haben doch schon vor Stunden bestellt!
　■ In diesem Restaurant ist die _____ wirklich langsam!
　　a) Personal
　　b) Beschwerde
　　c) Bedienung

18 ● Du kaufst im Fachgeschäft? Das ist aber teurer als der Baumarkt.
　■ Als Hobby-Handwerker schätze ich aber die Vorteile _____ Beratung.
　　a) fachkundig
　　b) einer fachkundigen
　　c) eines fachkundigen

19 ● Was gibt deinem Leben _____?
　■ Mein Hobby: Ich arbeite leidenschaftlich gern im Garten.
　　a) Sinn
　　b) Aufgabe
　　c) Lösung

20 ● Entschuldigung, können Sie mir sagen, wie ich zur „Tauschbörse" komme?
　■ Tut mir Leid, ich bin auch nicht von hier. Aber sehen Sie _____ da hinten? Der kann Ihnen sicher helfen.
　　a) die Polizisten
　　b) den Polizisten
　　c) der Polizist

21 ● Wie viel verdient man denn bei der Freiwilligen Feuerwehr?
　■ Verdienen? Die Arbeit ist doch _____ !
　　a) kostenlos
　　b) sinnvoll
　　c) ehrenamtlich

22 ● Hast du schon mal etwas von den „Tafeln" gehört?
　■ Ja, die _____ über ihre Organisation auch _____ im Internet. Das ist ganz interessant.
　　a) geben ... Auskunft
　　b) wissen ... Bescheid
　　c) stehen ... zur Verfügung

23 ● Warum soll ich anderen Menschen helfen? Die denken doch auch nur an sich!
　■ Du könntest schon etwas hilfsbereiter sein statt nur an dich selbst _____ .
　　a) denken
　　b) zu denken
　　c) gedacht

24 ● Bei jedem Einkauf bekomme ich neue Plastiktüten! Ich weiß schon kaum noch, wo ich sie lassen soll, und für die Umwelt ist es auch nicht gut.
　■ Nimm doch einen Einkaufskorb _____ neuer Plastiktüten.
　　a) damit
　　b) stets
　　c) statt

25 ● Meinst du, die Deutschen sehen viel fern?
　■ Das kann man wohl sagen! An Wochentagen _____ in 88% der Haushalte die Geräte _____ _____ .
　　a) hatten – eingeschaltet
　　b) wollen – einschalten
　　c) sind – eingeschaltet

26 ● Wie wird sich das Fernsehen verändern, was meinst du?
　■ In den Programmen wird Information hinter _____ zurücktreten.
　　a) Talkshows
　　b) Nachrichten
　　c) Unterhaltung

27 ● Was sind denn _____ ?
　■ Das sind die Teile einer Tageszeitung: Lokalnachrichten, Wirtschaft, Feuilleton ...
　　a) Rubriken
　　b) Vermischtes
　　c) Seiten

28 ● Liest du gern Romane?
　■ Nein, lieber Berichte über Länder und Menschen. Hier ist zum Beispiel eine solche _____ Reportage.
　　a) gepackte
　　b) zu packen
　　c) packende

29 ● Dein PC fasziniert dich wohl?
　■ Ja, aber oft probiere ich stundenlang, _____ etwas richtig funktioniert.
　　a) bevor
　　b) während
　　c) seit

30 ● Haben Sie viel Kontakt zu Ihrem Sohn?
　■ _____ ich einen Internet-Anschluss habe, ist der Kontakt viel intensiver geworden.
　　a) Als
　　b) Seit
　　c) Wenn

A 2

Wie viele richtige Antworten haben Sie?

Schauen Sie in den Lösungsschlüssel S. L1. Für jede richtige Antwort gibt es einen Punkt. Wie viele Punkte haben Sie?

_____ Punkte

Jetzt lesen Sie die Auswertung für Ihre Punktzahl.

(24–30 Punkte:) Sehr gut. Weiter so!

(13–23 Punkte:) Schauen Sie noch einmal in den Lösungsschlüssel. Wo sind Ihre Fehler?
In welcher Lektion finden Sie Übungen dazu? Machen Sie eine Fehlerliste.

Meine Fehler

Nummer	Lektion	(G) = Grammatikfehler	(W) = Wortschatzfehler
1	7, B-Teil		X
5	7, D-Teil	X	

- **Ihre Fehler sind fast alle in einer Lektion?** Zum Beispiel: Fragen 7, 8, 9, 10 und 11 sind falsch.
  Dann wiederholen Sie noch einmal die ganze Lektion 8.

- **Ihre Fehler sind Grammatikfehler (G)?** Dann schauen Sie sich in allen Lektionen „Kurz & bündig"
  noch einmal an. Fragen Sie auch Ihre Lehrerin oder Ihren Lehrer, welche Übungen für Sie wichtig sind.

- **Ihre Fehler sind Wortschatzfehler (W)?** Dann schauen Sie sich in allen Lektionen „Kurz & bündig"
  noch einmal an. Lernen Sie mit dem Vokabelheft und üben Sie auch mit anderen Kursteilnehmern.
  Dann geht es bestimmt leichter.

(5–12 Punkte:) Wiederholen Sie noch einmal gründlich alle Lektionen. Machen Sie ein Programm für
jeden Tag. Üben Sie mit anderen Kursteilnehmern und sprechen Sie mit Ihrer Lehrerin
oder Ihrem Lehrer.

(0–4 Punkte:) Besuchen Sie doch einen Computerkurs!

B1-B2

Schreiben wie ein Profi

Was schreiben Sie im täglichen Leben? Was haben Sie zuletzt geschrieben? Welche anderen Gründe gibt es fürs Schreiben? Machen Sie Notizen und diskutieren Sie.

Geschäftsbriefe, an Freunde ...
Vor zehn Minuten habe ich eine E-Mail geschrieben.

Welche Aussagen treffen auf Sie zu? Markieren Sie.

☐ Ich schreibe nicht gern, auch nicht in meiner Muttersprache.

☐ Mir fehlt die Fantasie zum Schreiben.

☐ Ich habe eigentlich keine Probleme mit dem Schreiben.

☐ Seit es Internet und E-Mails gibt, schreibe ich mehr als früher.

☐ Ich finde es wichtig, auch in einer Fremdsprache korrekt schreiben zu können.

☐ Wir sollten nicht nur zu Hause, sondern auch im Unterricht viel schreiben.

☐ Schreiben sollte freiwillig sein und nur als Hausaufgabe aufgegeben werden.

☐ Die Kursleiterin/der Kursleiter sollte jeden Fehler genau korrigieren.

☐ Die Kursleiterin/der Kursleiter sollte nur die wichtigsten Fehler korrigieren.

☐ Die Kursleiterin/der Kursleiter sollte die Fehler nur markieren und nicht korrigieren, damit ich selber die richtige Lösung finden kann.

☐ Wir sollten die Texte untereinander austauschen und korrigieren.

Vergleichen Sie Ihre Ergebnisse in Kleingruppen.
Diskutieren Sie dann mit dem ganzen Kurs.

„Sprechen" oder „Schreiben" in der Fremdsprache? Was ist für Sie leichter? Sammeln Sie Argumente.

Sprechen	*Schreiben*
+ Es geht schneller.	*+ Ich habe Zeit zum Überlegen.*

Vergleichen Sie Ihre Ergebnisse.

B 4

**Was und wofür möchten Sie auf Deutsch schreiben können?
Wie schreiben Sie? Markieren Sie.**

WAS?	WOFÜR?		WIE?			
	für die Arbeit	privat	Ich schreibe in kompletten Sätzen.	Ich schreibe in Stichwörtern.	Ich achte auf formale Kriterien.	Ich überarbeite und korrigiere den Text.
persönlicher Brief						
formeller Brief						
E-Mail						
Notizen						
Kurznachricht						
Formular						
Lebenslauf						
Wegbeschreibung						
Gedicht						
Geschichte						

Arbeiten Sie zu dritt und vergleichen Sie. Was für Texte schreiben Sie besonders oft?

B 5 **Welche Probleme haben Sie beim freien Schreiben in der Fremdsprache? Markieren Sie.**

☐ Ich habe keine Ideen.

☐ Es macht mir keinen Spaß.

☐ Ich schreibe sehr schnell und habe keine Lust, mir am Ende alles noch einmal durchzulesen.

☐ Mir fehlt der Wortschatz, um bestimmte Sachen auszudrücken.

☐ Ich mache sehr viele Fehler.

☐ Ich mache immer wieder dieselben Fehler.

☐ Ich weiß oft nicht, wie ich anfangen soll.

☐ _____

Vergleichen und diskutieren Sie. Können Sie sich gegenseitig Tipps geben?

Welche der folgenden Tipps gehören zu den Schritten

Planen (a), Formulieren (b) und Überarbeiten (c)?

Markieren Sie.

1
b

Schreiben Sie kurze und einfache Sätze!

Versuchen Sie, bestimmte Wörter oder Satzkonstruktionen nur zu benutzen, wenn Sie glauben, dass sie korrekt sind. Wenn Sie unsicher sind, schlagen Sie in einem Wörterbuch oder in einer Grammatik nach.

2

Achten Sie auf den Ausdruck!

Vermeiden Sie Wiederholungen. Achten Sie z.B. darauf, dass die Sätze nicht alle mit demselben Wort beginnen. Verbinden Sie die Sätze mit Wörtern wie „aber", „dann", „manchmal", „als" usw. Der Text sollte sich flüssig anhören.

3

Sammeln Sie passenden Wortschatz!

Bevor Sie anfangen zu schreiben, sammeln Sie passende Wörter (Adjektive, Verben, Nomen) typische Ausdrücke und Formulierungen, die für das Thema und die Textsorte wichtig sind. Sie können auch im Wörterbuch nachschlagen. Ein einsprachiges Wörterbuch kann dabei sehr hilfreich sein.

4

Analysieren Sie Ihre Fehler!

Wenn Sie einen korrigierten Text zurückbekommen, versuchen Sie, Ihre Fehler genau zu analysieren. Sie können auch eine Fehlerstatistik machen: Machen Sie eine Strichliste. Wenn Sie merken, dass Sie einen bestimmten Fehler immer wieder machen, notieren Sie ihn in einem „Fehlerheft", diesmal aber korrekt und unterstrichen.

5

Korrigieren Sie Ihren Text!

Lesen Sie Ihren Text mehrmals sorgfältig durch, bevor Sie ihn abgeben, und achten Sie auf Rechtschreib- und Grammatikfehler.

6

Sammeln Sie Ideen!

Sammeln Sie immer erst Ihre Gedanken und Ideen zu dem Thema, bevor Sie mit dem Schreiben beginnen. Machen Sie zuerst Notizen. Versuchen Sie dann, diese Notizen neu zu ordnen: Was ist besonders wichtig? Was kommt zuerst? Was kommt zuletzt? Was sind übergeordnete Punkte? Was sind untergeordnete Punkt? Was gehört zusammen?

7

Haben Sie Mut zum Durchstreichen!

Lassen Sie sich Zeit. Viele Gedanken kommen erst beim Schreiben. Machen Sie Pausen. Lesen und überarbeiten Sie immer wieder das, was Sie bisher geschrieben haben. Streichen Sie Passagen durch und fangen Sie wieder von vorne an. Das macht der beste Schriftsteller so.

8

Machen Sie sich Gedanken über die Textsorte und die Adressaten!

Überlegen Sie: Was für einen Text möchte ich schreiben? Wie lang soll er werden? Was ist typisch für so einen Text (z.B. formeller Brief)? Für wen schreibe ich? Was weiß der Leser vom Thema? Was könnte für ihn interessant sein?

Vergleichen Sie Ihre Ergebnisse und diskutieren Sie: Wie finden Sie die Tipps? Welche Schritte sind für Sie besonders wichtig? Kennen Sie weitere Tipps?

B 7

Schreiben Sie eine kleine Geschichte mit max. 150 Wörtern zu einer dieser Fragen. Beachten Sie dabei die Tipps aus B6.

- Ja, es war die richtige Adresse, aber war es auch die richtige Stadt?
- Wohin gehen die geträumten Dinge?
- Wohin gehen die unerfüllten Wünsche?
- Wenn all die Flüsse doch süß sind, woher hat das Meer so viel Salz?
- Wen kann ich fragen, wozu ich auf die Welt gekommen bin?

C

Der Ton macht die Musik

C 1 **Sehen Sie sich die Bildgeschichte an, lesen Sie den Text und markieren Sie alle Akzente.**

Lesen Sie den Text laut und probieren Sie verschiedene Betonungen aus.
Achten Sie auch auf Pausen (bei allen Satzzeichen!) und auf die Satzmelodie:
Die Satzzeichen helfen dabei.

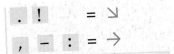

Es schallt ein Ruf von Mund zu Mund:
Bei Zirkelmenschen geht es rund!

Ob Mann, ob Frau, ob groß, ob klein:
Sie wollen Zirkelmenschen sein.

Sie da! Sie haben es erreicht —:
Am Anfang scheint das Kreisen leicht.

Das geht, solang es geht. Doch schon
nach kurzer Zeit wirds monoton.

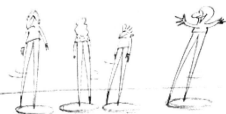

Da merkt sogar der minder Helle:
Es geht zwar rund, doch auf der Stelle.

Der Radius schrumpft, der Strich wird breiter —
die Zirkelmenschen drehn sich weiter.

Und ziehen noch als Zirkelgreise
nur immer zittrigere Kreise —

Bis sie dann jenen Punkt erreichen,
an dem sich alle Kreise gleichen.

Jetzt hören und vergleichen Sie.

4/14

Zirkel	= Instrument zum Zeichnen
monoton	= ohne Abwechslung, langweilig
minder	= weniger
hell	= *hier:* klug

Radius	= Größe des Kreises
schrumpfen	= kleiner werden
Greis	= alter Mensch

C 2 **Was sind für Sie „Zirkelmenschen"? Diskutieren oder schreiben Sie.**

„Zirkelmenschen" sind alle, die jedem aktuellen Trend folgen
und jede Mode mitmachen. Sie …

　　Ein „Zirkelmensch" dreht sich um sich,
　　und das ist ziemlich langweilig.
　　Er bleibt immer auf Distanz –
　　Aber das mit Eleganz.

　　…

Robert Gernhardt, geboren am 13.12.1937 in Reval/Estland,
Studium der Malerei und Germanistik in Stuttgart und Berlin.
Romanschriftsteller, Dichter und Zeichner, Mitbegründer der
„Neuen Frankfurter Schule", Mitglied der „Titanic"-Redaktion
(einer politischen Satirezeitschrift). Er lebt in Frankfurt/Main
und in Montaio/Toscana.

Lösungsschlüssel

Lektion 7

A2 1b 2b 3c 4a

A3 2d 3e 4c 5g 6b 7a

B1 *Heimat = Person,* Wohnort, Erinnerung, Kindheit, Muttersprache, Natur, Gefühl, Brauchtum, Geschichte, Belastung

B2 Wenn Heimat ein Haus wäre, welches Haus wäre sie? Wenn Heimat ein Kleidungsstück wäre, welches Kleidungsstück wäre sie? Wenn Heimat ein Lebensmittel wäre, welches Lebensmittel wäre sie? Wenn Heimat ein Fahrzeug wäre, welches Fahrzeug wäre sie? Wenn Heimat eine Person wäre, welche Person wäre sie? Wenn Heimat ein Tier wäre, welches Tier wäre sie? Wenn Heimat ein Geräusch wäre, welches Geräusch wäre sie?

B3 *Wohnort:* 31 %, *Geburtsort:* 27 %, *Familie:* 25 %, *Deutschland:* 11 %, *Freunde:* 6 %
eher an Bedeutung gewonnen: 56 %, *eher an Bedeutung verloren:* 25 %, *weder noch:* 19 %

B5 *vgl. Hörtext im Kassetten-/CD-Einleger*

B6 1 damit; um ... zu + Infinitiv 2 unterschiedliche Subjekte 3 kein Subjekt

B7 *zieht die Menschen in die Ferne:* Abenteuer/Risiko/Herausforderung suchen, neue Erfahrungen sammeln, fremde Sprachen und Kulturen kennen lernen, eigene Grenzen erfahren, Distanz zur eigenen Kultur haben, einen anderen Blick auf die eigene Kultur suchen, bessere Chancen im Beruf haben, mit Menschen in anderen Kulturen zusammenarbeiten, Menschen in anderen Ländern helfen, über andere Länder berichten können, Langeweile haben, eigenen Horizont erweitern; *hält die Menschen zu Hause:* Sicherheit im Beruf nicht aufgeben wollen, Freunde/Partner verlieren, Familie/Freunde/Verwandte in nächster Nähe haben, Geborgenheit/Sicherheit suchen, Heirat/Freundschaft/Partnerschaft, Angst vor der Einsamkeit/dem Alleinsein/dem Neuen/dem Fremden/dem Ungewohnten haben; *weitere Gründe:* Mich zieht es in die Ferne, weil ich die ganze Welt mit eigenen Augen sehen will. Viele Menschen gehen ins Ausland, damit ihr Lebenslauf besser aussieht. Ich bleibe lieber zu Hause, weil ich hier einen guten Job habe. Manche bleiben lieber zu Hause, weil sie sich da am wohlsten fühlen. *(Lösungsvorschlag)*

B8 1c 20 3f 4j 5g 60 7a 8b

C1 1 Sehnsucht nach 2 Liebe zu 3 Angst vor 4 Zeit für 5 Lust auf 6 Verständnis für 7 Interesse an 8 Hoffnung auf

C2 *nach + DAT:* Sehnsucht nach meinen Freunden *vor + DAT:* Angst vor der Abhängigkeit *an + DAT:* Interesse an fremden Kulturen *zu + DAT:* Liebe zu einem Deutschen *für + AKK:* Zeit für Heimweh, Verständnis für meine Kultur *auf + AKK:* Lust auf arabische Küche, Hoffnung auf einen guten Job

C3 1 Zeit für 2 Heimweh nach 3 Angst vor 4 Verständnis für 5 Liebe zu 6 Hoffnung auf 7 Lust auf 8 Interesse an 9 Sehnsucht nach

D1 *vgl. Hörtext im Kassetten-/CD-Einleger*

D2 *irreal:* hätte, würde ...legen, müsste ... steigen/anschalten, wäre, müsste ... verlassen, gäbe, würden ... gewinnen, hätte ... geklappt, gewesen wäre, hättest ... denken können *real:* gibt, haben, hat geklappt, war
1 Fantasien, Träume, Wünsche 2 würde- + Infinitiv 3 Konjunktiv II der Vergangenheit;
linke Spalte: könnte, müsste *rechte Spalte:* hätte, wäre, würde, fände, gäbe
1 Umlaute, e 2 würde- + Infinitiv

D3 1 Du trainierst so oft, als ob du an der Olympiade teilnehmen wolltest. 2 Sie singen so schön, als ob Sie Opernsängerin wären. 3 Wir tun so, als ob wir alles verstanden hätten. 4 Er macht den Eindruck, als ob er Bescheid wüsste. 5 Ihr strahlt, als ob ihr im Lotto gewonnen hättet. 6 Du benimmst dich so, als ob du hier zu Hause wärst. 7 Es sieht so aus, als ob sie uns helfen könnte. 8 Sie schauen dauernd auf die Uhr, (so) als ob Sie gleich gehen müssten.
9 Man sollte so leben, als ob es kein „Morgen" gäbe.
Wenn ...: Wenn ich Gedanken lesen könnte, würde ich damit viel Geld verdienen. Wenn ich mein Leben noch einmal leben dürfte, würde ich vieles anders machen. Wenn ich Deutschlehrerin wäre, würde ich immer viele Hausaufgaben aufgeben. Wenn ich so viel wie Albert Einstein wüsste, würde ich viele Bücher schreiben. Wenn ich früher Deutsch gelernt hätte, hätte ich jetzt wahrscheinlich schon einen guten Job. Wenn es im Mittelalter schon Computer gegeben hätte, dann würden wir heute schon auf dem Mars leben. Wenn ich als Vogel auf die Welt gekommen wäre, könnte ich mehr von der Welt sehen. *(Lösungsvorschlag)*

D4 *vgl. Hörtext im Kassetten-/CD-Einleger*

E1 „Ich heiße Ri<u>ca</u>rdo | und bin 16 <u>Ja</u>hre alt. Ich bin hier in Ber<u>lin</u> geboren, auch wenn ich nicht so <u>aus</u>sehe. Meine Mutter ist Ja<u>pa</u>nerin | und mein Vater Boli<u>via</u>ner. In meiner <u>Kla</u>sse | sind von 30 <u>Schü</u>lern | nur vier <u>Deu</u>tsche. Meine Freunde be<u>nei</u>den mich, weil ich mehrere <u>Spra</u>chen spreche. Mit meinem Bruder <u>Deu</u>tsch, mit meiner Mutter Ja<u>pa</u>nisch | und mit meinem Vater S<u>pa</u>nisch. Ich bin <u>sehr</u> gern | bei meinen Großeltern in <u>Ja</u>pan: Das Klima ist an<u>ge</u>nehm | und die Menschen sind <u>ru</u>hig. Mir ge<u>fa</u>llen aber auch | die lauten Südameri<u>ka</u>ner, die jeden gleich zum <u>Freund</u> haben. Ich möchte s<u>pä</u>ter mal | für ein Jahr nach <u>Eng</u>land, da war ich noch <u>nie</u>. Und die britische <u>Le</u>bensart, die finde ich irgendwie inter<u>ess</u>ant. Aber meine <u>Hei</u>mat, das ist <u>Deu</u>tschland."

E2 *Nomen:* in meiner <u>Kla</u>sse, nur vier <u>Deu</u>tsche *Verben:* auch wenn ich nicht so <u>aus</u>sehe, meine Freunde be<u>nei</u>den mich *Adjektive:* das Klima ist an<u>ge</u>nehm, die Menschen sind <u>ru</u>hig *Adverbien:* ich bin <u>sehr</u> gern, ich möchte <u>spä</u>ter mal

E3 ●●: die Welt, ●●●: mein Glaube, ●●●●: an mein Dorf, ●●●●●: an die Kindheit, ●●●●●: das ist die Welt, ●●●●●●●: das ist mein Elternhaus, ●●●●●●: an die erste Liebe

E4 ●●: die Welt mein Land; ●●●: mein Glaube, nach Knoblauch, nach Sonne; ●●●●: an mein Dorf, meine Stadt, nach dem Meer; ●●●●: an die Kindheit, meine Sprache, nach Tomaten, wo ich lebe; ●●●●: das ist die Welt, meine Musik, wo man mich kennt, nach frischem Fisch; ●●●●●●: das ist mein Elternhaus, wo ich geboren bin; ●●●●●●: an die erste Liebe, das ist die Familie, das sind meine Freunde

E5 <u>Hei</u>mat ist für mich meine Fa<u>mi</u>lie. Heimat ist <u>auch</u> meine <u>Spra</u>che. <u>Hei</u>mat riecht nach <u>Wald</u>. <u>Hei</u>mat schmeckt nach frisch geröstetem <u>Kaf</u>fee. <u>Hei</u>mat ist die Er<u>in</u>nerung an meine erste <u>Lie</u>be. <u>Hei</u>mat ist die <u>Sehn</u>sucht nach der <u>Kind</u>heit. <u>Hei</u>mat ist <u>da</u>, wo mein <u>Bett</u> steht. Meine <u>Hei</u>mat, das ist mein <u>Le</u>ben. *(Lösungsvorschlag)*

Lektion 8

A1 1g 2k 3e 4n 5l 6c 7b 8m 9a 10h 11d 12i 13f 14o 15j

A2 *vgl. Hörtext im Kassetten-/CD-Einleger*

A3 1 Nebensätze, Hauptsatz 2 Hauptsatz, Nebensatz 3 Hauptsatz, Nebensatz 4 Hauptsätzen

A4 2 Sie haben überall ein Handy dabei, so dass sie für die Redaktion immer erreichbar sind. 3 Sie berichten regelmäßig über aktuelle Ereignisse, deshalb brauchen sie gute Kontakte zu wichtigen Persönlichkeiten. 4 Sie müssen die politischen Verhältnisse der Gastländer so gut kennen, dass sie auch über Hintergründe von Ereignissen informieren können. 5 In der Regel bleiben sie nur einige Jahre an einem Ort, also lernen sie im Laufe des Berufslebens viele Länder kennen. 6 Meistens berichten sie in Livesendungen, so dass sie manchmal auch mitten in der Nacht arbeiten müssen. 7 Sie treten so oft im deutschen Fernsehen auf, dass sie in Deutschland sehr bekannt sind. 8 Sie brauchen guten Kontakt mit den Kollegen in Deutschland, deshalb besuchen sie regelmäßig die Zentrale in Mainz.

A5 *Gerd Glückspilz:* ... Er hat alle Papiere bereits gestern fertig gemacht, so dass er vor dem Meeting noch einen Kaffee trinken kann. Er macht so gute Vorschläge, dass er beim Meeting vom Chef gelobt wird. Er macht eine Diät, also isst er mittags nur ein Joghurt und einen Apfel. Er erwartet eine Nachricht von einem wichtigen Kunden und checkt deshalb nachmittags noch einmal seine E-Mails. Bingo! Er hat den Auftrag bekommen, also kann er heute früher Feierabend machen. Er kommt so früh nach Hause, dass er noch zwei Stunden ins Sportstudio gehen kann. Das tut gut! Er ist mit seiner neuen Freundin zum Kino verabredet – deshalb freut er sich schon jetzt auf einen netten Abend. *(Lösungsvorschlag)*

Petra Pechvogel: **2** Sie muss sich beeilen, so dass sie keine Zeit fürs Frühstück hat. **3** Sie findet keinen Parkplatz und kommt deshalb zu spät ins Büro. **4** Sie muss alles noch einmal machen – sie hat nämlich Kaffee über wichtige Papiere geschüttet. **5** Sie wird beim Meeting vom Chef kritisiert, denn sie hat keine guten Ideen. **6** Sie hat sehr viel zu tun, so dass sie keine Mittagspause macht. **7** Sie wird erst spät fertig, weil sie sich nicht auf die Arbeit konzentrieren kann. **8** Auf der Heimfahrt ist sie sehr nervös. Deshalb verursacht sie einen Unfall. **9** Zu Hause kommt sie nicht in die Wohnung, sie hat nämlich den Schlüssel im Büro vergessen. **10** Sie will in ein Restaurant essen gehen, weil sie den ganzen Tag noch nichts gegessen hat. **11** Es ist aber schon so spät, dass die Küche bereits geschlossen ist. *(Lösungsvorschlag)*

B1 *horizontal:* Bäcker, Autor(in), Pilot, Friseur, Arzt, Koch, Ärztin, Sekretärin, Lehrer(in) *vertikal:* Schauspieler, Hausfrau, Fotomodell, Verkäufer, Kellner, Taxifahrer, Student(in)

B2 *Kfz-Mechaniker:* flexibel, geduldig, ordentlich, sorgfältig, zuverlässig *Krankenschwester:* einfühlsam, energisch, freundlich, verständnisvoll, sorgfältig *Friseur:* freundlich, kommunikativ, kreativ, offen, sorgfältig *Sekretärin:* flexibel, intelligent, kontaktfreudig, selbstbewusst, unbestechlich *(Lösungsvorschlag)*

B3 1 Zuverlässigkeit 2 Lern- und Leistungsbereitschaft 3 Ausdauer und Belastbarkeit 4 Sorgfalt und Gewissenhaftigkeit 5 Konzentrationsfähigkeit

B4 1 Bezugswort; *wegen, außerhalb,* innerhalb, während, trotz 2 f, Pl; m, n; *die Endung „s"* 3 von + Dativ

B5 1 der Erreichbarkeit, der Bewerbungsmappen 2 des Bewerbers, der Bewerberin, des Trainings 3 des Teamplayers, der Bürger 4 der Ausbildung, von Bewerbungen 5 des Gesprächspartners, des Vorstellungsgesprächs 6 von Fachkenntnissen

C1 *kleine Enkeltochter:* zur Milchfrau laufen *große Enkeltochter:* erst im vierten Geschäft das richtige T-Shirt finden *Tochter:* dreimal in einer halben Stunde während des Bügelns ans Telefon gehen *Sohn:* wegen des starken Verkehrs zehn Minuten länger im Auto sitzen *kleiner Enkelsohn:* an einem Abend viel lernen *großer Enkelsohn:* beim Weggehen den Müll hinuntertragen

C2 1 tagaus, tagein 2 Schrebergarten 3 hundemüde 4 anscheinend 5 Rendezvous 6 nicht einen Tupf 7 alles Versäumte 8 überfordern 9 am Lenkrad 10 annehmen 11 wissbegierig

C3 *A:* 2 ..., wenn deine Mutter deine Unterstützung braucht ... 3 ... und du zur Heimfahrt vom Schwimmbad zehn Minuten länger als üblich brauchst. *B:* 2 ..., aber dadurch braucht ihr euch doch nicht „überfordert" zu fühlen. 3 Solche Kleinigkeiten brauchen euch doch nicht „unter Druck" zu setzen. 1A 2B 3B 4A 5B 6A

C4 *Die jungen Leute* brauchen heute nicht mehr alle Haushaltsarbeiten zu machen. Sie brauchen nicht mehr die Kinder alleine großzuziehen. Sie brauchen nicht so früh aufzustehen. Sie brauchen nicht im

Garten zu arbeiten. Sie brauchen nicht so lange zu arbeiten. Die jungen Leute brauchen heute keinen Schrebergarten mehr, aber ein Sportstudio, ein Auto, einen Führerschein und modische Kleider. *Die Oma* brauchte nicht für Prüfungen zu lernen. Die Oma brauchte keinen Führerschein, sie hatte kein Auto. Sie hatte auch kein Telefon. Sie brauchte auch kein Sportstudio, aber einen Schrebergarten. *(Lösungsvorschlag)*

C5 *vgl. Hörtext im Kassetten-/CD-Einleger*

D2 1 sprichst 2 künstlich 3 pünktlich
4 Schreibtisch 5 Text 6 Ausdruck 7 nachts
8 schenkst 9 seltsam 10 komplett 11 empfiehlt
12 manchmal

D3 abwechslungsreich, Anschreiben, Arbeitsplatz, anspruchsvoll, Ausbildungsberuf, Ausstrahlung, Berufsperspektive, Bewerbungsmappe, entscheidungsfreudig, Halbtagsjob, Lichtbild, Schulabschluss, Sprachkenntnisse, Staatsdienst, Wirtschaftszweig

E1 2 Ansprechpartner fehlt; falsche Anrede 3 Datum und Stellenbeschreibung fehlen 4 Information, warum er sich für die Stelle interessiert, fehlt 5 Information, wann er anfangen kann, fehlt 6 Angaben nicht besonders konkret; Bezug zu Firma und Job fehlen 7 Bitte um Vorstellungsgespräch fehlt 8 falsche Grußformel 9 Hinweis auf Anlagen fehlt 10 sehr umgangssprachlich

E2 *von oben nach unten:* Absender (Telefonnummer), Anschrift (Ansprechpartner), Betreff (genauer formulieren), Anrede (Ansprechpartner), Einstieg (Interesse allgemein und speziell an der Firma), Überleitung (Ausbildungsbeginn), Erläuterung (einschlägiges Praktikum, Kundenbetreuung, Sprachkenntnisse), Ausstieg (Bitte um Vorstellungsgespräch), Grußformel (Standardformel), Anlage (eingefügt)

F1 *rechte Spalte:* der Alkohol, das Auto, der Erfolg, die Fantasie, das Fett, die Gebühr, die Hilfe *linke Spalte:* die Idee, die Kalorie, der Konflikt, der Kontakt, der Niederschlag, die Tradition, der Umfang, das Vitamin

F2 1 -reich, -frei, -arm, Adjektive 2 -reich, wenig, ohne

F3 *Sie sind ein erfolgreicher Macher:* kontaktarm, fantasielos, abwechslungsreichen, konfliktfreier, einflussreiche, ideenreiche, zahlreichen, gebührenfrei
Kellner/in gesucht: traditionsreiches, abwechslungsreiche, umfangreiches, Zahlreiche, hilfreich
Sie leiden an Stress und Schlaflosigkeit? kalorienreich, fettarmer, kalorienarmer, vitaminreicher, alkoholfreien, stressfreie, niederschlagsarmen, autofreien

Lektion 9

A1 1 sich über die Kleidung des Partners ärgern
2 eifersüchtig sein 3 Langeweile 4 Unpünktlichkeit
5 laute Musik 6 sich wegen der Kinder streiten
7 sich wegen Geld streiten 8 sich über die Faulheit

des Partners im Haushalt ärgern 9 sich über das Zeitunglesen des Partners ärgern 10 sich ärgern, dass der Partner ständig liest

A2 1c 2a 3b

A3 1c, e, i 2d, g, k 3b, f, h, j

B1 *vgl. Hörtext im Kassetten-/CD-Einleger*
Katharina sollte auf keinen Fall aggressiv reagieren. Es ist wichtig, dass sie klar ihre Meinung sagt. Das Beste wäre, wenn sie mit dem Chef reden würde. Katharina sollte ganz offen mit der Kollegin sprechen. Ich finde, sie sollte den Arbeitsplatz wechseln. *(Lösungsvorschlag)*

B2 *von oben nach unten:* 2 *bitten* um, Worum?
3 *träumen* von, Wovon? 4 *denken* an, Woran?
5 *lachen* über, Worüber? 6 *protestieren* gegen, Wogegen?
1 Pronominaladverbien 3 Satz/Text 4 da-, Fragepronomen, r

B4 *vgl. Hörtext im Kassetten-/CD-Einleger*

C2 1 Es ist etwas Unbestimmtes, nichts Konkretes.
2 vor unbestimmten Artikeln, vor Indefinitpronomen, vor Fragepronomen.
3 hat die Pluralform „irgendwelche".

C3 *vgl. Hörtext im Kassetten-/CD-Einleger*

D1 *waagerecht:* 2 Höflichkeit 4 Personal 5 Bedienung
9 Störung 10 Kunde *senkrecht:* 1 Kompromiss
3 Kundenservice 6 Beschwerde 7 Wunsch
8 Geduld

D2 *Es passt nicht:* 1 entschuldigen 2 bemüht
3 beschweren 4 drücken 5 lösen 6 warten
7 zeigen 8 machen 9 verlieren

D3 *Von wem?* Werner Grill *An wen?* Geschäftsleitung des Heimwerkermarktes „Bauland" *Was?* falsche Auskunft *Wo?* im Geschäft *Wann?* letzten Montag *Warum?* unwissende Lehrlinge im Bereich des Kundenverkehrs

D4 f: fachkundigen *m:* gut geführten *n:* kompetenten *Pl:* schüchterner
1 Bezugswort 2 f, Pl; m, n 3 Adjektive; f, Pl
1 arroganten 2 pickliger 3 kleinen
4 unfreundlichen 5 unhöflichen 6 unzufriedenen
7 netten 8 sympathischen 9 charmanten
10 großen 11 neuen 12 hilfsbereiter

E1 der Ber<u>uf</u>salltag – der berufliche <u>All</u>tag, die <u>Fremd</u>sprache – die fremde <u>Sprache</u>, <u>Haus</u>haltsgeräte – Geräte im <u>Haus</u>halt, eine <u>Hör</u>übung – eine Übung zum <u>Hören</u>, die <u>Klo</u>tür – die Tür zum <u>Klo</u>, <u>Kurz</u>geschichten – kurze Ge<u>schich</u>ten, <u>Lern</u>tipps – Tipps für das <u>Lernen</u>, <u>Namens</u>kärtchen – Kärtchen mit <u>Namen</u>, am <u>Neben</u>tisch – am Tisch neben<u>an</u>, ein <u>Sprech</u>anlass – ein Anlass zum <u>Sprechen</u>, <u>Über</u>stunden – zusätzliche <u>Stunden</u>, eine <u>Wort</u>familie – eine Familie von <u>Wör</u>tern

E2 1 auf dem ersten Teil *Nomen + Nomen:* <u>Haus</u>haltsgeräte, <u>Klo</u>tür, <u>Namens</u>kärtchen, <u>Wort</u>familie *Adjektiv + Nomen:* <u>Kurz</u>geschichten *Verb(stamm) + Nomen:* <u>Hör</u>übung, <u>Lern</u>tipps, <u>Sprech</u>anlass *Präposition + Nomen:* <u>Neben</u>tisch, <u>Über</u>stunden
2 auf dem letzten Wort *Beispiele:* die fremde <u>Sprache</u>, Geräte im <u>Haus</u>halt, eine Übung zum <u>Hören</u>, die Tür zum <u>Klo</u>, kurze Ge<u>schich</u>ten, Tipps

für das <u>Le</u>rnen, Kärtchen mit <u>Na</u>men, am Tisch nebenan, ein Anlass zum <u>Spre</u>chen, zusätzliche <u>Stun</u>den, eine Familie von <u>Wör</u>tern

E3 Hellseher, keine <u>E</u>rfolgsgarantie, Experten für Kommunika<u>ti</u>on, <u>Fach</u>kenntnisse, im <u>Streit</u>fall, <u>Schnaps</u>ideen, mehr Erfolg beim <u>Le</u>rnen, <u>Kopf</u>kissen, Auskünfte über <u>Prei</u>se, Sendungen im <u>Ra</u>dio, <u>Schreib</u>aktivitäten, zusätzliche <u>Auf</u>gaben, beim Lernen der fremden <u>Spra</u>che

E4 **Verrückte <u>I</u>deen, um mehr Erfolg beim Lernen zu haben**: Tipps für das <u>Le</u>rnen an die Tür zum Klo hängen, <u>Wör</u>terbücher als Kissen unter den Kopf legen, mit Familien von <u>Wör</u>tern Ratespiele machen und Kärtchen mit den <u>Na</u>men an die Geräte im Haushalt kleben, Auskünfte über <u>Prei</u>se als Anlass zum Sprechen nehmen, Sendungen im <u>Ra</u>dio als Übungen zum Hören nutzen, mit Artikeln aus der <u>Zei</u>tung Hellseher spielen und kurze Ge<u>schich</u>ten als Aktivitäten zum Schreiben nutzen – kurz gesagt: sich verrückte <u>I</u>deen als zusätzliche Aufgaben ausdenken, um beim Lernen der fremden <u>Spra</u>che mehr Erfolg zu haben.

Mehr Lernerfolg mit Schnapsideen
<u>Lern</u>tipps an der Klotür, <u>Wör</u>terbücher als Kopfkissen,
Ratespiele mit Wortfamilien und <u>Na</u>menskärtchen an Haushaltsgeräten, <u>Prei</u>sauskünfte als Sprechanlässe,
Radiosendungen als Hörübungen, <u>Hell</u>seher spielen mit Zeitungsartikeln und <u>Kurz</u>geschichten als Schreibaktivitäten. Kurz: <u>Schnaps</u>ideen als Zusatzaufgaben, um beim <u>Fremd</u>sprachenlernen mehr Lernerfolg zu haben.

Lektion 10

A2 1 Pubertät 2 Lebenssinn 3 Umbruch
4 Lebenskrise 5 Sekte 6 Engagement
7 Gleichgültigkeit 8 Selbsthilfegruppe

A3 1 Zufriedenheit ohne Sinnsuche 2 Der Mensch auf Sinnsuche 3 Sinnsuche früher und heute
4 Der richtige Weg

A4 *von oben nach unten:* 3, 6, 2, 4, 1, 5

B1 1e 2d 3h 4c 5g 6b 7f 8a

B2 *vgl. Hörtext im Kassetten-/CD-Einleger*

B3 *vgl. Hörtext im Kassetten-/CD-Einleger*

B4 *vgl. Hörtext im Kassetten-/CD-Einleger*
Singular NOM: der/ein Mensch, der/ein Dirigent, der/ein Nachbar, der/ein Assistent AKK: den Menschen, den Dirigenten, den Nachbarn, den Assistenten *DAT: dem Menschen, dem Dirigenten, dem Nachbarn, dem Assistenten GEN: des* Menschen, des Dirigenten, des Nachbarn, des Assistenten *Plural NOM: die Menschen, die* Dirigenten, die Nachbarn, die Assistenten *AKK: die* Menschen, die Dirigenten, die Nachbarn, die Assistenten *DAT: den Menschen, den Dirigenten,* den Nachbarn, den Assistenten *GEN: der* Menschen, der Dirigenten, der Nachbarn, der Assistenten
1 Nomen, Nominativ Singular **2** Nationalitäten
3 -ist, _ent/-ant

B6 1 Kontakte für Seniorenorchester 2 Garten für betreute Anwohner 3 Deutschunterricht 4 Büroarbeit / Archivierung / Telefon 5 Arbeitskreis Weihnachtsbasar

C1 3 die Partnerschaft, -en 4 die Verwandtschaft
5 die Mannschaft, -en 6 die Nachbarschaft 7 die Kameradschaft 8 die Bereitschaft 9 die Gemeinschaft, _en 10 die Wissenschaft, -en
Nomen mit der Endung „-schaft": die, Plural, Partnerschaft, Gemeinschaft

C2 2 die Wohngemeinschaft 3 der Gemeinschaftsraum 4 Fußballmannschaften
5 die Zweckgemeinschaft

C3 1 Nachbarschaft 2 Wohngemeinschaft
3 Bereitschaftsdienst 4 Gemeinschaftsräume
5 Fußballmannschaft 6 Partnerschaft
7 Verwandtschaft 8 Zweckgemeinschaft
9 Freundschaften

D1 zum <u>Bei</u>spiel, kein Pro<u>blem</u>, falls <u>nö</u>tig, viel <u>wert</u>, alles <u>Gu</u>te, Mo<u>ment</u> mal!, am <u>liebs</u>ten, ziemlich ver<u>rückt</u>, <u>Ur</u>laub machen, nach Paris, nach Berlin, in <u>Rom</u>, nicht <u>flie</u>ßend, jeden Tag trai<u>nie</u>ren, das klingt <u>gut</u>, nimm dein <u>Buch</u>, ein paar Vo<u>ka</u>beln, was mich <u>nervt</u>

D2 schnell‿lernen, viel‿lieber, im‿Moment, komm‿mit, kann‿nicht, mein‿Name, fünf‿vor halb, aktiv‿fördern, effektiv‿vorbereiten, Stoff‿für, intensiv‿Phonetik, Deutsch‿schreiben, Englisch‿sprechen, fantastisch‿still, ab‿Paris, Partizip‿Perfekt, privat‿treffen, und‿trotzdem, statt‿Tropfen, ein Stück‿Kuchen, jeden Tag‿kochen;
bis‿Sonntag, nichts‿sagen, ab‿Berlin, ein Job‿bei, ist‿das, und‿du, genug‿Geld, Glück‿gehabt!, auf‿Wunsch, aktiv‿werden, elf‿Videos

D3 Fahrt | ihr mit‿dem | Auto | oder‿mit‿der Bahn | in Urlaub? | Ich will‿fliegen, |
aber‿Ralf‿will lieber mit‿der Bahn‿nach Rom‿fahren, | und‿Tom‿möchte | nicht‿nach Rom, | sondern‿nach Paris.
Und‿was soll jetzt‿passieren? | Worauf‿wollt | ihr | euch‿verständigen? | Wie | sieht‿da | ein‿Kompromiss | aus? | Im Moment‿ziemlich‿verrückt: |
Wir‿fahren | erst mit‿dem | Auto‿nach Berlin, | nehmen | ab‿Berlin‿die | Bahn‿nach Paris, | fliegen | ab‿Paris‿und fahren | in Rom‿mit Mietwagen. |
Und‿was mich | am‿meisten‿nervt: |
Jeden‿Tag kommt | ein‿neuer Vorschlag! | Ich mag‿gar keinen | Urlaub‿mehr machen ...
Ich‿kann noch nicht fließend‿Deutsch‿sprechen. | Was‿soll | ich tun? | Was‿rätst‿du mir? |
Dir‿fehlt‿Training! | Du | musst‿täglich | üben: | ein paar‿Vokabeln, | ein Stück‿Grammatik‿und | intensiv‿Phonetik. | Jeden‿Tag‿gezielt‿trainieren? |
Viel‿Deutsch‿sprechen? ... | Am‿besten zu | zweit! ... | Sich‿privat‿treffen? | Fantastisch‿schnell‿lernen? | Bei | Kaffee | und | Kuchen? | Das‿klingt‿doch‿gut! | Wann‿fangen wir | an? | Wann‿soll | es‿losgehen? | Wo | treffen‿wir | uns? | Bei | mir | oder‿dir? | Moment‿mal! ... | Was‿soll‿das? ... | Nein, | ich‿kann‿nicht. ... | Nun‿mal‿langsam. | Du | kannst‿doch | auch | allein | aktiv‿werden. | Nimm‿dein‿Buch und‿lern mit‿Tangram!

E1 *Biotonne:* Mülltonne für Küchenabfälle (Kartoffelschalen etc.) *Der Grüne Punkt / Gelber Sack:* Lebensmittelverpackungen, die recycelt werden können, werden mit einem „grünen" Punkt markiert. Für sie gibt es eine spezielle, gelbe Mülltonne. *Glascontainer:* Container für Glasmüll (Flaschen, Gläser etc.) *Müll trennen:* unterschiedlichen Müll in unterschiedliche Mülltonnen werfen *Recycling-Hof:* Ort, an dem man Müll, der recycelt werden kann, abgeben kann/muss. *Restmüll:* Müll, der nicht recycelt werden kann. *Verpackungsmüll:* Lebensmittelverpackungen *(Lösungsvorschlag)*

E2 *Vorurteil 1:* B *V 2:* E *V 3:* C *V 4:* A *V 5:* F *V 6:* D

E3 1 einen Gegensatz 2 Konjunktion 3 Präposition
Anstatt den Kunden, der Müll sortiert, zu belohnen, weil er Ressourcen schont, bitten ihn die Firmen zur Kasse. (Text B). Zahlreiche Firmen und Versandhäuser haben ganz auf Verpackungen verzichtet, statt die Verpackungen größer, aufwendiger und schöner zu machen. (Text E) Dann müssen Verbraucher, wenn sie ihr Geld wiederhaben wollen, die Dosen in den Supermarkt zurückbringen, statt sie einfach wegzuwerfen. (Text F) Wenn nur zehn Prozent der Verbraucher die leeren Verpackungen einfach wegwerfen, statt sie zurückzubringen, bleiben den Supermärkten mehrere Millionen Euro Gewinn. (Text F)

E4 1d 2b 3a 4c

E5 vgl. Hörtext im Kassetten-/CD-Einleger

Lektion 11

A1 das Internet der Brief, -e das Fernsehen der Computer, - das Buch, ¨er das Fax, -e das Radio, -s die Zeitung, -en das Telefon, -e die E-Mail, -s das Handy, -s
Man liest es: Brief, Buch, Fax, Zeitung, E-Mail *Man hört und/oder sieht es:* Film, Fernsehen, Radio *elektronische Medien:* Internet, Computer, Fernsehen, Radio, Telefon, E_Mail, Handy *Printmedien:* Buch, Zeitung *Unterhaltung/Information:* Film, Internet, Fernsehen, Buch, Radio, Zeitung *Kommunikation:* Brief, Computer, Fax, Telefon, E-Mail, Handy

A2 *Fernseh-:* 2 Fernsehsendung 3 Fernsehzeitschrift 5 Fernsehprogramm 6 Fernsehgerät/-apparat 8 Fernsehantenne 9 Fernsehzuschauer 10 Fernsehkonsum 11 Fernsehgebühren 12 Fernsehsender; *-fernsehen:* 1 Privatfernsehen 4 Farbfernsehen 7 Kabelfernsehen

A3 *„vor" der Kamera:* Nachrichtensprecher/-in, Schauspieler/-in, Ansager/-in, Showmaster/-in, Reporter/_in *„hinter" der Kamera:* Regisseur/-in, Kameramann/-frau, Reporter/-in
Regisseur/-in: Ein Regisseur macht einen Spielfilm oder eine Fernsehsendung. Er führt Regie.
Nachrichtensprecher/-in: Eine Nachrichtensprecherin spricht die Nachrichten. Sie berichtet über aktuelle Ereignisse. *Schauspieler/-in:* Ein Schauspieler spielt eine Rolle in einem Film/Theaterstück. *Ansager/-in:* Eine Ansagerin sagt das Programm an.
Kameramann/-frau: Ein Kameramann macht die

Aufnahmen bei einem Spielfilm, er filmt Quizsendungen, Interviews, aktuelle Ereignisse etc. *Showmaster/-in:* Eine Showmasterin moderiert eine Show, z. B. eine Quizsendung. Sie stellt den Gästen Quizfragen. *Reporter/-in:* Ein Reporter berichtet über aktuelle Ereignisse aus dem In- und Ausland. Er macht Interviews. *(Lösungsvorschlag)*

A4 1C 2E 4D 5B
1 Sender 2 zappen 3 verkabelt sein 4 Satellitenschüssel 5 zulassen 6 kommerziell 7 charakterisieren 8 Wettbewerb 9 Logik 10 Pay-TV 11 Leitmedium 12 Tendenz(en) 13 Einschaltquoten 14 Marktanteil
von oben nach unten: 5, 2, 3, 1, 4

A5 1 verkabelt ist 2 zugelassen wurde 3 ist ... konfrontiert 4 wird ... gedrängt 5 ist ... beendet
1 Partizip Perfekt 2 Zustand, sein, Adjektiv

A6 vgl. Hörtext im Kassetten-/CD-Einleger

B1 1 Tageszeitungen (3 x) 2 Nachrichtenmagazine 3 Boulevardzeitungen 4 Wochenzeitungen 5 Fachzeitungen
Rubriken: Feuilleton/Kultur, Sport, Nachrichten, Fernsehprogramm, Lokalnachrichten, Wirtschaft, Vermischtes, Wetter, Leserbriefe

B2 1e 2g 3b 4f 5d 6a 7c

B3 *Es geht:* um eine Tageszeitung.
1b 2c 3c 4a 5c 6b 7b

B4 1 formulierte 2 passenden 3 rasende 4 ausgearbeitete 5 werdende 6 entscheidende 7 wachsende 8 bestehende 9 endenden 10 eingegangene 11 bleibenden 12 zusammengesetzten
1 Partizip Präsens, Nomen, kurz und bündig 2 Infinitiv, Adjektivendung 3 Passiv 4 Adjektive

B5 ... Ein viel versprechender Titel und ein paar gut formulierte und neugierig machende Sätze sind die entscheidenden Voraussetzungen. Der Artikel selbst sollte nur gut recherchierte und zum Thema gehörende Informationen enthalten. Auf unwichtige, niemand interessierende Informationen, auf unklare, verwirrende Formulierungen und auf ermüdende Wiederholungen sollte man verzichten. Eine beeindruckende Reportage enthält immer auch überraschende Aspekte und glänzt mit treffenden und gut gewählten Formulierungen.

C2 *Es passt nicht:* 1 (aus)drucken 2 einschalten 3 zappen 4 chatten 5 surfen 6 zappen 7 abstürzen

C3 vgl. Hörtext im Kassetten-/CD-Einleger

C4 vgl. Hörtext im Kassetten-/CD-Einleger
temporale, am Anfang, gleichzeitig, nacheinander, seit, bis

C5 1 bis 2 Als 3 Seit 4 wenn 5 Bevor 6 als 7 Nachdem 8 Seit

D1 1d 2d 3e 4g 5b 6a 7c 8f

D2 vgl. Hörtext im Kassetten-/CD-Einleger

D3 *Umgangssprache:* ... sollte man vorsichtig benutzen. ... wird meistens von jungen Menschen verwendet.

E1 Wer nicht <u>liest</u> ist <u>doof</u>. Wer nicht <u>liest</u>, ist <u>trotzdem</u> doof.
Das <u>Lesen</u> ist für mich <u>lebenserklärend</u>.; Das Lesen ist für mich <u>lebenserklärend</u>.; Das Lesen <u>war</u> und <u>ist</u> für mich lebenserklärend.; Das Lesen ist nicht nur

für <u>mich</u> lebenserklärend.; Das Lesen ist für mich lebenser<u>klä</u>rend, ja sogar lebens<u>rett</u>end.; Ich habe das Leben <u>ken</u>nen gelernt.; In den <u>Bü</u>chern habe ich das <u>Le</u>ben kennen gelernt.; In den Büchern habe ich <u>das</u> Leben kennen gelernt, das die <u>Schu</u>le vor mir ver<u>steck</u>t hatte.; In <u>Bü</u>chern zeigt sich mir eine andere Reali<u>tät</u>.; In <u>Bü</u>chern zeigt sich mir eine <u>an</u>dere Realität.; In Büchern zeigt sich mir eine <u>an</u>dere Realität als <u>die</u>, in die meine Eltern mich <u>pres</u>sen wollten.; Die <u>Fern</u>sehprogramme haben sich ver<u>än</u>dert.; Die Fernseh<u>zu</u>schauer haben sich ver<u>än</u>dert.; Nicht nur die Fernseh<u>pro</u>gramme, auch die Fernseh<u>zu</u>schauer haben sich verändert.; Wenn Sie einen Telefonanschluss haben, können Sie im <u>In</u>ternet surfen.; Wenn Sie nur <u>ei</u>nen Telefon-anschluss haben, können Sie <u>nicht</u> telefonieren, wenn Sie im <u>In</u>ternet surfen.

E2 1 Kontrastakzente, Normalakzente
2 Funktionswörter: ist, mich, das, die, nicht; unbetonte Silben: -klä-, -ret-, -ken-, Le-, -steck-, -tät, an-, -än-, zu-, In-

E3 <u>Frü</u>her habe ich mich als <u>Mün</u>chner gefühlt, <u>heu</u>te eher als <u>Gast</u>., <u>Über</u>all gibt es <u>Men</u>schen, die <u>mich</u> nicht akzeptieren, aber auch <u>sol</u>che, mit denen <u>ich</u> mich nicht identifizieren kann.; In Deutschland muss man sich für <u>ei</u>ne Staatsangehörigkeit ent-scheiden. <u>Das</u> finde ich <u>scha</u>de. ; Mir macht es <u>nichts</u> aus, <u>äl</u>ter zu werden. Im <u>Ge</u>genteil, ich <u>freue</u> mich darauf.; Ich habe ein fan<u>tas</u>tisches Leben: Ich verzichte auf <u>we</u>nig und bekomme un<u>glaub</u>lich <u>viel</u>.; <u>Ei</u>gentlich ist Ihre Beziehung ganz <u>gut</u>. <u>Ei</u>gentlich ..., aber „<u>ir</u>gendwie" scheint sie Ihnen <u>fest</u>gefahren. Nein, <u>un</u>glücklich sind Sie <u>nicht</u>, <u>glück</u>lich aber <u>auch</u> nicht.; Für die <u>ei</u>nen sind Polizisten „<u>Freun</u>de und <u>Hel</u>fer", für die <u>an</u>deren Vertreter der <u>Staats</u>macht., Ich bin abends <u>fix</u> und <u>fer</u>tig, ich kann nicht mal mehr „<u>mu</u>" sagen. Und <u>er</u> will sich unter<u>hal</u>ten.; Mit der Zahl der Internet-surfer ist auch die Zahl der Internet<u>süch</u>tigen rapide gestiegen.

A1 **1b** (G) – 7 B, **2a** (W) – 7 B, **3b** (G) – 7 C, **4b** (W) – 7 C, **5c** (G) – 7 D, **6a** (G) – 7 D, **7c** (G) – 8 A, **8a** (G) – 8 B, **9b** (W) – 8 B, **10b** (G) – 8 C, **11b** (G) – 8 C, **12c** (W) – 8 E, **13a** (W) – 9 A ?, **14c** (G) – 9 B, **15a** (G) – 9 B, **16c** (W) – 9 AB! C, **17c** (W) – 9 D, **18b** (G) – 9 AB! D, **19a** (W) – 10 A, **20b** (G) – 10 B, **21c** (W) – 10 AB! B, **22a** (W) – 10 C, **23b** (G) – 10 E, **24c** (G) – 10 E, **25c** (G) – 11 A, **26c** (W) – 11 A, **27a** (W) – 11 AB! B, **28c** (G) – 11 B, **29a** (W) – 11 C, **30b** (W) – 11 C

B6 **2b 3a 4c 5c 6a 7c 8a**

C1 „**Die Zirkelmenschen**"
Es schallt ein <u>Ruf</u> von <u>Mund</u> zu <u>Mund</u>:
Bei <u>Zir</u>kelmenschen geht es <u>rund</u>.
Ob <u>Mann</u>, ob <u>Frau</u>, ob <u>groß</u>, ob <u>klein</u>:
Sie wollen <u>Zir</u>kelmenschen sein,
Sieh <u>da</u>! Sie haben es er<u>reicht</u> –:
Am <u>An</u>fang scheint das Kreisen <u>leicht</u>.
Das <u>geht</u>, solang es <u>geht</u>. Doch <u>schon</u>
Nach kurzer <u>Zeit</u> wird's monoton.
Da merkt sogar der <u>min</u>der <u>Helle</u>:
Es geht zwar <u>rund</u>, doch auf der <u>Stelle</u>.
Der <u>Radius</u> schrumpft, der <u>Strich</u> wird <u>breiter</u> –
Die <u>Zir</u>kelmenschen drehen sich <u>weiter</u>.
Und ziehen noch als <u>Zir</u>kelgreise
Nun immer <u>zit</u>trigere <u>Kreise</u> –
Bis sie dann <u>je</u>nen Punkt er<u>reichen</u>,
an dem sich <u>alle</u> Kreise <u>gleichen</u>

(Lösungsvorschlag: Gerade bei literarischen Texten gibt es mehrere Betonungsmöglichkeiten)

Wortliste

Seite W1–W25

Wortliste

Wörter, die für das Zertifikat nicht verlangt werden, sind kursiv gedruckt.
Bei sehr frequenten Wörtern stehen nur die ersten acht bis zehn Vorkommen.
„nur Singular": Diese Nomen stehen nie oder selten im Plural.
„Plural": Diese Nomen stehen nie oder selten im Singular.
Artikel in Klammern: Diese Nomen braucht man meistens ohne Artikel.

A

ab sofort 12
ab wann 12
abbezahlen + AKK 4
abbilden + AKK + SIT du bildest ab,
sie/er/es bildet ab 15
abbrennen brannte ab, ist abgebrannt 3
Abendluft die, ⁼e AB 37
Abfahrt die, -en 30, 31
abfinden + sich + mit DAT du findest
dich ab, sie/er/es findet sich ab fand
ab, hat abgefunden 22
abgeben + AKK du gibst ab, sie/er/es gibt
ab gab ab, hat abgegeben AB 64,
AB 65
abgehen + die Post + SIT 53, 54
abhalten + AKK du hältst ab, sie/er/es
hält ab hielt ab, hat abgehalten
AB 67, AB 85, AB 86
abhängig sein + von DAT 19
Abitur das (Singular) AB 18
abkürzen + AKK du kürzt ab 56, 66
Abkürzung die, -en 39, 68
Ablauf der, ⁼e 129, 130
ablaufen die abgelaufenen Medikamente
117
ablehnen + AKK 101, 128, AB 56
abmelden + sich du meldest dich ab,
sie/er/es meldet sich ab AB 74,
AB 80
Abnabelungsprozess der, -e 9
abraten + DAT + von DAT du rätst ab,
sie/er/es rät ab riet ab, hat abgeraten
138
Abrechnung die, -en AB 8
Absage die, -n AB 31
absagen + AKK 51
abschaffen + AKK 124
abschalten + AKK 119, 122, 123
Abschied der, -e 53, 65
abschließen + AKK du schließt ab
schloss ab, hat abgeschlossen 83, 92,
93, AB 2
Abschlussnote die, -n 94
Abschlusszeugnis das, -se 92
abschneiden + AKK du schneidest ab,
sie/er/es schneidet ab schnitt ab, hat
abgeschnitten 22, 39
Abschnitt der, -e 19
Absicht die, -en 57, 77
absichtlich AB 85, AB 86
absolut 5
Absolvent der, -en 93
abspielen + sich + SIT 22, 24, 26
Abstand: Abstand zahlen 3, 5
abwarten + indirekte Frage du wartest
ab, sie/er/es wartet ab AB 64
Abwasch der (Singular) 112
abwesend 98
abzählen an einer Hand abzählen 112
abziehen + AKK + (von DAT) zog ab, hat
abgezogen 91
Abzug der, ⁼e 91

achten + auf AKK du achtest, sie/er/es
achtet 66, 68, 72
Achtung die (Singular) 130
Adjektivendung die, -en 127
Aerobic-Schuh der, -e 105
Affenhitze die (Singular) 38
Afrika (das) (Singular) 39
Agentur die, -en 86
aggressiv 122
Aggressivität die (Singular) 122
Ägypten (das) (Singular) 63
Ahnung die, -en keine Ahnung haben
+ von DAT 98, 102, 122
ahnungslos 103, 104
Akademiker der, - AB 48
Aktie die, -n 111
aktiv 42, 112, 114
Akupunktur die (Singular) 62, 63
AKW das, -s 119
akzeptieren + AKK hat akzeptiert 9, 76,
99, 100
all- 126
all das 8, 30
allabendlich 98, 99
alle zusammen 72
alle zwei Tage 6
allein dastehen 130
alleine 16, 26, 53, 66
Alleinerziehende die oder der, -n
(ein Alleinerziehender) 91
Alleinsein das (Singular) 42
Alleinstehende die/der, -n
(ein Alleinstehender) 45
allen 56, 57
aller 63
allerdings 9, 64, 76, 88, 122
allergisch AB 71, AB 72
allerhand AB 76
alles andere 5
alles in allem 73
alles in Ordnung 102
allgemein 49, 71
Alltag der (Singular) 45, 55, 98
alltäglich 99, 112, 128, AB 74
Alltagsfüller der, - 122
Alltagsthema das, -themen AB 37
Alpen die (Plural) AB 41
alphabetisch 123
als Alleinerziehende 91
als Kind 81, 125, 126
als ob 80
als Sicherheitskraft 91
Alsterblick der (Singular) 56
Altbau der, -ten AB 1, AB 2
Altbauwohnung die, -en 2, 8
alte Sachen 9
Altenpflegerin die, -nen 93
älter 5, 42, 80, 112
alternativ 62, 64, 65
alternative Energie 116
Altersheim das, -e AB 14, AB 77
Altglas das (Singular) 119
Altmensch der, -en 119

Altpapier das (Singular) 119
altrosa 6
am Anfang 9, 20, 25
am besten 40, 59, 70, 71
am Ende 10, 11, 32, 49, 64
Ambiente das (Singular) 104, 105
ambulant 107
im ambulanten Bereich 93
amerikanisch 56, 57, 115
Amtsblatt das, ⁼er 93
amüsieren + sich + QUA hat amüsiert
AB 48, AB 50
anbieten + AKK + DAT du bietest an,
sie/er/es bietet an bot an, hat
angeboten 56
Anbindung die (Singular) 29
anbringen + AKK + SIT brachte an, hat
angebracht 78, 115
ander- 76, 80, 88, 99, 101, 110, 126, 131,
AB 2, AB 15, AB 25, AB 41, AB 47
andere: eine … nach der anderen 66
andererseits 110
ändern 38, 45
anderthalb 88
Änderung die, -en 59, 66
andeuten + AKK / + dass … 130
Andeutung die, -en 105
andre = andere 5
aneinander AB 1
anerkannt 63, 88
anfangen du fängst an, sie/er/es fängt an
fing an, hat angefangen 115, AB 48,
AB 60, AB 61
Anfänger der, - AB 48, AB 74
Anfangsbuchstabe der, -n 78
anfordern + AKK 92
Anforderung die, -en 88
Anfrage die, -n 31, 86
anfreunden + sich + mit DAT du
freundest dich an, sie/er/es freundet
sich an 86, AB 86
Angabe die, -n 32
Angaben zu Ihrer Person (Plural) 95
angeben + AKK du gibst an, sie/er/es
gibt an gab an, hat angegeben AB 37,
AB 38
angeblich AB 15
angebracht AB 74
angehen + AKK + nichts/etwas ging an,
ist angegangen 39
angemessen 112
angespannt 105
angestellt 93
angestellt: fest angestellt sein 5
angestrebt 88
angezogen + QUA 104
Angst die, ⁼e 122
Angstzustände die (Plural) AB 23
angucken + AKK AB 50
anhalten + AKK du hältst an, sie/er/es
hält an hielt an, hat angehalten
AB 70, AB 85
Anhänger der, - 111

ausgefallene AB 39
ausgehen ging aus, ist ausgegangen 11, 48, 66
ausgelaugt AB 72
ausgenommen 5, 78
ausgerechnet 65
ausgiebig AB 74
Ausgleich der (Singular) 90, 91
Aushilfe die, -n 90, 91, 93
auskennen + sich + mit DAT kannte aus, hat ausgekannt 130, AB 72
auskommen + mit DAT kam aus, ist ausgekommen 5
Auskunft die, ⏜e 37
Auskunft geben 114
Auskunftspflicht (Singular) 4
auslachen + AKK 56, 105
ausländ. = ausländisch 86
Ausländer der, - 76, AB 27
Ausländerbehörde die, -n AB 57
Ausländerfeindlichkeit die (Singular) 76
ausländisch AB 27
Auslandserfahrung die, -en 74, 87
Auslandsreise die, -n 89
ausleben + AKK 45
auslösen + AKK du löst aus, sie/er/es löst aus 64
ausmachen + DAT + nichts / etwas / viel ... 80
ausmalen + DAT + AKK + QUA 80, 83
ausprobieren + AKK hat ausprobiert 58, 65
Auspuff der, -e 88
auspusten + AKK 98
Ausrede die, -n 100
Ausreise die (Singular) AB 25, AB 26
Ausreiseantrag der, ⏜e AB 25
Ausreiseregelung die, -en AB 25
aussagefähig 93
ausschimpfen + AKK 104
ausschließlich 63, 118
ausschreiben + eine Stelle + SIT 87
außen AB 1
Außenbezirk der, -e 7
Außenhandelskaufmann der, -kaufleute 89
außenstehend 100
außerhalb 8, 30, 88, 89
außerirdisch AB 63, AB 64, AB 65, AB 78
aussetzen + eine Runde / einmal 135
Aussichtspunkt der, -e AB 41
Aussichtsturm der, ⏜e AB 31
ausstatten + AKK + mit DAT 87
Ausstattung die (Singular) 30
ausstellen + AKK 24
Ausstellung die, -en 14, 17, 24, 59, 66
ausstrecken + AKK + nach DAT 98
Austausch der (Singular) 88, 89
austoben + sich 9
austrocknen 80
Auswahl die (Singular) 19, 123, 127
Ausweis der, -e 19
auswerten + AKK 93, 95
Auswertung die, -en AB 81
auszeichnen + sich + durch AKK du zeichnest dich aus, sie/er/es zeichnet sich aus 31
ausziehen + AKK zog aus, hat ausgezogen 39
Autoabgas das, -e 118
Autobahn die, -en 29
Autobahnverbindung die, -en 30
Autoproduktion die (Singular) 88
Autor der, -en 14
Autorennen das, - 76

Autoreparatur die, -en 112
Autoschlüssel der, - 82
Axt die, ⏜e 21

B
Baby-Alter das (Singular) 13, 19
Babygeschrei das (Singular) 18
Babysitter der, - 111, 112, 122
Bach-Museum das, Museen 28
Bachblüten die (Plural) AB 74
baden du badest, sie/er/es badet 1, 39, 117
Badewasser das (Singular) 63
Badezimmer das, - AB 74
Bahn die, -en 30, 31
Bahnhof der, ⏜e 28, 40, 68
Bahnhofplatz der, ⏜e AB 41
Bakterie die, -n AB 72, AB 74
baldig AB 6
Balkon der, -e 6, 7
Balkontür die, -en 56
Ball der, ⏜e 21
Band die, -s 21
Bankett das, -e 31, AB 32
Bar die, -s 30, 31
Bär der, -en AB 41
basteln + AKK ich bastle 8, 88
Batterie die, -n 117
Bau der, -ten 22
Bau-Fachmesse die, -n 29
Bauatelier das, -s 93
Bauchkrämpfe die (Plural) AB 72
Bauchtänzerin die, -nen AB 37
Bauchweh das (Singular) AB 76, AB 77
bauen + AKK 9, 12, 35, 59
Bauer der, -n 112, 113, 119, AB 1, AB 2
Bauerntheater das (Singular) 51
Baujahr das, -e AB 48
Baum der, ⏜e 21
Bauzeichnerin die, -nen 90
beachten + dass ... / + AKK 130
Beamte der, -n 88, 112, 113, AB 20
beantragen + AKK 76, 114
bedanken + sich + bei DAT + für AKK 44, 48, 52, 69
bedenken + dass ... / + AKK bedachte, hat bedacht 78
bedeutend 16, 127
Bedeutung die, -en 37, 65, 68, 69, 114
bedienen + AKK 126, AB 39
Bedienung die (Singular) 93, 106, 138
Bedienungsgeld das, -er 30, 31
Bedingung die, -en AB 8
bedingungslos AB 54
bedürfen + GEN du bedarfst, sie/er/es bedarf bedurfte, hat bedurft 92
bedürftig 114
beeindrucken + AKK 104, 127, AB 45
beeinflussen + AKK du beeinflusst 21, 114
beenden + AKK du beendest, sie/er/es beendet 65
befand Präteritum von → befinden + sich + SIT 31, 56, 57
befragen + AKK 10
befreundet AB 53, AB 86
begann Präteritum von → beginnen 16, 26, 56
begegnen + DAT 126
begehen + AKK beging, hat begangen AB 56
begeistert 76, 112
Beginn der (Singular) 95, AB 41
begleiten + AKK 80
Begleiter der, - 82

Begleitung die (Singular) 112
Begriff der, -e 58, 62, 75, 76, 116, 138
begründen + AKK du begründest, sie/er/es begründet 59
Begründung die, -en 76
behaart 61
behalten + AKK du behältst, sie/er/es behält behielt, hat behalten 71, 76, 88
behandeln + AKK + mit DAT 4, 20, 35, 40, 139
Behandlung die, -en 56, 63, 64, 65
behaupten + dass ... 107
behindertenfreundlich 30
behindertengerecht AB 32
beibringen + DAT + zu Infinitiv brachte bei, hat beigebracht 128, AB 61
beinahe 80
beinhalten + AKK sie/er/es beinhaltet 30
beisammen 9
Beispielsatz der, ⏜e 24, 43, 52, 65
Beißzange die, -n AB 61
Beitrag der, ⏜e einen Beitrag leisten 112
beiwohnen + DAT 25
bejahrt 61
bekam Präteritum von → bekommen 16, 17, 24, 26, 35
Bekannte die/der, -n (ein Bekannter) 50, 53, 54
Bekanntenkreis der (Singular) 130
beklagen + AKK 44
bekommen: geschenkt bekommen + AKK bekam, hat bekommen 28
belasten + AKK + mit DAT 111
belästigen + AKK 104
belegt sein + durch AKK 63
beleidigen + AKK 4
beliebig AB 86
bemerkenswert 4
Bemerkung die, -en 76
bemühen + sich + zu Infinitiv / + sich + um AKK 104
benachbart 30
benachrichtigen + AKK AB 74
benehmen + sich + QUA du benimmst dich, sie/er/es benimmt sich benahm, hat benommen 103, AB 61
beneiden + AKK + um AKK 80, 92
Benutzung die (Singular) 30
bepackt 86
berauben + AKK + GEN 78
Bereich der, -e 63, 89, 93, 138
bereit 45
bereits 31
bereuen + AKK 92
Bergtour die, -en AB 53
Bericht der, -e 16, 19, 64, 91, 114, 129
berichten + DAT + von DAT du berichtest, sie/er/es berichtet AB 64
berichtigen + AKK AB 37, AB 38
Berieselungsmaschine die, -n 122
Berliner der, - 17, 22, 24, 26, 112
beruflich 2, 8, 29, 42
Berufsbezeichnung die, -en AB 37
Berufsbild das, -er 88, 89
Berufschance die, -n 77
Berufserfahrung die, -en 93, 94
Berufsfachschule die, -n AB 20
Berufsleben das (Singular) 89, 100
Berufsperspektive die, -n AB 88
Berufsschullehrer der, - 26
berufstätig 99
Berufung die, -en 88
beruhigen + sich 63, 65, 130

Echofrage die, -n 33, 40
echt 53
Ecke die, -n 11, 37, 53, 69
edel 104
Editorial das, -s 45
EDV die (Singular) (= Elektronische Datenverarbeitung) 94
egal 102
Ego das, -s 115
Egoismus der (Singular) 109
Egoist der, -en 115
Ehe die, -n 47, 68
Ehefrau die, -en 16
Ehepaar das, -e 3, 4, 5, 22, 23
Ehepartner der, - 45, 50, 54
ehrenamtlich 114, 138
Ehrgeiz der (Singular) 80
ehrlich 12, 42, 48, 66
ehrlich gesagt 8
Ehrlichkeit die (Singular) AB 47, AB 48, AB 54
Eifersucht die (Singular) AB 15
eifersüchtig AB 15, AB 60, AB 61
Eiffelturm der 58
eigen- 34, 35, 77, 91, 94, 115, 118, 126, 127
eigen sein 5
Eigenbluttherapie die, -n 66
Eigenheim das, -e 7
Eigennutz der (Singular) 114
Eigenschaft die, -en 44
Eigentümer der, - AB 2
Eigentumswohnung die, -en 7, 8, 11, 12
Ein-Personen-Haushalt der, -e 45
ein bisschen 9, 12, 39, 98
ein Fall von 111, 112
ein Leben lang 80
ein paar Jahre 138
ein paar Stunden 95
ein Stück Lebenskunst 126
ein wenig 9, 98
einander AB 28, AB 29
einatmen + AKK du atmest ein, sie/er/es atmet ein 63
einbiegen + in AKK bog ein, ist eingebogen 31
einbiegen + DIR 78
Einbildung die (Singular) AB 42
Einbürgerung die, -en AB 27
Eindringling der, -e 103, 104
Eindruck der, ̈e 19, 92
Eindruck machen 5
eineiig AB 51
einfallen + DAT sie/er/es fällt ein fiel ein, ist eingefallen AB 28, AB 76
Einfamilienhaus das, ̈er AB 1
Einfluss der, ̈e 16, 19, 114
einflussreich 80
einfügen + AKK 101
einführen + AKK 112
Eingang der, ̈e 28
Eingangstür die, -en 78
eingehen ging ein, ist eingegangen 39, 106
eingeladen sein 51
Einheit die, -en AB 59
einig- 10, 128
einigen + sich + auf AKK 81, 86, 87, 89, 111, 138, 106
einigermaßen 78
Einigkeit die (Singular) 112
Einkaufsstraße die, -n 22
Einkaufszentrum das, Einkaufszentren 8, 28, 40
einkleiden + AKK du kleidest ein, sie/er/es kleidet ein 35, 40

Einladung die, -en 51, 52
einleiten + AKK du leitest ein, sie/er/es leitet ein 78, 118, 123, AB 25, AB 69
Einleitung die, -en AB 35
einmalig 20
einmischen + sich + in AKK 9
einnehmen + AKK du nimmst ein, sie/er/es nimmt ein nahm ein, hat eingenommen 63
einnicken 98, 99
einordnen + AKK 126
einreiben + AKK rieb ein, hat eingerieben 63, 64
Einreiseformalitäten (Plural) 88, 89
einrichten + AKK du richtest ein, sie/er/es richtet ein 9
Einrichtung die, -en 8, 78
Einrichtungsgegenstand der, ̈e AB 9
einsammeln 58, 114
Einsatz der, ̈e 63, 65
Einsatzort der, -e 88
einschalten + AKK 83
einschaltknopf der, ̈e 122, 123
Einschaltknopf der, ̈e 122, 123
einschränken + AKK 83
Einschränkung die, -en AB 51
einschwatzen + auf AKK 98
einsetzen + AKK + zu DAT du setzt ein 19, 63
einsparen + AKK 90
einspritzen + AKK + DIR du spritzt ein AB 72
einsteigen + in AKK stieg ein, ist eingestiegen 82
einstellen + sich 64, 93
Einstellung die (Singular) 45
einteilen + AKK + QUA 90, 101
Eintrag der, ̈e 127, AB 2, AB 36
eintragen + AKK + DIR du trägst ein, sie/er/es trägt ein trug ein, hat eingetragen 135
Eintritt der (Singular) 78
Eintrittskarte die, -n 88, 89
einverstanden 4, 46, 126
Einweihungsparty die, -s AB 62
einwenden + AKK / + dass wandte ein, hat eingewandt 98
einzeichnen + AKK + SIT du zeichnest ein, sie/er/es zeichnet ein 36
einzel AB 32
Einzelgast der, ̈e 31
Einzelhandelskaufmann der, -kaufleute 53
Einzelheit die, -en 71
einzeln- 78, 95
Einzelteil das, -e 88
Einzelzimmer das, - 30, 32
einziehen + DIR zog ein, ist eingezogen 2, 8, 10, 12
einzig- 82, 98, 110, 112
Einzug der (Singular) 59
Eisbärfell das, -e AB 17
Eisbeutel der, - AB 70
Elefant der, -en 113
elektromagnetisch AB 42
Elektronik die (Singular) 29
Elektronikspezialist der, -en 126
elektronisch 86, 88, 93, 105, 131, AB 67
Elektrotechnik die (Singular) 29
Element das, -e AB 51
Elternteil der, -e 122
Emigrant der, -en AB 30
Empfang der, ̈e 30, 51, 54
Empfangschef der, -s AB 37
Empfehlung die, -en 25
empfinden + AKK empfand, hat empfunden 104
Endsilbe die, -n AB 7

Energiefluss der, ̈e 63
eng 27, 63
engagieren + AKK 123
engagiert 114
Enge die (Singular) 92, AB 69
Engel der, - 38
Engelein das, - AB 44
Englischkenntnisse (Plural) 94
enorm AB 37, AB 38
entdecken + AKK 5, 27, 42
Entdeckung die, -en AB 66
entfernen + AKK 9, 78
entfernt 7, 22, 56
Entfernung die, -en 87
entführen + AKK AB 65
entlassen + AKK du entlässt entließ, hat entlassen AB 39
entnehmen + AKK + DIR du entnimmst, sie/er/es entnimmt entnahm, hat entnommen 95, AB 72, AB 73
entscheiden + sich + für AKK du entscheidest dich, sie/er/es entscheidet sich entschied, hat entschieden 19, 71
entscheiden über 101
entscheidend 127
Entscheidungshilfe die, -n 88
Entschluss der, ̈e AB 25
entsetzt AB 75
entspannen + SIT 26, 64, 65
entspannt 20, 63
entsprechen + DAT du entsprichst, sie/er/es entspricht entsprach, hat entsprochen 111
entsprechend 60, 63, 64
entstand Präteritum von → entstehen 21
enttäuschend 127
entweder 56
entwickeln 19
Entwicklung die, -en 16, 45, 88, 93, 114, 122
Entwicklungsaufgabe die, -n 93
Entwicklungsprozess der, -e 25
erben + AKK 92
erbringen: Leistung erbringen 90
Erdbeer → Erdbeere die, -n 53
Erde die (Singular) 59, 66
Ereignis das, -se 19, 20, 34, 47
erfahren + AKK du erfährst, sie/er/es erfährt erfuhr, hat erfahren 8, 22, 56, 128
erfahren 93
Erfahrung die, -en 19
erfassen + AKK du erfasst AB 74
erfinden + AKK du erfindest, sie/er/es erfindet erfand, hat erfunden 17, 73
Erfinder der, - 3
Erfinderin die, -nen 82
Erfolg der, -e 19, 42, 56, 64, 65, 66
erfolglos 65
erfolgreich 21, 42, 45, 61, 65
Erfrischung die, -en 28
erfüllen + sich + AKK 80, 90, 112, AB 37, AB 39
Ergänzung die, -en 10
ergeben + dass du ergibst, sie/er/es ergibt ergab, hat ergeben 19
erheitern + AKK 78
erhoffen + AKK 92
erhöhen + AKK 119
erholen + sich + von DAT 52
erholsam 31
Erholung die (Singular) 28
erinnern + sich + an AKK 18, 19, 20, 23, 26, 28, 35, 44, 47, 57, 68, 70
Erinnerung die, -en 13, 18, 19, 34

erkennbar 88
Erkenntnis die, -se 105
Erklärung die, -en 33, 45, 46, 56, 57, 63
Erkrankung die, -en 64
erkundigen + sich + indirekte Frage
  AB 33, AB 35
erlauben + DAT 9, 124
Erlaubnis: um Erlaubnis fragen + AKK
  91
Erlebnis das, -se 57, 128, 131
erleichtern + AKK 87
erleichtert AB 77
erlernen + AKK 17, 24, 26, 89
erleuchten + AKK du erleuchtest,
  sie/er/es erleuchtet AB 22
ermöglichen + AKK 131
ermüden 127
erneut 128, 130
ernst 47, 65
erobern + AKK 115
Eröffnungsrede die, -n 58
erreichbar 31, 139
erreichen + AKK 66
errichten + AKK 78
Errungenschaft die, -en 78
Ersatz der (Singular) 127, AB 44
Ersatzform die, -en 81, 89
erschöpft 56, 87
Erschöpfung die (Singular) 98
erschrecken du erschrickst, sie/er/es
  erschrickt erschrak, ist erschrocken
  AB 77
ersetzen + AKK du ersetzt 35
ersparen + DAT + AKK 76
erst- 78, 115, 128, 130, 131
erst einmal 129
erst mal 23, 129, 132
erst richtig 90
erstatten + AKK du erstattest, sie/er/es
  erstattet 63
Erstattung die, -en AB 8
erstaunlich 78
Erstbezug der (Singular) AB 4
erstmals 28
ersuchen + AKK + um AKK AB 86
erwähnen + AKK 28, 35, 40
erwarten + dass du erwartest, sie/er/es
  erwartet 33, 64, 76
Erwartung die, -en 45, 46
Erweiterung die, -en 93
Erwerbstätige die oder der, -n (ein
  Erwerbstätiger) 90
erwünscht AB 72
Erzähl-Zeit die 23
Erzähler der, - 98, 99, AB 38, AB 85
Erziehung die (Singular) 16, 124
Erziehungspause die, -n 95
Esoterik die (Singular) AB 74
Espresso der, -s 28
Esszimmer das, - 5
Étage die, -n 31
Etagenhzg. = Etagenheizung die, -en 3
etc. = etcetera 61
etw. = etwas AB 44
etwas Besonderes 35
etwas ganz anderes 92
etwas Schönes 8
etwas Spontanes 8, 10
Euro der, - 7, AB 5
Europäer der, - 76, AB 56
europäisch 64
Europameisterschaft die, -en AB 26
eventuell 92
evtl. = eventuell 42
ewig 56, 66
Examen das, - 51

existieren hat existiert 22, 26, 28
expandieren 93
Experte der, -n 59, 92, 112, 113
Export-Firma die, -Firmen 101
Express der (Singular) AB 33
Extra-Geld das (Singular) 91
Extra-Wunsch der, -̈e 90
extravagant AB 9
extrem 45
exzessiv 122

F
F.D.P. die 59
Fa. = Firma die, Firmen 94
fassen: Fuß fassen + SIT 34
Fachbegriff der, -e 132
Fachgeschäft das, -e 28
Fachkenntnis die, -se 112
Fachliteratur die (Singular) 86
Fachpublikation die, -en 93
Fachwerkhaus das, -̈er 3
Fachzeitschrift die, -en 95, 124, 125
fähig AB 44
Fähigkeit die, -en 28
Fahrerin die, -nen AB 7
Fahrraddiebstahl der, -̈e 88
Fahrzeug das, -e 88
Faktor der, -en AB 51
Fall der, -̈e in diesen Fällen 81
fallen du fällst, sie/er/es fällt fiel, ist
  gefallen 98, 130, 138, 139, AB 43
fallen: Feste feiern, wie sie fallen 51
fallen: um den Hals fallen + DAT 104
fallen: vom Himmel fallen AB 55
fällen + AKK 21
falls 9
fälschen + AKK 19
Fälschung die, -en AB 25
Falte die, -n 21
familiär 122
Familienfeier die, -n 51
Familienleben das (Singular) 42
Familienmitglied das, -er 4
Familiensache die (Singular) 127
Familienserie die, -n 121
Familienzimmer das, - 31
fand Präteritum von → finden 8, 9, 35,
  40, 45, 56
Fantasie die, -n 1, 22, 45, 46, 81, 122
fantasievoll 19
fantastisch 55
färben + AKK 92
Farb-TV das (Singular) 30
Fass das, -̈er AB 43
fassen + den Entschluss + zu Infinitiv du
  fasst 98, AB 25
fast alle 9
fast jeden Tag 86
fast nie 80
Fastfood-Restaurant das, -s 119
faszinieren + AKK 126, 127
faszinierend AB 22
Faust die, -̈e AB 21, AB 22
faxen + AKK du faxt 132, AB 59
Faxer der, - AB 59
Faxanschluss der, -̈e 30
Faxgerät das, -e AB 32, AB 74
Fazit das (Singular) 129
Fee die, -n 138, AB 63
Feedback das (Singular) 109
fegen + AKK 92
fehlende 35
Fehler der, - 19, 44, 70
Fehlerliste die, -n AB 81
Feier die, -n 47
Feierabend der (Singular) 86, 90, 92

feierlich AB 28
Feiertag der, -e 30
fein 31
Feldweg der, -e 56, 57, 66
Fell das, -e 39
Fenster das, - 8, 63
Ferien (Plural) 86, AB 2, AB 24
Ferienbeginn der (Singular) AB 26
fern 48, 122
fernöstlich 63
Fernreise die, -n AB 17
Fernseh- 138
Fernseherziehung die (Singular) 122,
  123
Fernsehkonsum der (Singular) 122, 124
Fernsehregel die, -n 122
Fernsehreparatur die, -en 133
Fernsehsender der, - 131
Fernsehsendung die, -en 42
Fernsehserie die, -n 138
Fernsehstil der, -e 122
Fernsehverhalten das (Singular) 122
fest: festes Gehalt 87
festhalten + AKK du hältst fest, sie/er/es
  hält fest hielt fest, hat festgehalten
  AB 55, AB 85, AB 86
festlegen + AKK 63
Festsetzung die, -en 112
feststellen + dass 9, 65
Festtag der, -e AB 49
Feuer das, - 19
feuerrot AB 19
FH = Fachhochschule die, -n 94
fiel Präteritum von → fallen 9, 56
Figur die (Singular) 42, 43, 54
Figurenspiel das, -e AB 41
Filmkomiker der, - 61
Filmregisseur der, -e 14
Finalsatz der, -̈e 57, 66, 77
Finanzamt das, -̈er 4
finanziell 9, 42, 110, 112
finanzieren + AKK hat finanziert 8
Finanzierung die, -en 91
Finanzspritze die, -n 9
fing Präteritum von → fangen 9, 51
Firmament das (Singular) 115
firmeneigen 86
fischen + AKK AB 43
Fitness die (Singular) 31
Fitness-Studio das, -s 110
Fitnessraum der, -̈e 30
Fitnesstraining das (Singular) 53
fix und fertig 98, 99
FKK (das) = Freikörperkultur die
  (Singular) 39
flach AB 23
Fläschchen das, - AB 74
Fleck der, -en AB 72
fleißig 91
flexibel 19
Fliederbusch der, -̈e AB 5
fliehen + DIR floh, ist geflohen 92,
  AB 25
Fließband das, -̈er 76
fließend 86, 87, 106
Flipchart die, -s 31
fluchen 128
Flugreise die, -n 118
Flur der, -e 56, 57, 66
flüssig 83, 112
Föhn der (Singular) AB 42, AB 43
Föhnwind der, -e AB 43
Folge die, -n 10, 11, 19, 87, 95
folgen + auf DAT / + DAT 4, 38
folgend- 4, 5, 9, 20, 62, 68, 69, 75, 93
folglich 95

Gerechtigkeit die (Singular) 109, 110
gering 63, 111
Germanistik die (Singular) 72
Geruch der, ⸚e 18, 19, 75
Geruchssinn der (Singular) 63
gesamt 89, 131
Gesamtkonzept das, -e 86
Gesamtnote die, -n 94
Gesäßmuskel der, -n AB 72
geschäftig AB 36
geschäftlich AB 36
Geschäftsleute die (Plural) AB 32
Geschäftsleute die (Plural) 87
geschehen es geschieht geschah, ist
    geschehen 36, 128, 130
geschenkt bekommen + AKK 131
Geschick das, -e 88
geschieden 42, 45, 47
Geschirrspüler der, - 8
geschlossen halten 63
Geschmack der, ⸚er 8, 9
geschockt 104
geschrieben stehen + (t) 78
geschwächt AB 72
Geschwindigkeit die, -en AB 83
Geschwister (Plural) 20, 76, 122
gesellen + zu DAT 41, 139
Gesellschaft die, -en 45
gesellschaftlich 114
Gesetz das, -e AB 25, AB 26
gesetzl. = gesetzlich 30, 63, 64
Gesicht das, -er 20, 26, 39, 41
Gesprächspartner der, - 33
Gesprächsrunde die, -n AB 12
Gesprächsthema das, -themen 38
gesprochene Sprache 24
gest. = gestorben 61
Gestalt die, -en 29
gestalten + AKK du gestaltest, sie/er/es
    gestaltet 9
gestresst 105, 122, 123, 124
gesundheitlich AB 74
Gesundheitsdienst der, -e AB 20
Gesundheitsmethoden die (Plural)
    AB 74
Gesundheitswelle die, -n AB 74
Gesundheitszustand der (Singular) 92,
    AB 42, AB 59
Gewinn der, -e 4, 61
gewinnen + AKK gewann, hat gewonnen
    33
Gewissen das, - AB 45
gewittrig AB 42
gewöhnen + sich + an AKK 22, 44
Gewohnheit die, -en 139
gewohnt 1, 126
gewünscht- 31, 86, 87
gezielt- 63, 95
Giebel der, - 83
Gin Tonic der, -s 79, 80
ging Präteritum von → gehen 16, 22, 23,
    25, 26, 39, 41
Gipfel der, - AB 45
glänzend AB 74
Glastisch der, -e 7
glatt: glatt laufen 112
glaub' = glaube 39
gleich 127
gleich um die Ecke 8
Gleichgesinnte die oder der, -n (ein
    Gleichgesinnter) 112
gleichgültig 105
gleichzeitig 19, 28, 40, 56
Gleis das, -e AB 69
gliedern + AKK 90
Global Player der, - 86

Global Village das (Singular) 76
Glotze die, -n 98, 122, 123, 132
glotzen 98
glücklich 9, 19, 26, 47
glücklicherweise 129
Glücksleiter die, -n 67, 68
Glückwunsch der, ⸚e 47
glühen 126
glühend 126
GmbH = Gesellschaft mit beschränkter
    Haftung die 3
Goethe-Institut das, -e 14
Gold das (Singular) 139
golden 51
grabschen + sich + AKK AB 77
Grad der, -e 39, 59
grad = gerade 1
Gradmesser der, - AB 42
Grafik die (Singular) AB 19
Grafiker der, - 14
Grafikerin die, -nen AB 48
Grammatik-Feld das, -er 135, 138
Grammatikfehler der, - AB 81
Gras das, ⸚er 39
greifen + zu DAT griff, hat gegriffen 65
Grenze die, -n 22, 23, 24, 26, 83
grenzenlos 105, AB 35, AB 36
Grenzöffnung die, -en 22, 23, 24, 26
Grenzübergang der, ⸚e 22, 23, 26
griechisch 63
Griffel der, - AB 19
grillen + AKK AB 37
grobmaschig 114
Groß- und Außenhandel der (Singular)
    89
Großeltern die (Plural) AB 51
größer- 59, 66
Großfamilie die, -n 76
großgeschrieben 127
Großmarkt der, ⸚e 114
Großraumbüro das, -s 86, 87
Großwohnung die, -en 3
großziehen + AKK zog groß, hat
    großgezogen 9, 12
großzügig 9
Großzügigkeit die (Singular) 8
Groupie das, -s 92
grün: die Grünen 59
gründen + AKK du gründest, sie/er/es
    gründet 21, 111, 112, 113, 114
Gründerin die, -nen 35
Grundlage die, -n 4, 112
Gründlichkeit die (Singular) 88
Grundschule die, -n 94
Grundstück das, -e 9, 12
Grundstückspflege die (Singular) 93
Grundstudium das (Singular) 94
Gründung die, -en 113, AB 20
Gründungsfeier die, -n 112
Gruppenpreis der, -e 31
gutbürgerlich AB 32
gültig 31
gut gelaufen 102
gut zwei Stunden 86
Guthaben das, - 112
gutschreiben + DAT + AKK schrieb gut,
    hat gutgeschrieben 111
Gynäkologe der, -n 75

H

Haarföhn der, -e AB 32
haargenau 8
hab'n = habe einen 53, 54
haben + AKK + um sich 11, 20
haben + AKK + vor Augen 9, 20
haben + das Recht + zu Infinitiv 9, 19

haben + Einfluss + auf AKK 19, 20
haben: hinter sich haben + AKK 93
haben: keine Ahnung haben + von DAT
    122
haben: Recht haben 9, 46
haben: zu tun haben 78
Hagel der (Singular) AB 42
Hahn der, ⸚e 38
Haken der, - 135
halbfertig AB 43
Halbpension die (Singular) 32
halbtags 87, 93
Hallenbad das, ⸚er 34
Hals der, ⸚e um den Hals fallen + DAT
    104
Halsschmerzen die (Plural) AB 70
Halswickel der, - AB 70, AB 78
Halswirbelsäule die, -n 63
halten + AKK du hältst, sie/er/es hält
    hielt, hat gehalten 80, 81, 83, 85, 88,
    90, 105, 128
halten + AKK + für QUA / + für AKK
    45, 54, 66, 76, 80, 83, 85, 88, 90, 105,
    128, 138
halten + viel/wenig/nichts + von DAT
    54, 66, 138
halten: geschlossen halten + AKK 63
Haltestelle die, -n 30, 31
Haltung die, -en 46
Hamburger der, - 6
Hammer der, ⸚ 34
Hand die, ⸚e an einer Hand abzählen
    + AKK + sich 112
Hand in Hand 48
Handauflegen das (Singular) AB 75
handeln 46, 64, 101, 104, 128
Handelskammer die, -n 89
Handgriff der, -e 63
Handlesen das (Singular) AB 74
Handlung die, -en 47, 64, 123, 127, 130
Handschrift die, -en 80
Handschuh der, -e 56
handwerklich 88
handwerklich-praktisch 88
hängen + AKK + DIR 34, 35, 58, 66
harmonisch 42
harmonisieren + AKK hat harmonisiert
    63
hassen + AKK du hasst 42, 63
hässlich 48
hätte Konjunktiv II von → haben 56
hätte gern 81
hätte gute Lust 98, 99
Hauch der (Singular) 28, 40
hauen + AKK + DIR 98, 99, 128
häufig 19, 88, 89, 100, 103, 122, 127,
    132, 138
Häufigkeit die, -en AB 27
Hauptbahnhof der, ⸚e 28, 30, 31, 40
Hauptberuf der, -e 90, 91
Hauptkunde der, -n 86
Hauptplatz der, ⸚e 37
Hauptpost die (Singular) AB 40
Hauptsache die, -n 71
Hauptschulabschluss der, ⸚e 89
Hauptwerk das, -e AB 41
Hausarzt der, ⸚e 65
Hausaufgabenhilfe die, -n 111
Hausbesitzer der, - 4
Hausbewohner der, - AB 2
Häuschen das, - 1, 9
hauseigen AB 32
Haushaltshilfe die, -n 6
häuslich 42, 122, 123
Häuslichkeit die (Singular) AB 47
Hausmeister der, - 35

Laptop der, -s AB 67
lassen auf sich warten lassen du lässt
    warten, sie/er/es lässt warten ließ
    warten, hat warten lassen 45
lassen + DAT + freie Hand du lässt,
    sie/er/es lässt ließ, hat gelassen 9
lassen zu wünschen übrig lassen 106
Lattenrost der, -e 7
lauern + SIT 105
Laufbahn die, -en 88
laufen du läufst, sie/er/es läuft lief, ist
    gelaufen 53, 63, 112
Laune die, -n 48, 51, 128, 129
Lauscher der, - AB 84
laut Studie 90
läuten du läutest, sie/er/es läutet AB 37
lautlos AB 69
Lautsprecher der, - AB 83
Lautsprecherdurchsage die, -n AB 82
Lautstärke die, -n 124
Lautverbindung die, -en AB 59
Lavendel der (Singular) 63
Layout das, -s 131, 132
leben können + mit DAT / + damit
    + dass … 106
lebendig 129
Lebensart die (Singular) 76
Lebensdaten die (Plural) 69
lebenserklärend 126
Lebensgefühl das (Singular) 21
Lebensgemeinschaft die, -en 47
Lebenslauf der, -e 16, 94, 95
lebenslustig AB 47, AB 48
Lebensmittel das, - 114, 119
Lebensmittel-Skandal der, -e 119
Lebensmittelgroßhandel der (Singular)
    114
lebensnah 21
lebensrettend 126, 127
Lebensstandard der, -s 8, 90
Lebensstil der, -e 11
Lebensumstände (Plural) 126
Lebensunterhalt der (Singular) 16, 90,
    91
Lebensweg der, -e 14
lebenswichtig 19
lecker 53
legal AB 69
legen + Karten 61, 63
legen + sich + DIR 9, 63
Legendenbildung die, -en 25
Lehm der (Singular) AB 1
Lehne die, -n AB 41
Lehrer der, - 14, 70
Lehrertisch der, -e AB 77
Lehrgang der, -e 94
Lehrstuhl der, -e AB 51
Lehrzeit die (Singular) 88, 89
leicht 21, 44, 64
Leid tun + DAT 106
leiden + an DAT du leidest, sie/er/es
    leidet litt, hat gelitten 63, 68, 86, 90,
    92
leidenschaftlich 44, 126
Leidenschaftlichkeit die, -en AB 47
Leidensweg der, -e 65
leihen + AKK lieh, hat geliehen 48
Leinwand die, -e 31
Leipziger der, - 112
leise 104
leisten + Widerstand du leistest, sie/er/es
    leistet 21, 112
leisten + einen Beitrag + zu DAT 112,
    119, 112
Leistung die, -en 70, 90, 111
leiten + AKK 88

Leiter der, - 31, 72, 67
Leiterspiel das, - 67
Leitung die (Singular) 94, AB 25
Leitungsposition die, -en 88
Lektüre die (Singular) 127
lenken + AKK AB 69
Lernfähigkeit die (Singular) 88
Lernprozess der, -e 127
Lesebuch das, -er 127
Leseerlebnis das, -se 126
lesefeindlich 127
Lesemotivation die (Singular) 127
Leser der, - 126
Leseverhalten das (Singular) 125,
    127
letzt- 4, 39, 40, 45, 47, 65
letztlich 19
Leuchter der, - AB 8
Leuchttulpe die, -n 7
Leukämie die (Singular) 56
Leute (Plural) 86, 119
Lichtbild das, -er 92
Lichtschalter der, - AB 67
liegen: sich in den Armen liegen lagen,
    haben gelegen 22
liebe deinen Nächsten 109
liebeleer 21
Liebesbeziehung die, -en AB 46,
    AB 53
Liebeserklärung die, -en AB 51
Liebesfilm der, -e 139
Liebesgeschichte die, -n 126, AB 49,
    AB 86
liebeskrank 61
Liebesleben das (Singular) 104
Liebesproblem das, -e AB 60
Liebestrank der, -e 61
liebevoll 20, 21
Liebling der, -e AB 61
lieblos AB 69, AB 86
Lieblosigkeit die (Singular) AB 86
Liedermacher der, - 83
Liedtext der, -e 21
Lieferant der, -en 88
liegen + an DAT / + daran + dass 101
lindern 63, 64
Linie die, -n AB 24
linke 37, 40
linsen + DIR du linst AB 77
literarisch 45
Literaturpreis der, -e AB 19, AB 30
Lkw = Lastkraftwagen der, - 3
loben + AKK 31, 70, 80, 103
Loch das, -er 78
Loggia die, -s 3
logisch 88
lohnen + einen Besuch 28, 40, 129
Lohnerhöhung die, -en 90
Lokomotive die, -n 28
Look der, - 5
lösen + AKK du löst, sie/er/es löst 21,
    63, 64, 65, 66, 67, 100
loslassen + AKK du lässt los, sie/er/es
    lässt los ließ los, hat losgelassen 21
loslegen AB 77
losmachen: was losmachen 9
Lösungsmöglichkeit die, -en 102
Lösungsschlüssel der, - AB 81
Lösungsversuch der, -e 128
loswerden + AKK du wirst los, sie/er/es
    wird los wurde los, ist losgeworden
    AB 11
losziehen + DIR zog los, ist losgezogen
    22, 26
Lotto das, -s 58, 79
Lottoschein der, -e AB 64

Löwe der, -n 113
Loyalität die, -en 93
Lücke die, -n 89, AB 69
Luftkissen das, - 103
Luftverschmutzung die (Singular)
    116
Luftzug der, -e 56
lügen log, hat gelogen 139
Lust die (Singular) 99, 101
luxuriös AB 9
Luxus der (Singular) 8, 28, 40
Luxuslimousine die, -n AB 37

M
machen: Spaß machen + DAT 71
Machwerk das, -e 1
Macke die, -n 128
Mädchen das, - 22, 42, 43, 54
Mädel das, -s AB 48
Magazin das, -e AB 19
Magen der, - AB 72
Mai der 29, 31, 34, 39, 51
Mailbox die, -en 131, 132
mailen + AKK + DIR 86, 131, 132
Makler der, - 5, 56, 57, 66, 69
Maklergebühr die, -en AB 5, AB 6
Maklerin die, -nen 3
makrobiotisch AB 75
mal eben 8
malen + AKK 26, 34, 35
Maler der, - 17, 26
Manager der, - 126, AB 37
manch- 22, 63, 65, 88, 105, 112, 122,
    123
Mandarine die, -n 63
Mandel die, -n 63
Manipulation die, -en 63
Männermagazin das, -e 125
manuell 63, 66
Märchen das, - 16
Märchenpalast der, -e 28
Marketing das (Singular) 89
Marketingabteilung die, -en 128
Marmorbad das, -er AB 32
Marmorkamin der, -e 6
marschieren + DIR 98
Mascara das (Singular) 98
Maschinenschlosser der, - 26
Massage die, -n 64
Massagepraxis die, -praxen 34
maßgefertigt 6
maßgeschneidert 9
massieren + AKK hat massiert 63, 64
massiv 122, AB 25
materiell 99
Mathematiklehrer der, - AB 79
Matratze die, -n 7
Mauer die, -n 22, 23, 26
Mauer-Fest das, -e 23
Mauerbau der (Singular) AB 25
Maul das, -er 98, 99
Mausklick der, -s 86, 87
Medien (Plural) 30, 126, 132, 138
Medienberaterin die, -nen 75
Medienerzieher der, - 122, 123
Medienforschung die (Singular) 122
Medienwelt die, -en 121
Medikament das, -e 63, 65
meditativ 98
meditieren hat meditiert AB 74
Medium das, Medien 122, 127
Medizin die (Singular) 29, 62, 63, 64
medizinisch 63
Medizinmann der, -er 64
Medizinmeteorologe der, -n AB 42
Meeresfrüchtesalat der, -e 98

Meeresluft die (Singular) 76
Meeting das, -s 86, 86
Megaparty die, -s 51
mehr als 93
mehrere 63
mehrere Jahre 95
mehrmals AB 72
Mehrwertsteuer die, -n 30, 31
meinerseits 98
Meinung die, -en 19, 40, 46, 48, 54, 65, 100
meist 86, 88, 104, 105, 111, 122, 131
melancholisch AB 48, AB 49
melden + sich + SIT du meldest dich, sie/er/es meldet sich 42, 51, 54
Meldung die, -en 128
Melisse die (Singular) 63
Melodie die, -n 18, 124
Menge: eine Menge + NOM / + an DAT 114, 126
Mensch: kein Mensch 80
Menschenkenntnis die (Singular) 88, 91
Menschenmasse die, -n AB 25
Menschenwürde die (Singular) 4
Menschheit die (Singular) 25
menschlich 18
Menstruationsbeschwerden die (Plural) 64
Meridian der, -e 63
merken + sich + AKK 19, 26
merkwürdig 20, 26
Messe die, -n 29, 31
Messegelände das, - 29, 30
Messestadt die, -̈e 29
Messwert der, -e 38
Meter der oder das, - 39
Metzger der, - 90
Mezzosopranistin die, -nen 79, 80
Mietbeginn der (Singular) 2
Miete die, -n 2, 4, 8, 68
Mieter der, - 4, 5, 68
Mietverhältnis das, -se 2
Mietvertrag der, -̈e 2, 4
Mietwagen der, - AB 35
Mietwohnung die, -en 9
Migräne die, -n 63, 64
Migränebehandlung die, -en 63
Mikrocontroller-Software die (Singular) 93
Mikrofon das, -e 80
Milchmann der, -̈er 39
mild AB 42
mildern + AKK 103
Millionär der, -e 58
Millionenbudget das, -s 8
Min. = Minute die, -n 3
Minibar die, -s 31
Ministerialblatt das, -̈er 93
Minus das (Singular) 112
mischen + AKK 44
Mischverb das, -en 16, 17, 26
Missbrauch der (Singular) 111, 112
Misserfolg der, -e 19, 39
Missverständnis das, -se 100, AB 37, AB 38
mit andern Worten 95
mit neun 16
Mitarbeiter der, - 72
mitbauen + AKK 21
Mitbewohner der, - 6
mitbringen + AKK brachte mit, hat mitgebracht 51, 54
miteinander 19, 85, 86
Mitgliedsbeitrag der, -̈e 113
mitkriegen + AKK 76, 77
mitleidig AB 37

mitreden du redest mit, sie/er/es redet mit 66
Mittagszeit die, -en 78
Mitteilung die, -en AB 6
Mittel das, - 65
Mittel (Plural) 9
Mitteleuropa (das) 38
Mittelpunkt der, -e 51
Mittelschule die, -n 76
mitten 8, 22, 23, 24
mittler- 88
mittlerweile 132
Mitwohnzentrale die, -n AB 4
Mobilisation die (Singular) 63
mobilisieren + AKK hat mobilisiert 63
Mobiltelefon das, -e AB 67
Mode die, -n 29, 63, 65
Modeausdruck der, -̈e 132
Modefirma die, -firmen 86
Modelleisenbahn die, -en 29
Modem das, -s 30
Modemesse die, -n 29, 40
Moderator der, -en 121, 131
mogeln AB 29
möglichst viel 117
momentan 9
monatelang 56
monatl. = monatlich 2, 4
Monatseinkommen das, - 2
Monatsmiete die, -n 2, 12
Monatsrente die, -n AB 2
Mond der, -e 126, AB 67, AB 68
Monitorkabel das, - 129
monoton 104
montags 28
Moorleiche die, -n 56
moralisch 112
Morgengrauen das (Singular) 22, 24
Motivation die (Singular) 129
motivieren + AKK 124
Motor der, -en 88
Motorrad das, -̈er 29
Mountainbiking das (Singular) 53
Mücke die, -n 39
Müdigkeit die (Singular) 90
Mühe die, -n Mühe geben + sich + zu Infinitiv 98, 99
Mühle die, -n 51
Mülltrennung die (Singular) 116, 138
multikulturell 76
Multivisionsshow die, -s 14
Münchner der, - 75, 76, 86
mündlich 16, 129
Museumsanlage die, -n 78
Musik-Band die, -s 94
musikalisch 16
Musiker der, - 28
Musikinstrument das, -e 2
Musikpädagogin die, -nen 16
Musiksendung die, -en 121
Musikstück das, -e 18
Muskel der, -n 63, 64
Muskelkater der (Singular) 66
Muskelverspannung die, -en 63, 64
müsste Konjunktiv II von → müssen 56, 66
Muster das, - 21, 98
Mut der (Singular) 101
mutig stimmen + AKK 78
mutlos AB 71
Mutti (die), -s 34, 35, 40
MwSt. = Mehrwertsteuer die (Singular) 30
mysteriös AB 64
Mythos der, Mythen 45

N
na ja 20, 41, 54
nach all den Jahren 25
nach unseren Wünschen 9
Nachbarhaus das, -̈er 28
Nachbarschaft die (Singular) 11
Nachbartisch der, -e 98
nachdem 22, 23, 24, 25, 26, 47
nachdenken + über AKK dachte nach, hat nachgedacht 4, 8, 33, 101
nacheinander 130
nachfolgende 101
Nachfrage die (Singular) 4
nachgeben du gibst nach, sie/er/es gibt nach gab nach, hat nachgegeben 97, 139
nachher 23
Nachkriegszeit die (Singular) 78
nachlassen du lässt nach, sie/er/es lässt nach ließ nach, hat nachgelassen 64
Nachmieter der, - 3
nachplappern + AKK + DAT 76, 77
Nachrichten die (Plural) 23, 121
Nachrichtenmagazin das, -e 124, 125
Nachrichtensprecher der, - 121
Nachrichtentechnik die (Singular) 94
nächst- 9, 23, 33, 38, 47, 56, 66
Nächste der, -n sich selbst der Nächste sein 109
nächste Woche 86
nächtelang AB 74
nachweisen + dass du weist nach wies nach, hat nachgewiesen AB 42
nachzahlen + AKK AB 8
nackt 39
Nadel die, -n 63
Nagel der, -̈ 34
nah, nahe 6, 9, 59, 66, AB 27, AB 32, AB 55
Nähe: in der Nähe 8
näher AB 6, AB 27, AB 55
näher rücken 129
n-Deklination 113, 138
nahm Präteritum von → nehmen 34, 56
nähren + AKK 21
nannte Präteritum von → nennen 16
Nase: die Nase voll haben + von DAT 106
Nasenbluten das (Singular) AB 70
nass 39
Nationalität die, -en 75, 113, AB 57
Natur die (Singular) 1, 2, 11, 18
Natürlichkeit die (Singular) AB 47
naturverbunden 42
Naturverbundenheit die (Singular) AB 47
ne = eine 5, 53
nehmen: Abschied nehmen + von DAT nahm, hat genommen 65
nehmen: ernst nehmen + AKK 65
nennen: so genannt 65
Nebel der (Singular) AB 42
nebenbei 90
Nebenberuf der, -e 91
Nebenjob der, -s 90
Nebenkosten die (Plural) 12
Nebentisch der, -e 98, 99
Nerv der, -en 91
nerven + AKK 76
Nervenbahn die, -en 19
Nervosität die (Singular) 25, 63, 64
netto 91, AB 2
Nettoeinkommen das, - 4
Nettolohn der, -̈e 90
Netz das, -e 114
Netzwerk das, -e 112

neu gegründet 16
Neuanfang der, ⁻e 42
Neubau der, -ten AB 4
Neubauwohnung die, -en 7
Neueinstellung die, -en 88
Neugier die (Singular) 22, 24, 25
neugierig 24, 31
Neuigkeit die, -en AB 77
neulich 47
*Neurodermitis die (Singular) AB 71,
    AB 72*
neutr. = neutrum 49
neutral 5, 63, 64, 66
Nicht-Inländer der, - 76
nicht etwa 111
nicht immer 88
nicht mehr 78
nicht so gern 125
nicht so gut 76
Nichtraucherzimmer das, - 30
nichts Besonderes 52, 54
nichts mehr 98
Niederschlag der, ⁻e AB 42
niemand 11, 22, 23, 53, 61, 63, 64
niveauvoll 42
nix = nichts AB 48
noch eine 117
nominal 25
Norddeutschland (das) AB 2
Nordost (der) 30, 31
nordostpolnisch 128
normalerweise 38
Notdienst der, -e 129
nötig 19, 48, 100
Notizbuch das, ⁻er AB 37, AB 38
Notruf-Hotline die, -s 129
notwendig AB 35
Novemberabend der, -e AB 48
Novemberwoche die, -n AB 25, AB 26
Nr. = Nummer die, -n 30
nüchtern 6
Numerus der 49
*Nummernbuchhaltung die (Singular)
    AB 37*
nun 25, 61, 83, 91, 92, 101, 112, 126, 135
nur noch 5, 9, 16, 39, 53, 86, 110
Nussbaumschrankwand die, ⁻e 7
Nussknacker der, - AB 28, AB 29
nutzen + AKK du nutzt 19
nützen + nichts/etwas/ du nützt AB 57
nutzlos AB 59

O

o.k. = okay 42
ob 32, 33, 40, 46, 51, 56, 76, 80, 88
obdachlos 109
*Obdachlose die oder der, -n (ein
    Obdachloser) 114*
obendrein 80
obere AB 43, AB 59
Objekt das, -e 2, 56
öde 9
offen stehen 78
*Offenheit die (Singular) AB 47, AB 53,
    AB 54*
öffentlich 30
Öffentlichkeit die (Singular) 17
Öffentlichkeitsarbeit die (Singular) 86
offiziell 47, 60
öffnen + AKK du öffnest, sie/er/es öffnet 34
öfter 8, 65
öfter mal 101
Ohr das, -en 47, 71
Ohrwurm der, ⁻er AB 84
Ökohaus das, ⁻er AB 1
olympisch 14

Oma (die), -s 18, 26
Opa (der), -s 20
operierbar 80
operieren + AKK 80
Opposition die (Singular) AB 25, AB 26,
    AB 79
Oppositionstrip der (Singular) 9
Optikerin die, -nen 7
Optimismus der (Singular) 51
optimistisch 19
Orchester das, - 28
Organ das, -e 64
Organisator der, -en 88, 112
Orgel die, -n 28
orientalisch 28, 40
orientierungslos 122
Originalform die, -en 81
Originalhandschrift die, -en 28
Orthodoxie die (Singular) AB 25
Orthopäde der, -n 63
Orthopädie die (Singular) 63
örtlich 112
Ortsbezeichnung die, -en 49
ortsgebunden 94
Ost 31
Ost-Berliner der, - 22, 23, 24, 26
*Ostdeutsche die/der, -n (ein Ostdeutscher)
    AB 25, AB 26*
Ostdeutschland (das) 21
osteuropäisch AB 25, AB 26
Ostteil der, -e 22
Outfit das, -s 5

P

Päckchen das, - AB 44, AB 45
packend 127
Pädagoge der, -n 112, 113, 122, 123
Page der, -n AB 33, AB 37, AB 38
Palästinenser der, - AB 30
Panik die (Singular) 128, 129
Papierkorb der, ⁻e 118
Papst der, ⁻e 82
Paragliding das (Singular) 53
parallel 130
Parallel-Handlung die, -en 77
Pärchen das, - AB 55
Parfum das, -s 105, AB 21
Parfümerie die, -n 89, 104
parkähnlich 31
parken + AKK + SIT 30
Parkett das (Singular) 3
Parkhaus das, ⁻er 30
Parkhotel das, -s 34
Parkmöglichkeit die, -en 30, 32, 33
Parkplatz der, ⁻e 34
Partei die, -en 39
Partizip Perfekt das 81
Partnerinterview das, -s 33, 82
Partnerschaft die, -en 4, 44, 99
Partnerschaftsforscher der, - 45, 46
Partnersuche die (Singular) 41, 42, 48,
    49, 50
Partnerwahl die (Singular) AB 51
Party-Rap der, -s 53
Partytime die (Singular) 53
Passiv das (Singular) 64, 66, 105, 114
passiv 105, 114, 123
Passiv-Satz der, ⁻e 64, 123
Patenkind das, -er AB 14, AB 15
Patient der, -en 63, 65
pauschal AB 5, AB 79
Pauschale die, -n AB 8
Pauschalpreis der, -e AB 37
pausenlos 19
Pausentaste die, -n 124
Pay-TV das (Singular) 30, 131

PC der, -s 86, 87, 93, 128
PC-Anschluss der, ⁻e 31
PC-Beratung die (Singular) 111
PC-Programm das, -e 93
Pechleiter die, -n 67, 68
peinlich 9, 12, 36, 129
PEN-Club der (Singular) 72
Pension die, -en 34, 35
per Mausklick 86
Perfektion die (Singular) 45
Personal das (Singular) AB 39
Personalausweis der, -e 19
Personalleiterin die, -nen 89
persönlich 4, 9, 16
persönliche Daten 94
Persönlichkeit die, -en 9, 19, 131
Pfandflasche die, -n 118
Pfandglas das, ⁻er 118
Pfanne die, -n AB 72
Pfefferminze die (Singular) 63
pfeifen pfiff, hat gepfiffen 80
Pferd das, -e 28
Pferdemarkt der, ⁻e 51
pfiffig 128
Pflanzenpflege die (Singular) AB 59
Pflege die (Singular) 29
pflegen + AKK AB 55, AB 59
Pharma-Unternehmen das, - 86
Phase die, -n 9
Phonetik die (Singular) 135, 138, AB 43
Physik die (Singular) 94
Pianist der, -en 61
Pianistin die, -nen 16
picklig 104
Pieps der (Singular) AB 14, AB 15
Piktogramm das, -e AB 32
Pilz der, -e AB 74
Pizzabäcker der, - 44
plagen + AKK AB 15, AB 42
Plakat das, -e 22
Plastik die, -en 117, AB 29
Plastikbecher der, - 118
Plastiktüte die, -n 117, 118
plaudern + über AKK 105, 131
Plaudertasche die, -n 103, 104
Playmobilmännchen das, - 98
plötzlich 17, 22, 56
Pluralendung die, -en 132
plus 112, AB 4
Plusquamperfekt das (Singular) 23
Pol der, -e 113
polieren + AKK 107
Politik die (Singular) 45
politisch 20, 128
Polizei die (Singular) 88, AB 64, AB 80
Polizist der, -en 39
Popstarladen der, ⁻ 92
Portal das, -e 78
Portier der, -s AB 37, AB 38, AB 39
Portugal 76, 77
Portugiesen 75, 76
Positionsmarke die, -n 131
positiv 19, 63, 64
Post die (Singular) 42, 43, 53, 54
Postkarte die, -n 48, 49, 126
Postkasten der, ⁻ 86
potentiell 45
prächtig AB 45
prägen + AKK 22
PR-Arbeit die (Singular) 86
praktisch 70
praktizieren + AKK hat praktiziert 63, 64
Präpositionalergänzung die, -en 43
Präsensform die, -en 17
Präsident der, -en 79, 82, AB 26
Präsidentin die, -nen 82

verbieten + DAT + AKK du verbietest,
sie/er/es verbietet verbot, hat verboten
11

Verbindung die, -en 47, 65, 70, 114

verboten 122, 124

verbracht Partizip Perfekt von →
verbringen 16, 17, 26

verbreiten + AKK du verbreitest,
sie/er/es verbreitet 28, 40

verbrennen + AKK verbrannte, ist
verbrannt 117, 126

verbringen + AKK + SIT verbrachte,
hat verbracht 16, 17, 26, 47

Verbstamm der, ⸚e 10, 16, 17

verbunden Partizip Perfekt von →
verbinden 19, 63, 89, 93, 122, 126

Verdacht der (Singular) AB 29

verdammt 98

Verdauungsstörung die, -en 64

verdrehen + AKK 83

vereinbaren + AKK + mit DAT 5, 56, 66,
111

Vereinbarung die, -en 112

Vereinigung die, -en 28

Vereinten Nationen die (Plural) 82

Verfahren das, - 63

verfließen verfloss, ist verflossen 83

verfügbar 30

verfügen + über AKK 30

vergangen 90

Vergangenes (das Vergangene) 16, 19,
23, 25

Vergangenheit die (Singular) 18, 19, 20,
81

Vergaser der, - 88

vergebens 83, 92

vergeblich 56

Vergnügen das, - 103, AB 43

vergnügt AB 77

Verhalten das (Singular) AB 85

Verhaltensforscher der, - 45

Verhaltensweise die, -n 117, 139

Verhältnis das, -se 1

Verkäuferleben das, - 105

Verkaufstresen der, - 104

Verkehrsanbindung die, -en 29

Verkehrslärm der (Singular) 18

Verkehrsmittel das, - 30

Verkehrssicherheit die (Singular) 88

verkrampft 64

Verlag der, -e 14

verlangen + AKK + von DAT 88, 98

verlängern + AKK + auf AKK / + um
AKK AB 11

verlassen + sich + auf AKK du verlässt
dich, sie/er/es verlässt sich verließ, hat
verlassen 34, 68

verlaufen + QUA du verläufst, sie/er/es
verläuft verlief, ist verlaufen 130

verlegen + AKK + SIT AB 74

Verleih der (Singular) 112

verlieben + sich 42, 44, 45, 47, 54, 139

Verliebtheit die (Singular) AB 86

verlieren + AKK verlor, hat verloren
66

verließ Präteritum von → verlassen 56,
57, 66

verloben + sich 46, 47, 48, 52

Verlobte die/der, -n (ein Verlobter) 48,
54

Verlobung die, -en 47

verloren gehen 76

Verlust der, -e 82

vermeiden + AKK du vermeidest,
sie/er/es vermeidet vermied, hat
vermieden 35

vermieten + AKK + an AKK du
vermietest, sie/er/es vermietet 2, 5

Vermieter der, - 3, 4, 5, 68, 69

Vermieterin die, -nen 5

Vermietung die, -en 42

vermitteln + den Eindruck + von DAT /
+ dass 104

Vermittler der, - 100

Vermittlungsprovision die, -en 2

Vermögen das, - 4

vermutlich 59

Vermutung die, -en 19, 22, 45

verneinen + AKK 77, 118

Vernetzung die, -en 112

vernichten + AKK du vernichtest,
sie/er/es vernichtet 1

vernünftig 9

veröffentlichen + AKK 112, AB 19

Veröffentlichung die, -en AB 30

Verpackungsmüll der (Singular) 119

verpflanzen + AKK 126

verraten + DAT + indirekte Frage du
verrätst, sie/er/es verrät verriet, hat
verraten AB 33

verreisen du verreist 8

Verreiste die oder der, -n (ein Verreister)
112

verrückt 8, 12

versagen 63

Versammlungsfreiheit die (Singular)
AB 25

verschenken + AKK 111

verschicken + AKK 131

verschieden 51, 65

verschlafen haben AB 23

verschlimmern + sich AB 72

verschlingen + AKK verschlang, hat
verschlungen 126

Verschluss der, ⸚e AB 59

verschmelzen + mit DAT du verschmilzt
verschmolz, ist verschmolzen AB 67

verschmieren + AKK + SIT / + AKK
+ mit DAT 98

Verschönerung die, -en 35

verschreiben + AKK verschrieb, hat
verschrieben 63

verschwand Präteritum von →
verschwinden 56

versichern + dass 112

versinken + SIT versank, ist versunken
80, 126

verspannt 63

versprechen + DAT + AKK du
versprichst, sie/er/es verspricht
versprach, hat versprochen 59, 60

Versprechung die, -en AB 86

verständigen + sich + mit DAT 86

verständlich 71

Verständnis das (Singular) 76, 122,
123

verstecken + sich + SIT 19, 53

verstehen + sich + mit DAT verstand, hat
verstanden 11, 86, 87

verstohlen AB 77

verstopft 56

verstört AB 65

verstoßen + gegen AKK du verstößt,
sie/er/es verstößt verstieß, hat
verstoßen 4

Versuch der, -e AB 86

Versuchung die, -en AB 86

verteilen + AKK 58, 63

vertiefen + DIR 104

vertrauen + DAT 48, 50, 54, 65, 99

vertreiben + AKK vertrieb, hat vertrieben
58, 66

vertreten + sich + die Beine du vertrittst
dir, sie/er/es vertritt sich vertrat, hat
vertreten AB 64

Vertreter der, - 88, 89

Vertrieb der (Singular) 89

Vertriebs-Chefin die, -nen 89

verunglücken AB 26

verursachen + AKK 63

verurteilen + AKK 4

verwalten + AKK du verwaltest, sie/er/es
verwaltet 8

Verwaltung die (Singular) 114

verwechseln + AKK du verwechselst,
sie/er/es verwechselt AB 43, AB 68,
AB 69

verwenden + AKK du verwendest,
sie/er/es verwendet 17, 20, 63, 64, 65,
66, 81, 91, 117, 118

verwerten + AKK 117

verwirklichen + AKK 111

verwirren + AKK 127

verwundert 104

verzeihen + DAT + AKK verzieh, hat
verziehen 115

verzieren + AKK 107

Verzweiflung die (Singular) 131

Video das, -s 31

Videokamera die, -s 31

Videokonferenz die, -en AB 67

Videorecorder der, - 124

viel mehr 125

viel versprechend 126, 127

viel zu wenig 92

vielen Dank 95

Vielseher der, - 122

vielversprechend AB 86

viermal im Jahr 86, 128

Viertelstunde die, -n 56, 118

Villa die, Villen 2, 5, 12

Violinist der, -en 80

Virusprogramm das, -e 128, 130

Visitenkarte die, -n AB 74

vitaminreich 66

voll klimatisiert 30

Vokabel die, -n 71

Volksfest das, -e 22, 26

Volkshochschulkurs der, -e 91

voller 129, 131

vollkommen 56

Vollpension die (Singular) 32, 33

Vollzeit (die) 93

vom Land 9

von Beruf 85, 95

von der Seite 98

von privat 3

von selbst 83, 100

von überall 87

von zu Hause 9, 11

voneinander AB 27

vor Abschluss 4

vor kurzem 86

vor zwei Jahren 89

Voranmeldung die, -en 31

voraus AB 63

voraussagen + AKK 60, 69

Voraussetzung die, -en 88

voraussichtlich AB 6

vorbehalten 30

vorbeifahren + an DAT du fährst vorbei,
sie/er/es fährt vorbei fuhr vorbei, ist
vorbeigefahren 56

vorbeigehen + SIT ging vorbei, ist
vorbeigegangen 83

vorbereiten + AKK / + sich + auf AKK
du bereitest vor, sie/er/es bereitet vor
AB 44, AB 74

Vorbereitung die, -en 71, 91
vorbestraft 4
Vorbild das, -er 35
Vorderseite die, -n 65
Vorfall der, -e AB 64, AB 80
vorgehen + AKK ging vor, ist vorgegangen 67
Vorgesetzte die oder der, -n (ein Vorgesetzter) 101, 104
vorhaben hatte vor, hat vorgehabt 9
vorhanden 31, 64, 114
Vorhang der, -e 56
Vorhersage die, -n 38
vorkommen kam vor, ist vorgekommen 20, 64, 89, 106
Vorkommnis das, -se 112
vorlegen + AKK 83
vorn 92
vornehmen + sich + AKK / + zu Infinitiv du nimmst vor, sie/er/es nimmt vor nahm vor, hat vorgenommen 101
Vorschein zum Vorschein kommen 122, 123
Vorschlag der, -e 40, 106
Vorschrift die, -en 11
vorschwärmen + DAT + dass AB 15
vorsichtig 46
Vorsitzende die oder der, -n (ein Vorsitzender) 109
vorstellbar AB 67
vorstellen + DAT + AKK 74, 80, 125
Vorurteil das, -e 17, 24, 26
vorwerfen + DAT + AKK / + dass du wirfst vor, sie/er/es wirft vor warf vor, hat vorgeworfen 104
vorwiegend 93
vorwurfsvoll 98
vorzeigen + AKK 91
vorzüglich 31

W

Wacholder der (Singular) 63
wachrufen + AKK rief wach, hat wachgerufen 19
wachsen du wächst, sie/er/es wächst wuchs, ist gewachsen 89, 112, 114
Wade die, -n AB 78
Wadenwickel der, - 69
Wahl die, -en 66
Wahlen die (Plural) AB 79
Wahlplakat das, -e 22
Wahlprognose die, -n 58
Wahlrede die, -n 58
Wahlversprechen das, - AB 85, AB 86
wahnsinnig 80
wahr 34, AB 29
während 56, 83, 88, 89, 92, 112, 114, 128, 129, 130, 131
wahrhaben + AKK 126
Wahrheit die, -en 64
wahrnehmen + AKK du nimmst wahr, sie/er/es nimmt wahr nahm wahr, hat wahrgenommen 82
wahrsagen 58
Wahrsager der, - 58
Wahrsagerin die, -nen 60, 69
wahrscheinlich 33
Wand die, -e 6
Wandel der (Singular) 88, 89
wandern 42, 43
wann immer 79, 80
Wappentier das, -e AB 41
wär' = wäre Konjunktiv II von → sein 5
war'n = waren Präteritum von → sein 21, 25

wär's = wäre es Konjunktiv II von → sein 30
Ware die, -n 14
wäre Konjunktiv II von → sein 51, 54
wärmen + AKK 109
Warmmiete die (Singular) AB 4
warnen + AKK + vor DAT 107, 122
Warteschleife die, -n 104, 129
Wartezimmer das, - AB 74
was für ein 2
was Neues 8
was soll das 8
Wäschereiservice der (Singular) AB 32
wasserfest 98
Wasserhahn der, -e AB 21, AB 22
Wasserspartechnik die, -en AB 1
WC das, -s 1, 3, 30
Wechsel der, - AB 59
wechselhaft AB 42, AB 59
Weckdienst der, -e 30
weder AB 37, AB 38
Weg der, -e aus dem Weg gehen 9, 126
Wegauskunft die, -e AB 41, AB 46
Wegbeschreibung die, -en AB 40
wegen 8, 54
wegfallen sie/er/es fällt weg fiel weg, ist weggefallen AB 7, AB 76
weglaufen du läufst weg, sie/er/es läuft weg lief weg, ist weggelaufen AB 77
wegrennen AB 64
wegtragen + AKK du trägst weg, sie/er/es trägt weg trug weg, hat weggetragen 126
wegwerfen + AKK du wirfst weg, sie/er/es wirft weg warf weg, hat weggeworfen 114, 117
wegziehen + von DAT zog weg, ist weggezogen AB 23
weh 63, 64
wehen 21, 56
weigern + sich + zu Infinitiv 106
Weihnacht (die) (Singular) AB 28, AB 29, AB 44, AB 48, AB 49
Weihnachten (das) 8
Weihnachtsgeld das (Singular) 90
Weihnachtsgeschenk das, -e AB 28, AB 29
Weile die (Singular) 128, 132
Weinfass das, -er 28
Weinpfütze die, -n 98
Weise die (Singular) 123
Weißbrot das, -e AB 72
weit 31, 37, 39, 48, 56
weit und breit 92
weiter wissen 130
weiter: ohne weiteres 22
weitere AB 32
weitergeben + AKK du gibst weiter, sie/er/es gibt weiter gab weiter, hat weitergegeben 105
weiterhelfen + DAT du hilfst weiter, sie/er/es hilft weiter half weiter, hat weitergeholfen 130, AB 72
weiterleben 45
Weiterleiter der, - 103, 104
weitermachen 129
weiterträumen 81
weiterziehen AB 22
weitgehend 63
welch- 2, 10, 14, 26, 28, 29, 30
welcher Art 104
Wellenbad das, -er 28
Wellnessbereich der, -e 31
Welt die, -en 8, 21, 27, 49, 76, 79, 87, 88, 89
weltbekannt 28

Weltbevölkerungsprognose die, -n 58
Weltbild das, -er 115
Weltkrieg der, -e 61, 63
wenden + sich + an AKK 123
wenig zu tun haben 87
wenigstens 9, 66
Werbeagentur die, -en 8
Werbekauffrau die, -en 2
Werbekaufmann der, -kaufleute 6
werden aus 80
werden: mehr werden 45
werfen + AKK + DIR du wirfst, sie/er/es wirft warf, hat geworfen 78, 99, 117, 118, AB 37
Werk das, -e 16, 17, 24, 59, 86, 114
Wert der, -e 9, 112
wert 112, 112
wertlos AB 36
Wertpapiere die (Plural) 4
Wertsachen die (Plural) 4
wertvoll 4, 28
Wesen das, - 104, AB 63
weshalb AB 43
West AB 25
West-Berlin (das) 22, 23
West-Berliner der, - 22
Westen der 23
Western der, - 121
Westküste die, -n 56, 57
westlich 63
Wetter das (Singular) 38, 39, 59, 68, 88
Wetterbericht der, -e 121, AB 42, AB 82
wetterfühlig AB 42
Wetterfühligkeit die (Singular) AB 42
Wetterkarte die, -n 38
Wetterreize die (Plural) AB 42
Wettervorhersage die, -n 58
wissen: Bescheid wissen + über AKK ich weiß, du weißt, sie/er/es weiß wusste, hat gewusst 61
wichtig etwas Wichtiges 105
Widerrede die (Singular) AB 77
widersprechen du widersprichst, sie/er/es widerspricht widersprach, hat widersprochen 46, 98
Widerspruch der, -e 10
Widerstand der, -e 21, 126
widerstehen + DAT widerstand, hat widerstanden 61
wie ein Löwe 98
wie kann man nur 9
wie lange 31, 32, 40
wie spät 32
wie viele 4, 31
wie's = wie es 20, 38, 53
wieder und wieder 82
wiederholt AB 22
Wiederholung die, -en 35, 101
Wiedervereinigung die (Singular) AB 25
wild 9, 92
wildfremd 22
Wille der (Singular) 16, 36, 89, 113
willkommen 30, 31, 93
Wimperntusche die (Singular) 98
Wind der, -e 18, 21
windig AB 42
Windsurfen das (Singular) 53
winken 53
winseln 98, 99
Wintergarten der, - 6, 7, 31
Winternachmittag der, -e 56
winzig AB 29
wird's = wird es 39
wirft Präteritum von → werfen 8
wirklich nicht 9

Buchstaben und ihre Laute

einfache Vokale

a	[a]	dann, Stadt
a, aa, ah	[a:]	Name, Paar, Fahrer
e	[ɛ]	kennen, Adresse
	[ə]	kennen, Adresse
e, ee, eh	[e:]	den, Tee, nehmen
i	[ɪ]	Bild, ist, bitte
i, ie, ih	[i:]	gibt, Spiel, ihm
ie	[jə]	Familie, Italien
o	[ɔ]	doch, von, kommen
o, oo, oh	[o:]	Brot, Zoo, wohnen
u	[ʊ]	Gruppe, hundert
u, uh	[u:]	gut, Stuhl
y	[y]	Gymnastik, System
	[y:]	Typ, anonym

Umlaute

ä	[ɛ]	Gäste, Länder
ä, äh	[ɛ:]	spät, wählen
ö	[œ]	Töpfe, können
ö, öh	[ø:]	schön, fröhlich
ü	[y]	Stück, Erdnüsse
ü, üh	[y:]	üben, Stühle

Diphthonge

ei, ai	[aɪ]	Weißwein, Mai
eu, äu	[ɔy]	teuer, Häuser
au	[aʊ]	Kaufhaus, laut

Vokale in Wörtern aus anderen Sprachen

ant	[ã]	Restaurant
ai, ait	[ɛ:]	Portrait
ain	[ɛ̃]	Refrain, Terrain
au	[o]	Restaurant
äu	[ɛ:ʊ]	Jubiläum
ea	[i:]	Team, Jeans
ee	[i:]	Darjeeling, Meeting
eu	[e:ʊ]	Museum
	[ø:]	Friseur, Ingenieur
ig	[aɪ]	Design
iew	[ju:]	Interview
on	[õ]	Saison, Bonbon
oa	[o:]	Toaster
oo	[u:]	cool, Cartoon
ou	[aʊ]	Couch, Outfit
	[ʊ]	Tourist, Souvenir
	[u:]	Tour, Route
u	[a]	Curry, Punk, Puzzle
y	[ɪ]	City, Hobby, Party

einfache Konsonanten

b, bb	[b]	Bier, Hobby
d	[d]	denn, einladen
f, ff	[f]	Freundin, Koffer
g	[g]	Gruppe, Frage
h	[h]	Haushalt, geheim
j	[j]	Jahr, Projekt
	[dʒ]	Jeans, Job
k, ck	[k]	Küche, Zucker
l, ll	[l]	Lampe, alle
m, mm	[m]	mehr, Kaugummi
n, nn	[n]	neun, kennen
p, pp	[p]	Papiere, Suppe
r, rr, rh	[r]	Büro, Gitarre, Rhythmus
s, ss	[s]	Eis, Adresse
	[z]	Sofa, Gläser
ß	[s]	heißen, Spaß
t, tt, th	[t]	Titel, bitte, Methode
v	[f]	verheiratet, Dativ
w	[v]	Wasser, Gewürze
x	[ks]	Infobox, Text
z	[ts]	Zettel, zwanzig

am Wortende / am Silbenende

-b	[p]	Urlaub
-d	[t]	Fahrrad, Landkarte
-g	[k]	Dialog, Flugzeug
nach -i-	[ç]	günstig, Kleinigkeit
-r	[ɐ]	Mutter, vergleichen

Konsonantenverbindungen

ch	[ç]	nicht wichtig, China
	[x]	Besuch, acht
	[k]	Chaos, sechs
-dt	[t]	Stadt, verwandt
ng	[ŋ]	langsam, Anfang
nk	[ŋk]	danke, Schrank
qu	[kv]	Qualität, bequem
sch	[ʃ]	Tisch, schön

am Wortanfang / am Silbenanfang

| st | [ʃt] | stehen, verstehen |
| sp | [ʃp] | sprechen, versprechen |

Konsonanten in Wörtern aus anderen Sprachen

c	[s]	City
	[k]	Computer, Couch
ch	[ʃ]	Chance, Chef
j	[dʒ]	Jeans, Job
ph	[f]	Alphabet, Strophe
-t- vor ion	[ts]	Lektion, Situation
v	[v]	Varieté, Verb, Interview

Quellenverzeichnis

Umschlagfoto mit Freya Canesa, Susanne Höfer und Robert Wiedmann: Gerd Pfeiffer, München

Kursbuch

Seite 73: Foto: T. Einberger/argum; Hintergrundfoto: Frank Hutter, München

Seite 74: Foto 2: Young-Soon Cho, München; Foto 3: Thorsten Jansen, Frankfurt

Seite 75: Foto 1: Gerd Pfeiffer, München; 3, 5: Quirin Leppert, München; 2: Harald Schröder, Frankfurt; 4: Alpaslan Bayramli, München; 6: Sonja Müller, London; Textunterlegtes Foto: Kurverwaltung, Föhr

Seite 76: Text 1, 3, 5 aus: Brigitte 13/97, Picture Press, Hamburg; 2 aus: Journal Frankfurt; 4, 6: Spiegel Special 06/99, Spiegel Verlag, Hamburg

Seite 78: Text nach Marie Luise Kaschnitz *Das Haus der Kindheit*, 1986 Claassen Verlag Düsseldorf und München; Foto: DIZ Süddeutscher Verlag, Bilderdienst, München (© R. Clausen)

Seite 79/80: Fotos von ZEIT/Leben, Berlin © 1: Thomas Rabsch, 2: Manfred Klimek, 3: Jim Rakete; Texte aus: ZEIT/Leben-Serie *Ich habe einen Traum* © 1: Marc Kayser, 3: Barbara Bürer

Seite 82: Foto: DIZ Süddeutscher Verlag, Bilderdienst, München (© Thomas Machowina)

Seite 83: Foto: Maikäfer Musik Verlagsgesellschaft mbH, Lehrte; Text: Chanson Edition Reinhard Mey, Berlin; Cartoon: © Oswald Huber, CCC, München

Seite 85/86: Fotos und Texte aus: Women & Work 1/98, Allegra; Foto München: Beatrice Glass für Allegra; São Paulo: Rogerio Assis für Allegra; Tokio: Wakana Tanabe für Allegra

Seite 88: Foto 2: Polizeipräsidium München Pressestelle © Peter Reichl; 3: Adam Opel AG, Rüsselsheim; Text 1 + 2 aus: Brigitte 9/94: Brigitte Dossier – 50 interessante Berufe, Picture Press, Hamburg

Seit 89: Foto: © Gabriele Oster; Text aus: Stern/Start 1/98, Picture Press, Hamburg

Seite 90: Foto 1+2: Adam Pentos, München; gekürzter Text von Claudia Ten Hoevel aus: TV Hören und Sehen 41/98, Heinrich Bauer Programmzeitschriften Verlag, Hamburg

Seite 92: Frisör: Musik von Thomas Dürr, Text von Udo Schöbel © by EMI QUATTRO MUSIKVERLAG GMBH, Hamburg (50%) / Manuskript

Seite 94: Foto: Beate Blüggel, Köln

Seite 95: Cartoon: © Ratzj, CCC, München

Seite 98: Text von Doris Dörrie aus Süddeutsche Zeitung v. 31.12.96, DIZ Süddeutscher Verlag, München

Seite 100: Zeichnungen: Olaf Hajek, Berlin; Hörtext gekürzt aus: Psychologie Heute, 8/97 (Mobbing: Subtile Kriegsführung am Arbeitsplatz); Foto: Radio Antenne Bayern © Werner Bönzli, Reichertshausen

Seite 103–105: Texte aus: Brigitte 16/97 N II, Picture Press, Hamburg; Zeichnungen: © Horst Klein, Manuela Hirsch CreativPool, Berlin

Seite 107: Cartoon: © Thomas Körner, Berlin

Seite 111/113: Fotos: Bildagentur Anne Hamann, München © Horst A. Friedrichs

Seite 115: Fotos: Webdesign Fa. Leutgeeb, Zwettl mit freundlicher Genehmigung der Nachlaßverwaltung FALCO, p.a. Rock Produktion, Wien; Text: © 1994 by Diana Music & Vison Musikverlag GmbH/George Glueck Musik GmbH, Berlin

Seite 116: Foto 1+3 (Jörg Reuther), 2+6 (Anselm Spring), 4 (Horst Münzig) Agentur Anne Hamann, München; 5 Oswald Baumeister, München; 7 Stadtwerke München, Verkehrsbetriebe

Seite 119: Abbildung: Andreas Koch, Frankfurt

Seite 121: Foto A: WDR/BBC, Jeff Rotmann/NHU Picture Library; B: ARD/WDR Tatort: *Willkommen in Köln* (Kerstin Stelter); C: NDR/Uwe Ernst; D + F: RTL/Stefan Gregorowius, Leverkusen; E: WDR/RG Kinder FS; Statistik *Sehdauer der Zuschauer ...* aus: Deutschland Nr. 2, April 1998, Societäts-Verlag, Frankfurt

Seite 122: Text aus: Psychologie Heute 8/1996, Verlagsgruppe Beltz, Weinheim

Seite 125: Foto: Werner Bönzli, Reichertshausen

Seite 126: Textauszug aus: Kursbuch 133, Rowohlt Verlag, Reinbek mit freundlicher Genehmigung von Elke Heidenreich

Seite 128/129: Aus PZ 98/Juni 1999, Seite 32/33, Redaktionsbüro Lackner & Graz, Bonn

Seite 133: Cartoon aus: Oliver Gaspirtz: Menschen, Medien, Emotionen, Lappan Verlag, Oldenburg

Seite 140: Gedicht *Floskeln* von Rudolf Otto Wiemer

Arbeitsbuch

Seite 87: Foto: Russell Underwood, London

Seite 88: Text aus: Brigitte 21/97, Picture Press, Hamburg

Seite 89: gekürzter Text *Heimat ist...* aus: Spiegel Spezial 6/99, S. 30; Foto: DIZ Süddeutscher Verlag, Bilderdienst, München (Hipp-Foto);

Seite 90: Text und Grafik aus: Spiegel Spezial 6/99; Fotos: MHV-Archiv (Dieter Reichler/Franz Specht)

Seite 95: Foto 2: Werner Bönzli, Reichertshausen

Seite 98: Foto: Russel Liebmann, Berlin

Seite 99: Text *Freiheit ...* aus: Gabriele Pommerin, Tanzen die Wörter in meinem Kopf, Max Hueber Verlag, 1996

Seite 105: Text aus: Was erwartet die Wirtschaft von den Schulabgängern in: position, IHK-Magazin für Berufsbildung, 3/96, Josef Keller Verlag, Starnberg

Seite 106: Umfrage von Renate Giesler aus Brigitte Special Job & Karriere, Picture Press, Hamburg; die Fotos wurden von den interviewten Personen privat zur Verfügung gestellt

Seite 107: Christine Nöstlinger *Werter Nachwuchs. Die nie geschriebenen Briefe der Emma K.*, Dachs-Verlag, Wien

Seite 110/111: Bewerbung Falsch/Richtig aus: Start 1/98, Marlen Theiß/Stern, Picture Press, Hamburg

Seite 113: Text aus: Rafik Schami, Gesammelte Olivenkerne, Carl Hanser Verlag, München

Seite 119: Aufpassen! Zitat aus Hans Manz, Die Welt der Wörter, 1991 Beltz Verlag, Weinheim und Basel

Seite 120: Foto: Werner Bönzli, Reichertshausen

Seite 132: Text nach einem Bericht über *Das Zusammenleben von Frauen und Männern proben* (Don Bosco-Haus in Düsseldorf) aus: Frankfurter Rundschau vom 17.11.99, Nr. 266/ Redaktion Zeitung in der Schule

Seite 134: Abbildung aus einem Prospekt der Firma C. F. Maier Polymertechnik, Schillingsfürst

Seite 140: Text aus: Deutschland Nr. 2, April 1998, Societäts Verlag, Frankfurt

Seite 141: Statistik aus: Das Freizeit-Forschungsinstitut im Internet, British American Tobacco, Hamburg

Seite 143: Abbildungen: Werner Bönzli, Reichertshausen

Seite 144: Text aus: SZ intern 1998 *Aus dem Leben eines Nachrichtenredakteurs* (Eigener Bericht); Fotos: Eberhard Wolf: DIZ, Süddeutscher Verlag, Bilderdienst, München

Seite 147: Hörtext *Großmutter surft im Internet* von Barbara Tauber aus: Frankfurter Rundschau vom 21.8.1999

Seite 159: Abbildungen *Die Zirkelmenschen – Eine ausgesprochen aktuelle Allegorie* aus: Robert Gernhardt, Vom Schönen, Guten, Baren © 1997 by Haffmans Verlag AG Zürich

Seite 89, 129, 146: Wörterbuchauszüge aus Langenscheidts Großwörterbuch Deutsch als Fremdsprache, Neubearbeitung 1998, 2. Auflage mit freundlicher Genehmigung des Langenscheidt Verlages, München

Fotos von Gerd Pfeiffer, München:
Kursbuch Seite 74 (3), 88 (2), 90 (6), 97 (7), 103 (2), 109 (6), 117, 122, 124,
Arbeitsbuch Seite 95 (8) , 118 (3), 128, 146, 147.